Stratené mestá
starovekého sveta

Philip Matyszak

Stratené mestá
starovekého sveta

Preložil Ladislav Holiš

IKAR

OBSAH

Predchádzajúca dvojstrana Pohľad na amfiteáter v rímskom Timgade (dnešné Alžírsko). Mesto založil v roku 100 n. l. cisár Traján.

Vľavo Nápis v Dura-Europos želá priaznivý osud rímskemu cisárovi, senátu a ľudu.

Nasledujúca dvojstrana Bránu chetitskej metropoly Chattušaš v dnešnom Turecku strážia sfingy z neskorej bronzovej doby. Samotné mesto vzniklo v 6. tisícročí pred n. l.

Duchovia minulosti

Pestré podoby vývoja ľudstva a vývoja miest navzájom úzko súvisia. Jedna poučka definuje moderného človeka doslova ako „druh, ktorý stavia mestá“. Mestá nás odjakživa priťahovali, pretože stelesňovali centrá diania a pokroku. Zväčša si ich predstavujeme ako rozľahlé metropoly, v ktorých žijú desaťtisíce ľudí, to však neplatí ani dnes. Napríklad v Severnej Amerike „mestá“ s populáciou pod 5 000 obyvateľov nie sú nijako výnimočné. V starovekom svete mohli byť tieto sídla ešte menšie a spôsob ich fungovania nám napovedá mnohé o raných spoločenstvách.

Archeológovia, ktorí sa usilujú zrekonštruovať príbeh našich predkov, sa v minulosti domnievali, že urbanizácia nastúpila po objavení poľnohospodárstva ako ďalšia prirodzená fáza ľudského vývoja. Podľa tejto teórie roľnícke národy potrebovali chrániť cennú pôdu pred najnásilnejším a najnebezpečnejším druhom na planéte – inými ľuďmi. Ak miestna krajina neposkytovala prirodzenú ochranu, ľudia si vybudovali svoju a práve z týchto obranných pevností sa stali prvé mestá.

Dnes sa však zdá, že takýto pohľad vykresľuje ľudstvo v príliš čiernych farbách. Podľa súčasných výskumov aj príslušníci nepoľnohospodárskych etník obľubovali spoločnosť súkmeňovcov a združovali sa z dôvodov, ktoré s vedením vojen nemali nič spoločné. Vezmime si napríklad lokalitu Göbekli Tepe v Malej Ázii, kde archeológovia vykopali masívne kamenné štruktúry, ktoré sa podobajú na Stonehenge, ale sú kvalitnejšie a o 6 000 rokov staršie. Ich stavba si vyžadovala koordinované úsilie a tisíce hodín práce predagrárnych spoločenstiev. Aj ďalšie dôkazy, ako napríklad nálezy v Dolných Věstoniciach v Českej republike, poukazujú na to, že „kočovní“ ľudia sa pravidelne združovali vo veľkých počtoch (o dôvodoch týchto stretnutí dnes môžeme nanajvýš špekulovať). Ich sídla, hoci len dočasné, mnohokrát dosahovali veľkosť starovekých miest opísaných v tejto knihe.

Ďalej treba podotknúť, že prvé mestá nevznikali v prirodzene opevnených kopcoch, ale na úrodných rovinách, napríklad v povodí Nílu v Egypte, Eufratu v Mezopotámii či Žltej rieky v Číne. Rieky pritom neposkytovali iba zásoby sladkej vody, ale aj príležitosti na cestovanie a obchodovanie. Preto je rozumné predpokladať, že mestá sa nevyvinuli primárne na vojenské účely, ale na to, aby z poľnohospodárskeho prebytku mohla profitovať neroľnícka časť populácie. Tá ho potom využívala na administratívne a náboženské činnosti, vzdelávanie či obchodovanie. Najstaršie mestá teda stelesňovali kolektívne ľudské úsilie, v rámci ktorého obrana územia nemusela hrať nevyhnutne prvé husle.

Mestá sa stavali z rozličných dôvodov. Perzepolis, „Mesto Peržanov“, zväčša slúžil na vykonávanie obradov a v niektorých častiach roka doslova zíval prázdnotou. Pre ríšu však plnil významnú úlohu. Iné mestá, napríklad rímske Waldgirmes v Germánii, vznikali, aby demonštrovali silu vládnucej mocnosti. Ďalšie, ako Mardaman v Mezopotámii, vyrástli z obchodných staníc a zo zastávok karaván. Niektoré mestá predstavovali čisto administratívne či kultové centrá.

Väčšina obyvateľstva žila za ich hradbami a živila sa tým, čím sa až do novoveku živil takmer každý – obrábaním pôdy.

Presne tak, väčšina obyvateľov starovekých miest robila presný opak toho, čo dnes robíme my – ráno z miest odchádzali a šli pracovať na polia. Veľkosť populácie teda nehrala v statuse mesta žiadnu úlohu. Dôležité bolo, že predstavovalo samostatný celok, ktorý spravoval priľahlú krajinu a dohliadal na jej bezpečnosť. Toto je definícia starovekých miest, ktorej sa pridržame v tejto knihe. Aj malé sídlo ako Skara Brae na Orknejach pre tamojších obyvateľov stelesňovalo mesto, pretože vo vzdialenosti stoviek kilometrov sa nenachádzalo nič porovnateľnej veľkosti. Všetko závisí od kontextu.

Svet sa v priebehu storočí menil a s ním aj spôsob života. Niektoré sídla stratili z rozličných dôvodov svoje opodstatnenie. Zvyšky Uruku, najväčšieho mezopotámskeho mesta vo 4. tisícročí pred n. l., ležia opustené vo vyprahnutej krajine. Mesto sa vyľudnilo po tom, čo okolité úrodné polia pohltila púšť. V Mezopotámii kedysi prekvital aj hrdý Akkad. Jeho panovník však údajne stratil priazeň bohov a tí ho zničili (tak dôkladne, že dodnes nevieme, kde presne Akkad ležal).

Iné mestá sa vyľudnili z prozaickejších dôvodov – bohatý prístav zaniesli naplaveniny alebo sa v inom údolí našla výhodnejšia obchodná cesta či úrodnejšia pôda. Po rozpade Západorímskej ríše zostalo v niektorých mestách všetko na svojom mieste – až na ich obyvateľov. Sídla ako Venta Silurum v dnešnom Walese sa nevyprázdnili preto, že by sa v nich nedalo žiť, ale preto, že život v nich stratil opodstatnenie. Hoci Timgad a Chattušaš kedysi predstavovali slávne metropoly, dnes sa v učebniciach takmer nespomínajú. Takéto sídla pokladáme za stratené mestá.

Keď mesto zmizne, môže prežiť v podobe mýtu (spomeňte si na Tróju, Kamelot či Atlantídu) alebo sa môže z nášho povedomia celkom vytratiť, až kým sa nanovo neobjavia jeho stopy. Takýchto miest bezpochyby jestvujú stovky. Ukryté pod zemou, na dne morí či pod piesočnými dunami nám zmizli (aspoň zatiaľ) z dohľadu.

Mnohé z opustených miest opísaných v tejto knihe sa dajú dodnes navštíviť. Môžete sa prechádzať ich pustými ulicami a predstavovať si, ako sa v nich pred stáročiami žilo. Niekedy potrebujete na ich prieskum potápačský výstroj, inokedy sa vinou nepokojnej politickej situácie dnešného sveta vystavujete pri ich návšteve riziku. V niektorých prípadoch ich presnú polohu nevieme vôbec určiť. No mestá sú stále tam – nadčasoví nemí svedkovia dávnych dôb, vzdialených končín a diametrálne odlišných spôsobov života. Napriek niekdajšej sláve ich dnes obývajú len duchovia minulosti, preto sa aj ony rátajú medzi „stratené".

Aby sa mesto považovalo za „zabudnuté", v určitom momente muselo zmiznúť z mapy. Jeho význam sa zmenšil natoľko, že sa takmer zabudlo aj na jeho ruiny. Medzi takéto sídla patrí napríklad Kyréna v Líbyi, kedysi obchodná križovatka plná života a jedno z najvýznamnejších miest v podmanivom prostredí južného Stredomoria. Zub času a neúprosná dezertifikácia zmenili mesto na rozvaliny, ktoré zostali celé stáročia nepovšimnuté.

Na niektoré mestá, ktoré sa spomínajú v tejto knihe, napríklad na Tróju, sa vonkoncom nezabudlo (hoci Trója sa na určitý čas tak dôkladne „stratila", že ju ľudia považovali za mýtus). Takéto mestá sú však dnes už iba pozostatkami stratených kultúr, sú to obete meniacich sa časov a okolností. Podobný osud postihol napríklad rímske sídla v Alžírsku či grécke sídla v Egypte. Iné mestá ako Dura-Europos či Beta Samati upadli ešte do hlbšieho zabudnutia, ale aj ony majú zaujímavú históriu, ktorú sa oplatí spoznať.

Hrdinov tejto knihy, ktorí kedysi dávno predstavovali prosperujúce spoločenstvá,

postihla katastrofa. Mohla ňou byť zmena klímy, devastačné ľudské správanie alebo zmena okolností, ktorá mestám prakticky odobrala dôvod existovať. Či sa ukrývajú v púšti, či ležia pri mori (respektíve pod jeho hladinou), alebo sa vynímajú neďaleko našich obydlí, všetky mestá majú svoje jedinečné príbehy – príbehy, ktoré nám pripomínajú, že ľudia napriek svojmu barbarstvu, zločinnosti a pochabosti už celé tisícročia spolu nažívajú radi. Rozličné národy a kultúry navzájom súperili aj obchodovali. Popritom si vymieňali nápady, technológie a svetonázory. Preto sa ľudia od Sudánu v Afrike až po Orkneje v Škótsku delili o veľkú časť spoločného dedičstva.

Ich mestá, hoci zabudnuté a stratené, sú týmto dedičstvom vytesaným do kameňa.

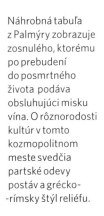

Náhrobná tabuľa z Palmýry zobrazuje zosnulého, ktorému po prebudení do posmrtného života podáva obsluhujúci misku vína. O rôznorodosti kultúr v tomto kozmopolitnom meste svedčia partské odevy postáv a grécko-rímsky štýl reliéfu.

Najstaršie mestá

Čo bolo skôr – sliepka či vajce? Alebo, ak sa na vec pozrieme optikou archeológov a antropológov, ktorí skúmajú prvé ľudské obydlia: čo bolo skôr – mesto či statok?

Ešte pred niekoľkými desiatkami rokov sa odpoveď na túto otázku zdala jednoznačná. Zdravý sedliacky rozum napovedal, že keď ľudia objavili výhody roľníctva, usadili sa, zanechali život lovcov a zberačov a začali produkovať dostatok potravy na udržiavanie neagrárnej časti populácie – kňazov, správcov a obchodníkov. Toto neroľnícke obyvateľstvo fungovalo najefektívnejšie, ak žilo uprostred početných skupín na relatívne malom priestore. Takto sa zrodili prvé mestá.

Niekoľko novších poznatkov však túto teóriu spochybňuje. Dnes už vieme, že naše podnebie nie je stabilné. Momentálne žijeme v ľadovej dobe, konkrétne v teplejšom interglaciálnom (medziľadovom) období, ktoré sa začalo pred 20 000 rokmi. V ranom neolite (mladšej dobe kamennej, *pozn. prekl.*) pred približne 10 000 rokmi prevládalo na zemi teplejšie a vlhkejšie podnebie ako dnes. V niektorých častiach sveta, najmä v oblasti medzi Malou Áziou a Iránskou plošinou, panovali obzvlášť priaznivé podmienky. V tamojších mokradiach sa darilo vtáctvu a rybám. Rozľahlé lúky, bohaté na divé obilniny, spásali stáda divých kôz a vysokej zveri. Všetko nasvedčuje tomu, že úrodná krajina vedela uživiť populáciu lovcov a zberačov, preto sa v nej ľudia usadili natrvalo.

Prvé mestá pripomínali veľké kmeňové táboriská. Je zaujímavé, že v nich chýbajú stopy po správcoch, kňazoch a obchodníkoch. Napríklad Çatal Hüyük nemal chrámy, veľké trhoviská ani paláce.

Väčšinu Severnej Ameriky zaberalo v určitých obdobiach staroveku veľké sladkovodné jazero, ktoré približne pred 8 000 rokmi naraz uvoľnilo milióny ton roztopenej ľadovcovej vody. Podľa novej hypotézy viedla táto udalosť k prudkému poklesu globálnych teplôt a nasledujúcemu vysychaniu kedysi úrodných mokradí. Ľudia, ktorí žili v mestských sídlach, si na svoje domovy za generácie zvykli a nechceli ich opustiť. Preto robili, čo vedeli, aby sa vzopreli nepriazni osudu – hnojili či zavlažovali lúky a domestikovali divoké plodiny aj zvieratá, ktoré sa pásli v okolí.

Slovom, mestá sa nemuseli vyvinúť ako dôsledok poľnohospodárskeho prebytku. Namiesto toho sa ľudia, ktorí v mestách žili už predtým, začali venovať roľníctvu, aby mohli aj naďalej zotrvať vo svojich domovoch. Poľnohospodárstvo, najmä ak je založené na zavlažovaní, si vyžaduje určitú úroveň organizácie a riadenia. Koordinovať distribúciu nadbytku a riešiť prípadné nezhody bolo úlohou prvých panovníkov v palácoch. Nová závislosť od počasia si vyžadovala uzmierovanie bohov, na čo slúžili chrámy. Vďaka výmene zdrojov medzi mestami zase vznikla obchodnícka trieda.

Mnohé mestá tohto obdobia nedokázali vzdorovať veľkým zmenám a spustli. Iné zmizli pod hladinou stúpajúcej morskej hladiny. Súboj o zdroje priniesol nový ľudský vynález – organizované vedenie vojny. Niektoré mestá sa brániť nedali alebo sa ich brániť neoplatilo. Toto všetko sa však neudialo zo dňa na deň.

Ľudský vývoj od neolitu po bronzovú dobu predstavoval pomalý a postupný proces. Niektoré mestá, ktoré stratili opodstatnenie a napokon sa vyľudnili, existovali o celé stáročia dlhšie než niektoré zo „stálic" moderného sveta ako Berlín, Moskva či Paríž.

Jedna vec, ktorá v meniacom sa svete zostala rovnaká, bola obľuba urbanizmu.

Keď si ľudia uvedomili, že im život v mestách vyhovuje, chceli v nich zostať. Prvé sídla tohto typu slúžia ako hmotné dôkazy vynaliezavosti svojich obyvateľov, ktorí čelili klimatickej zmene a konkurenčným skupinám. Na izolovaných severských ostrovoch, v boji proti rozširujúcim sa piesočným dunám či stúpajúcej morskej hladine alebo pri expanzii na územia cudzích pastierov – obyvatelia prvých miest vzdorovali nepriazni osudu aj konkurentom z vlastných radov, čím položili základy moderného sveta.

pribl. 7250 – 5500 pred n. l.
Çatal Hüyük
Vyvrátené mýty

Po meste ste sa pohybovali tak, že ste si určili cieľ
a potom ste sa doň vybrali po strechách.

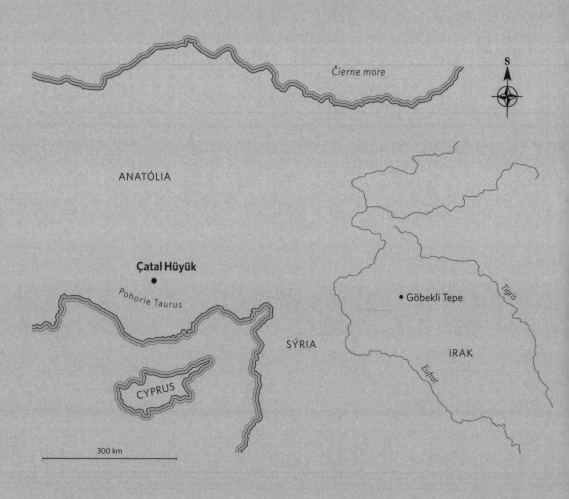

Čierne more

S

ANATÓLIA

Çatal Hüyük

Pohorie Taurus

Göbekli Tepe

Tigris

SÝRIA

IRAK

CYPRUS

Eufrat

300 km

V dvadsiatom storočí mala väčšia antropológov pomerne jasnú predstavu o tom, ako sa vyvíjala moderná spoločnosť. Obyvatelia Mezopotámie sa začali venovať poľnohospodárstvu a nadbytok z obrábania pôdy im umožnil žiť vo väčších a v komplexnejších celkoch, ktoré dokázali uživiť neagrárnikov ako kňazov či vojakov. Keďže početné komunity museli byť organizované, mešťania zaviedli hierarchiu siahajúcu od panovníka až k roľníkovi. Poriadok udržiavali vojaci. Zatiaľ čo predurbánne spoločnosti boli matriarchálne a zväčša uctievali zemské božstvá, nové komunity uznávali striktne patriarchálne usporiadanie a nebeské kulty. Poľnohospodárska a mestská revolúcia sa postupne rozšírila do celého sveta a vytvorila predpoklad modernej civilizácie.

Nové poznatky však tieto závery spochybňujú. Napríklad UNESCO opisuje mesto ako „kľúčový prvok na pochopenie prehistórie ľudstva". Toto tvrdenie sa môže javiť prehnané, ale nové objavy skutočne radikálne menia náš pohľad na dejiny ľudstva pred písomnými záznamami.

Predovšetkým, mesto Çatal Hüyük neleží v Mezopotámii, ale v strednej Anatólii, približne 1 500 kilometrov na severozápad

Vnútro domu v Çatal Hüyüku. Časť priestoru je oddelená „býčími rohmi", častým umeleckým motívom v tamojších budovách.

Nahusto postavené domy v Çatal Hüyüku uprostred dnešnej vyprahnutej krajiny, ktorú by pôvodní obyvatelia sotva spoznali.

od „kolísky civilizácie". Hoci za najstaršie mesto na svete sa považuje mezopotámsky Uruk, Çatal Hüyük je prinajmenšom rovnako starý. Založili ho pred 9 000 rokmi, možno ešte skôr. Obyvatelia tohto pozoruhodne starého sídla prakticky za pochodu vynašli koncept života vo veľkej komunite.

Çatal Hüyük sa vyznačuje viacerými zaujímavými črtami. Napríklad sa v ňom nenašli cintoríny, pretože ľudí pochovávali pod podlahami domov. Domy sa často „recyklovali", teda pálili a nanovo stavali, čím pred opustením mesta okolo roku 5500 pred n. l. („iba" 4 700 rokov pred založením Ríma) vzniklo osemnásť vrstiev zástavby. Navyše Çatal Hüyük nemal ulice. Namiesto toho sa domy stavali tesne jeden vedľa druhého. Obyvatelia chodili dnu a von otvormi v plochých strechách, ktorými z izieb bez okien unikal dym.

Takýto koncept urbánneho plánovania predznamenal vysokú hustotu budov – na dvanástich hektároch sa ich tlačilo vyše 2 000. Po meste ste sa pohybovali tak, že ste si určili cieľ a potom ste sa doň vybrali po strechách. Jedinú prekážku predstavovala malá rieka, ktorá tiekla medzi dvoma pahorkami mesta – starším a väčším na východe a novším na západe.

Z tohto rozdelenia vychádza aj názov mesta („rozdelená mohyla" v súčasnej turečtine), pretože chodník, ktorý viedol lokalitou pred archeologickým výskumom, sa v tomto bode vetvil. Nevieme, ako alebo či vôbec obyvatelia Çatal Hüyüku mesto nejako volali. Názov potrebujeme na odlíšenie jednej veci od podobných, ale v okolí Çatal Hüyüku (a možno ani nikde inde vo svete) sa žiadny podobný objekt nenachádzal.

Ďalej treba podotknúť, že hoci obyvatelia mesta poznali poľnohospodárstvo a jeho význam postupne narastal, v čase založenia žili v Çatal Hüyüku prevažne lovci a zberači. Nálezisko dnes leží v jednej z najsuchších oblastí Turecka, ale pred 9 000 rokmi ju tvorili úrodné mokrade bohaté na divú zver a rastlinstvo, ktoré dokázali uživiť statickú populáciu. Ryby, vodné vtáctvo, divé ovce a dobytok poskytovali bielkoviny, zatiaľ čo medzi bežné rastliny patrili pšenica, jačmeň, pistácie a mandle. Navzdory tradičnému presvedčeniu, že poľnohospodárstvo viedlo k vzniku miest, výstavba Çatal Hüyüku pravdepodobne viedla k poľnohospodárstvu, pretože mešťania začali obrábať pôdu, aby dokázali udržať populáciu, ktorá napokon narástla až na približne 8 000.

Už tieto skutočnosti robia z Çatal Hüyüku pozoruhodné miesto, ale to ešte zďaleka nie je všetko. Takmer celý priestor je zastavaný obytnými domami. Nepodarilo sa objaviť žiadne verejné miesta – baziliky, trhoviská či divadlá. (Mimochodom, takmer dve tretiny centra starovekého Ríma zaberal verejný priestor toho či oného typu.) Najviac zarážajúca je absencia palácov a chrámov.

Ak mal Çatal Hüyük ústrednú správu, nezostali po nej žiadne stopy. Miesto pôsobí nesmierne rovnostárskym dojmom, keďže všetky dosiaľ odkryté domy vyzerajú podobne a žiaden nevyniká dekoratívnosťou nad ostatnými. Zdá sa, že rozhodnutia sa robili kolektívne. Podobne niektoré zariadenia v meste mohli zrejme v prípade potreby používať všetci. Časť antropológov dospela k záveru, že mestská spoločnosť bola striktne rovnostárska. Obyvatelia pravdepodobne ani nemohli žiť inak, keďže autokracia ako správny systém v ich čase ešte nejestvovala.

Prvé archeologické výskumy odhalili vysoký počet ženských sôch, čo viedlo k záverom, že v Çatal Hüyüku vládol matriarchát. Tento koncept niektorí nadšene prijali, ale Çatal Hüyük sa opäť vzoprel stereotypom. Ďalšie vykopávky vyniesli na svetlo sveta veľké množstvo sošiek mužov a zvierat. Aj v tomto ohľade sa teda mesto javí egalitársky – analýza kostier preukázala, že muži a ženy mali približne podobnú stravu a pochovávali ich s rovnakými poctami. Navyše sadze z vnútorných ohnísk, ktoré prenikali obyvateľom do pľúc a usádzali sa im na rebrách, preukázali, že muži a ženy trávili v interiéroch rovnaké množstvo času. Miera opotrebenia kostí naznačuje, že obe pohlavia vykonávali viac-menej rovnakú prácu, hoci podľa malieb patril lov veľkej zveri skôr medzi domény mužov.

Ian Hodder, jeden z archeológov, ktorí pracovali na vykopávkach v oblasti, poznamenal: „Nemáme do činenia s patriarchátom ani s matriarchátom. Ide pravdepodobne o niečo oveľa zaujímavejšie – o spoločnosť, v ktorej v mnohých ohľadoch otázka pohlavia neurčovala vašu životnú dráhu." Prirodzene, jeden rozdiel spočíval v tom, že ženy rodili, a to so všetkými rizikami, ktoré so sebou pôrod pred novovekom prinášal. Zistilo sa, že ženy s novorodencami sa vo väčšine domov pochovávali najbližšie k ohnisku.

O Çatal Hüyüku toho ešte veľa nevieme, ale obraz, ktorý o ňom máme, je zatiaľ veľmi pôsobivý. Všetko nasvedčuje tomu, že zbrane nájdené v lokalite sa používali výlučne na lov, takže šlo pravdepodobne o mierumilovné spoločenstvo. Je zrejmé, že naši predkovia nestavali svoje domovy na vyvýšeninách len pre pekné výhľady (Çatal Hüyük sa po viacerých prestavbách týčil približne dvadsať metrov nad okolitou krajinou), no v tomto prípade sa obyvatelia skôr chceli vyhnúť povodniam než nepriateľským útokom.

Zbrane si vyrábali z rohoviny a zo štiepaného obsidiánu. Importované artefakty preukázali, že miestni obyvatelia udržovali obchodné styky s inými lokalitami v Sýrii. Domy stavali z omietnutých nepálených tehál a hojne ich zdobili maľbami či sochami. Početné zastúpenie mali skutočné aj vyrezávané lebky divých zvierat – býkov, vysokej zveri, leopardov alebo supov. Dokonca jestvuje niekoľko vzrušujúcich náznakov, že práve tu jedni z prvých hutníkov ťažili a tavili olovo.

Çatal Hüyük napokon osirel. Vysychanie oblasti zrejme znížilo jej výnosnosť a mesto nedokázalo držať krok s vývojom (absentovali v ňom ulice či verejné priestory). Predmety z neskoršieho obdobia ako kamenné pečatidlá naznačujú prítomnosť modernejších konceptov, napríklad súkromného vlastníctva. Aj poľnohospodárstvo sa medzičasom všeobecne rozšírilo (v rovnakom období sa prvýkrát domestikoval dobytok). Po odchode obyvateľov sa mesto zachovalo vo vynikajúcom stave a ešte nás v ňom určite čaká mnoho objavov, ktoré nás prinútia prehodnotiť naše predstavy o pradávnej minulosti ľudstva.

Çatal Hüyük dnes

Ruiny pustého mesta postupne pochovala zemina a ďalších 6 000 rokov sa ukrývali pod dvoma nenápadnými vŕškami na tureckej Konyanskej planine. Prvý archeológ, ktorý sa o oblasť zaujímal, bol Angličan James Mellaart. Lokalitu objavil v roku 1958 a vykopal v rokoch 1961 až 1965. Práve Mellaartov nález ženských sošiek viedol

Vápencové sošky „matky zeme" patria medzi najstaršie nálezy v lokalite. Prví bádatelia ich pokladali za dôkaz matriarchálnej spoločnosti Çatal Hüyüku.

k presvedčeniu o matriarchálnej spoločnosti, ktoré sa však ďalšími výskumami do konca 20. storočia podarilo do veľkej miery vyvrátiť.

Medzinárodná komunita odborníkov v Turecku pracuje v interdisciplinárnom tíme pod názvom *Çatalhöyük Research Project* (Výskumný projekt Çatal Hüyük), ktorého cieľom je odhaliť v danej lokalite ďalšie tajomstvá ľudskej prehistórie. Od roku 2012 sa Çatal Hüyük nachádza na Zozname svetového dedičstva UNESCO a turecké Generálne riaditeľstvo pamiatok a múzeí si počet turistov a iných nezasvätencov starostlivo stráži.

V Çatal Hüyüku stojí malé návštevnícke centrum, kaviareň a múzeum s replikami artefaktov, nikto sa však po lokalite nesmie pohybovať na vlastnú päsť. Väčšinu vykopávok teraz zakrývajú mohutné prístrešky, ktoré chránia odhalené ruiny pred vplyvmi počasia.

pribl. 3200 – 2500 pred n. l.
Skara Brae
Drsný život na Orknejach

*Keďže ostrovanom chýbali stromy, svoje domovy
(vrátane nábytku) si stavali z kameňa.*

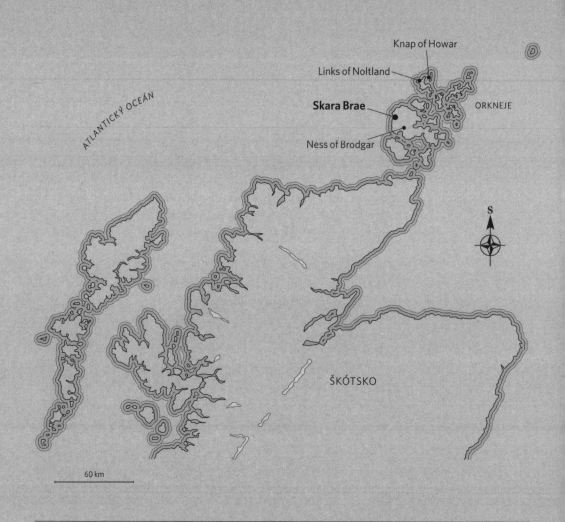

Knap of Howar

Links of Noltland

Skara Brae

ORKNEJE

ATLANTICKÝ OCEÁN

Ness of Brodgar

S

ŠKÓTSKO

60 km

V konvenčnej teórii ľudskej civilizácie (prebytok z obrábania pôdy vedie k čoraz väčším sídlam) sa nedávno objavilo niekoľko trhlín. Niektoré rané mestá totiž vznikli ešte pred všeobecným rozšírením poľnohospodárstva alebo vyrástli v oblastiach, kde na kultiváciu pôdy neboli vhodné podmienky. Patrí medzi ne aj Skara Brae, sídlo na veterných Orknejach severne od škótskej pevniny. Ľudia sa tam rozhodli spoločne usadiť pred vyše 5 000 rokmi napriek absencii úrodných polí, divej zveri či ovocných stromov (presnejšie stromov vo všeobecnosti).

Nevieme, prečo si vybrali práve Skare Brae. Nepoznáme ani rozsah pôvodného osídlenia, pretože jeho veľkú časť azda pohltilo more ešte skôr, než si novovekí bádatelia prítomnosť starovekých obydlí vôbec uvedomili. Je možné, že ostatné stavby v lokalite mali slabšiu konštrukciu, preto podľahli erózii. No bez mocných prírodných javov by sa Skara Brae možno nikdy nepodarilo objaviť.

Interiér domu v Skara Brae, ktorý ste si mohli zariadiť ľubovoľným nábytkom – samozrejme, pokiaľ ste mali dostatok kameňa.

V zime roku 1850 zasiahla Škótsko silná búrka, ktorá si vyžiadala veľké straty na životoch. Najväčším orknejským ostrovom, ktorý domáci volajú Mainland, zmietal obzvlášť silný vietor. Tvar zátoky Skaill navádzal vzdušné prúdy prevažne na pahorok s lokálnym názvom Mound by the Reef alebo Skerrabra. Vetry odniesli uvoľnenú pieskovitú zeminu a odhalili zhluk domov bez striech pospájaných zasypanými cestičkami.

Miestny *laird* (vlastník pozemkov, *pozn. prekl.*) William Watt sa ihneď pustil do amatérskeho archeologického výskumu a poprosil orknejského starožitníka Georgea Petrieho, aby mu v ňom pomohol. Spočiatku Skara Brae považovali za sídlo zo železnej doby, teda približne o 3 500 rokov mladšie (a menej zaujímavé), než bolo v skutočnosti. Vďaka uhlíkovej metóde a ďalším vykopávkam sa však dnes Skara Brae považuje za jednu z najzachovanejších lokalít mladšej kamennej doby v Európe.

Okolo roku 3200 pred n. l., teda v čase prvého osídlenia, vyzeralo Skara Brae inak. Nechýbali tam zvlnené polia ani čisté piesočné pláže, ale pobrežie sa v priebehu storočí menilo. Obyvateľstvo pôvodne žilo oveľa ďalej vo vnútrozemí, pravdepodobne v blízkosti lagúny so sladkou vodou, ktorú od mora oddeľovali piesočné valy.

Keďže ostrovanom chýbali stromy, svoje domovy (vrátane nábytku) si stavali z kameňa. Dosiaľ objavené budovy sa navzájom

patria medzi veľmi zriedkavé
stvárnenia ľudí z obdobia
neolitu na Britských ostrovoch.

líšili len málo. Základným stavebným materiálom na ne boli dlaž-
dicové kamene získavané z usadenej horniny, ktorá sa v oblasti
prirodzene vyskytuje. Stavitelia najprv kopali do svahu pahorka,
aby získali oporu pre steny, a potom na seba navŕšili ploché kame-
ne bez použitia malty. Nikde nevidno žiadne strechy, preto boli
určite vyrobené z organického materiálu, ktorý sa za tisícročia
rozpadol.

Jednu možnosť, ako miestni strechy stavali, predstavujú rohože
z morských rias, zaťažené slamenými povrazmi, ktoré boli priviazané
ku kameňom. Túto veľmi praktickú techniku používali obyvatelia
orknejského súostrovia ešte pomerne nedávno. Na strešné trámy
mohli využívať kostice či naplavené drevo, ale stopy po týchto
odolných materiáloch sa nenašli.

Charakteristickou črtou skupiny dosiaľ objavených obydlí sú
predsiene, ktoré sa napájali na jednotný odtok a plynule odvádzali
zrážkovú vodu do mora. Je pravdepodobné, že tieto predizby
slúžili ako toalety a tvorili jeden z prvých kanalizačných systémov.
Vzhľadom na nepríjemný chlad a zúrivé búrky orknejských zím
je pochopiteľné, že miestni sa nechceli zbytočne vystavovať
nepriaznivému počasiu. Vnútorné toalety im v tom dobre poslúžili.

Kamenné zariadenie Skara Brae prežilo britské drevené výrobky
z oveľa neskorších čias. Vchod každého domu lemovali postele.
Je možné, že na väčšej spal manžel a na menšej žena, pričom deti

Predchádzajúca dvojstrana „Mesto" je relatívny pojem. Dnes by sme Skara Brae zaradili prinajlepšom do kategórie „osada", ale kedysi šlo o najväčšie sídlo v oblasti. Jeho obyvatelia ho zrejme nazývali jednoducho „mesto".

spávali s rodičmi, čo predstavovalo až do raného novoveku bežnú prax. V centre tamojších domov sa vynímalo kamenné ohnisko. V rohoch štvorcových miestností dodnes stoja úložné skrine, stoličky a kredence na riad.

Práve keramika umožnila určiť vek Skara Brae. Prítomnosť takzvanej vrúbkovanej keramiky (*Grooved Ware*) dokazuje, že Orkneje boli oddávna spojené obchodnými cestami so zvyškom Británie. Je fascinujúce, že tento typ riadu, ktorý sa našiel v mnohých neolitických lokalitách po krajine, možno pochádza z Orknejí, odkiaľ sa rozšíril do celej Británie a Írska.

Medzi záhadné objavy v Skara Brae patria kamenné gule s precízne vyrytými, ale nerozlúštiteľnými čiarami či inými vzormi. Nikto nepozná ich účel, hoci prví archeológovia prišli s fantastickým vysvetlením o ostrovných mystikoch, ktorí praktizovali svoje rituály ďaleko od pevniny.

Zdá sa, že Skara Brae fungovalo hlavne ako kolónia pastierov oviec. V období neolitu mohol mať človek z týchto zvierat mnoho úžitku. Baranie rohy sa používali ako nádoby na pitie, náradie a hudobné nástroje. Z kostí sa vyrábal glej a ihly, zo šliach nite. Tie sa mohli použiť na zošívanie ovčej kože, zatiaľ čo vlna sa tkala alebo miešala s glejom na výrobu plsti. Mechúr poslúžil ako praktická nádoba a črevá sa plnili mletým mäsom pri príprave klobás. Živé ovce poskytovali mlieko, zatiaľ čo po usmrtení sa z nich robili rezne a opekali na ohni, ktorý pomáhal udržiavať sušený ovčí trus.

Prinajmenšom jeden z odkrytých domov zrejme slúžil ako dielňa, kde sa vyrábali nástroje (zrejme aj na spracovanie kože) na lokálne využitie aj na obchodovanie. Nenašli sa žiadne zbrane, ak nerátame kostené nože a primitívne sekery. (V ich prípade šlo skôr o pracovné nástroje, keďže v lokalite sa domáci okrem počasia pravdepodobne nemali čoho obávať.)

Šesťsto alebo sedemsto rokov po prvých osadníkoch nezostalo v Skara Brae ani nohy. Perly z roztrhnutého náhrdelníka na zemi jedného domu sa kedysi považovali za dôkaz chvatného odchodu pred živelnou pohromou. Táto hrozba však nemohla byť taká pálčivá, keďže na mieste sa zatiaľ nenašli žiadne ľudské pozostatky. Domy sa postupne zapĺňali odpadom a naviatym pieskom z okolitých dún, preto sa zdá pravdepodobnejšie, že obyvatelia postupne odchádzali hľadať pohostinnejší domov. Skara Brae tak na ďalších štyridsať storočí pochoval piesok.

Záhadné kamene vytesané pred štyri- až päťtisíc rokmi dlhodobo fascinujú (a mätú) archeológov modernej doby.

Skara Brae dnes

Smelí cestovatelia na Orkneje môžu navštíviť Skara Brae od apríla do septembra za malý poplatok organizácii Historic Environment Scotland, ktorá na lokalitu dohliada.

Archeologické nálezisko skutočne potrebuje pomoc, pretože hrádza, ktorú postavili pred storočím na ochranu pred prílivom a čoraz búrlivejším počasím, nemusí vydržať naveky. Jestvuje riziko, že búrka podobnej intenzity ako tá, ktorá pôvodne Skara Brae odhalila, mesto nadobro zničí.

Od roku 1999 je Skara Brae na Zozname svetového dedičstva UNESCO. Archeologický výskum pokračuje v nádeji, že sa podarí objaviť ďalšie budovy a odhaliť tak plný rozsah tohto pozoruhodného miesta.

pribl. 3200 – 2000 pred n. l.
Akkad
Prekliate mesto

Staré ženy kvílili: „Beda môjmu mestu!"
a starí muži odpovedali: „Beda jeho ľudu!"
Kliatba Agadu, riadok 198

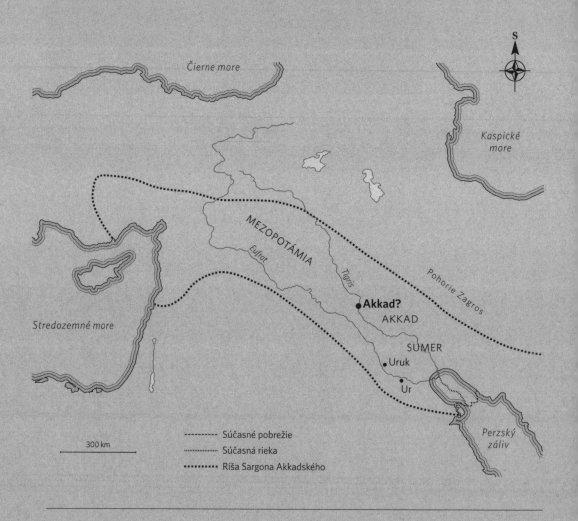

Čierne more

Kaspické more

MEZOPOTÁMIA

Eufrat

Tigris

●**Akkad?**

AKKAD

Pohorie Zagros

Stredozemné more

SUMER

●Uruk

●Ur

Perzský záliv

300 km

---------- Súčasné pobrežie

·············· Súčasná rieka

●●●●●●●●● Ríša Sargona Akkadského

Z dôvodov, o ktorých sa dodnes vášnivo diskutuje, začali ľudia okolo roku 4500 pred n. l. vo veľkom budovať mestá. Najstaršie vznikali na území dnešného južného Iraku, západného Iránu a východnej Sýrie, teda v oblasti, ktorú dnes nazývame Úrodným polmesiacom. Staroveký Uruk zrejme vznikol ako prvý a rýchlo ho nasledovali ďalšie sídla na brehoch riek Eufrat a Tigris. Konvenčný názov spomínanej oblasti pochádza od starých Grékov, ktorí ju volali Mezopotámia, čo jednoducho znamená krajina „medzi dvoma riekami".

Medzi prvé tunajšie mestá patril Agad, neskôr známy ako Akkad. Založili ho pri riečnom brode – pravdepodobne na Tigrise neďaleko dnešného Bagdadu alebo na západnom brehu Eufratu obďaleč sumerského mesta Mari. Druhá lokalita je pravdepodobnejšia, pretože väčšina dostupných informácií o Akkade pochádza z klinopisných záznamov, ktoré archeológovia objavili práve v Mari.

Skôr, než sa v 19. storočí podarilo rozlúštiť staroveké texty na hlinených tabuľkách, mali sme o Agade/Akkade iba jedinú zmienku v Biblii. „Nimród... bol udatným poľovníkom... Jeho kráľovstvom bol na počiatku Bábel, Arach, Achad a Chalane v krajine Senaár." (Gn 10, 8-10)

O raných dejinách Agadu nevieme nič. Mesto by možno bolo upadlo do zabudnutia, nebyť muža menom Sargon, ktorý sa narodil okolo roku 2300 pred n. l. Sargona totiž považujeme za zakladateľa prvej ríše na svete. V desaťročiach pred jeho nástupom k moci nadviazali niektoré mezopotámske mestá blízke spojenectvá, čím sa priblížili ku konceptu národov, ale až Sargon vybudoval prvú

Akkadský pečatný valček (vľavo) a obraz, ktorý odtlačil na hlinenom povrchu. Motív človeka býka v zápase s levom sa používal bežne, hoci mytológia, z ktorej vychádza, nie je známa. Podľa nápisu patrí pečať istému Išri-ilumovi.

skutočnú ríšu (definovanú ako multinárodná entita, ktorej vládne centrálna moc; o Akkadoch ako budovateľoch prvej ríše v dejinách viac knihe *Zabudnuté národy starovekého sveta* [Ikar, 2022], *pozn. odb. red.*).

V zachovanom zápise sa Sargon vyhlasuje za zakladateľa Akkadu, ktorý dal meno aj jeho štátu – Akkadskej ríši. Sargonov Akkad však takmer určite vyrástol na základoch už jestvujúceho Agadu. (Názov „Agad" je starší ako semitský jazyk, v ktorom Sargon zhotovil svoj nápis.) Panovník počas svojej dlhej vlády (2334 – 2279 pred n. l.) nepochybne premenil svoje nenápadné domovské sídlo na prekvitajúce mesto.

Po Sargnovi bol najslávnejším akkadským kráľom jeho vnuk Narám-Sín, ktorý vládol medzi rokmi 2254 až 2218 pred n. l., hoci všetky dátumy z tohto obdobia treba brať s rezervou. Záznamy sú skromné a útržkovité, a to najmä preto, že časový rozstup medzi Narám-Sínom a Kleopatrou je väčší než medzi Kleopatrou a vynálezom televízie.

Akkadčania vybudovali Narám-Sínovi chrám z vďačnosti za potlačenie vzbury. Dozvedeli sme sa o tom, keď sa pri stavbe modernej cesty v Iraku objavila socha, ktorá svedčila o tejto udalosti. Na takzvanej soche z Bassetki (podľa dediny, neďaleko ktorej ju vykopali) sa našiel text v akkadčine. Keďže Bassetki leží v dnešnom Kurdistane, socha demonštruje, ako sa akkadská kultúra rozšírila do ostatných častí ríše. Akkadčania tiež zjednotili váhy a miery a na celom území zaviedli jednotný kalendár, ktorý konkrétne roky pomenúval podľa významných udalostí.

Iný nápis nás informuje, že okrem Narám-Sínovho chrámu sa v meste nachádza ešte najmenej jedna významná náboženská stavba. Akkad bol totiž centrom uctievania „svätej Inanny", semitskej bohyne lásky, zmyselnosti, plodnosti, ale aj vojny. Inannin chrám v Akkade je opísaný ako útočisko a „doména žien".

Záznam z obdobia vyše sto rokov po vláde Narám-Sína opisuje mestské hradby, ktoré „pripomínajú svahy hôr", a prístav, kde pokojne kotvia lode. Vraj tak ako sa Tigris vlieva do mora, tak Sumerčania prúdia s tovarom do Akkadu na svojich člnoch (*Kliatba Agadu*, riadky 40 – 42). Chválospevy pokračujú: „Ako dievča, ktoré sa stará o svoj príbytok v ženskej časti domu, tak Inanna zveľadila svoje mesto." Bohyňa sa starala o to, aby boli sklady plné a ľudia mohli jesť a piť, čo sa im zapáčilo. Nádvoria pôsobili exoticky – nielen vďaka návštevníkom zo vzdialených miest, ale aj vďaka opiciam, byvolom, vyšľachteným psom či huňatým ovciam, ktoré sa uhýbali pred majestátnymi slonmi, zatiaľ čo v klietkach sa tiesnili levy, divé kozorožce či iné zajaté zvieratá. Ľudia sa tisli, aby uvideli čo najviac atrakcií, a vychutnávali si slávnostné hostiny za zvuku bubna *tigi*. Slovom *tigi* sa v starovekom Babylone zároveň označoval aj druh hudby.

Aj v iných kútoch ríše vládla spokojnosť. Miestodržitelia a kňazi týchto oblastí ohurovali colníkov pri mestských bránach Akkadu veľkosťou a pompéznosťou svojich obetných darov. Slovom – podľa starovekých záznamov, ktoré sme tu zosumarizovali – Akkad zažíval zlatý vek.

Táto idylka sa však skončila, keď sa najvyššiemu bohovi Enlilovi z neznámeho dôvodu Akkad znepáčil. Proti jeho nepriazni nezmohla nič ani Inanna, ktorá utiekla z mesta. Podľa príbehu Narám-Sín čakal, modlil sa a obetoval Enlilovi, aby sa dozvedel dôvod, prečo sa boh od neho odvrátil. Odpovede sa však nedočkal ani po siedmich rokoch. Napokon sa rozčúlený kráľ vybral do Ekuru, Enlilovho chrámu na posvätnej hore, kde postavil rebríky a veľkolepú stavbu rozobral do poslednej tehly.

Touto svätokrádežou Narám-Sín popudil proti sebe a svojmu mestu ostatných bohov. Záznamy uvádzajú, že všetko sa vrátilo do stavu pred rozvojom miest – na poliach sa nerodilo obilie, z vôd sa vytratili ryby, sady viac nedávali sirup či víno, z oblakov nepadala vlaha a rastliny usychali. Cena oleja a obilia prudko stúpla a chudobní ležali hladní na strechách domov. Násilie a zabíjanie sa stalo každodennou realitou. V uliciach sa hemžili túlavé psy a toho, kto sa odvážil ísť von vo dvojici alebo, nedajbože, sám, roztrhali. „Staré ženy kvílili: ‚Beda môjmu mestu!' a starí muži odpovedali: ‚Beda jeho ľudu!'" (*Kliatba Agadu*, riadok 198)

Cudzí dobyvatelia rýchlo využili oslabenie ríše. Poslední akkadskí panovníci bránili už iba mestský štát, ktorý sa scvrkol na niekoľko polí za mestskými hradbami. Napokon však prišiel aj o tie. „A tak to bolo. Na záprahových cestách pri kanáloch rástla vysoká tráva, na cestách pre vozy rástla tráva smútku." (*Kliatba Agadu*, riadky 272 – 274)

Akkad dnes

Dlhé roky sa príbeh o prekliatom meste pokladal za výmysel. Nie taký očividný ako Homérova *Ilias*, ale predsa len výmysel. Potom sa však zistilo, že Trója skutočne existovala a že v Homérovom epose tkvelo viac než len zrnko pravdy. Podobný príbeh zažil aj Akkad.

Súčasní vedci už nepozerajú na *Kliatbu Agadu* ako na mravoučný text o pochabom rúhaní sa voči bohom, ale ako na záznam o kolapse spoločnosti, ktorá čelila klimatickej zmene. Plodiny možno

Hlinený hranol s klinovými znakmi. Historici sú nesmierne vďační za túto štvorstrannú tabuľku, ktorá uvádza podrobný zoznam sumerských kráľov od legendárnych čias s detailmi o ich vládach.

skutočne vyhynuli a rieky vyschli, ale skôr vinou veľkého sucha než Enlilovho hnevu. Geologický výskum odhalil v okolí dobových mezopotámskych miest vrstvy pôdy bez života. Hĺbkové vrty ukázali nánosy podmorského prachu, ktorý naviali staroveké víchrice, preháňajúce sa ponad suché pláne.

Či už sa stal Akkad obeťou klimatickej zmeny, alebo božieho hnev, najprv sa premenil na spomienku, potom na povesť a napokon upadol do zabudnutia. Z povedomia sa vytratil tak dokonale, že dnes už nikto nevie, kde mocné hradby a preplnené dvorany hlavného mesta Sargonovej ríše stáli.

pribl. 2800 – pribl. 1000 pred n. l.
Pavlopetri
Najstaršie potopené mesto Stredomoria

*Máme do činenia s niečím, čo je o dva- či tritisíc rokov staršie
než ostatné zatopené mestá, ktoré sme doteraz objavili...
Nálezisko je jedinečne kompletné.*

Dr. Nicholas Flemming, morský geoarcheológ

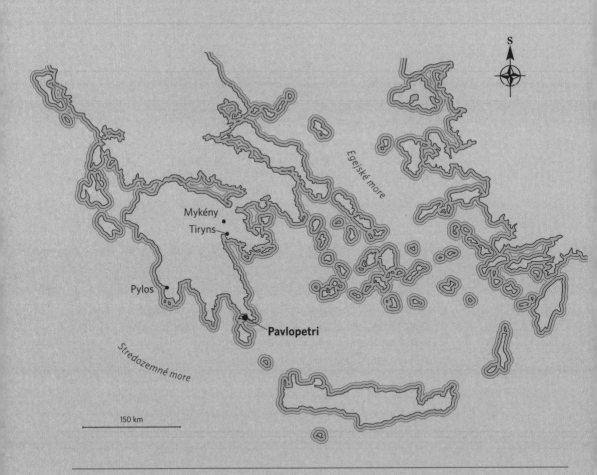

Z gréckeho pobrežia vyčnievajú na juhu tri výbežky. Vyzerá to, akoby sa Peloponéz načahoval pazúrmi za Krétou. Medzi prostredným a východným „pazúrom" leží ústie rieky Evrotas. Ak sa vydáte po jej prúde, dôjdete k ruinám starovekej Sparty, ktorú založili v roku 950 pred n. l. Sparta je však holobriadok v porovnaní s iným mestom neďaleko východného výbežku Lakónie (historickej oblasti v Grécku na juhovýchode Peloponézu, *pozn. prekl.*), ktoré vzniklo o 2 000 rokov skôr.

Ako mesto volali jeho obyvatelia, nevieme. Dnes ho nazývame Pavlopetri podľa skalnatého ostrovčeka, ktorý vyznačuje hranicu podmorských zrúcanín. Vieme však, že kozmopolitní obyvatelia starovekého „Pavlopetri" boli zruční stavitelia a kupci (obchodovali najmä s látkami, čím sa vyznačoval aj zvyšok oblasti). Pavlopetri, obkolesené horami, ležalo v nízko položenej zátoke s dlhými piesočnými plážami. Na svojom vrchole okolo roku

Ostrov Pavlopetri – nenápadný skalný odkryv, ktorý sa kedysi týčil nad jedným z najstarších prehistorických gréckych miest.

1200 pred n. l. sa radilo medzi mnohé úspešné prístavy mykén-
skeho Grécka.

Mesto profitovalo z výhodnej polohy a hojne obchodovalo
s Krétou aj s Egyptom. Členité lakónske pobrežie neponúkalo
veľa vhodných miest na prístavy (v staroveku táto oblasť naháňala
námorníkom hrôzu), preto Pavlopetri prakticky nemalo konkurenciu
a mohlo nerušene prosperovať. Hoci mesto prežilo chaos spojený
s koncom mykénskeho obdobia v Grécku, nič ho nemohlo zachrániť
od blížiacej sa katastrofy. Stúpajúca hladina mora v kombinácii
s viacerými lokálnymi zemetraseniami znamenala, že dávne mesto
sa pomaly, ale isto potápalo. Keď do zastavanej oblasti vtrhli búrkové
vlny, dokonali dielo skazy. Na pláži Pounta z piesku dodnes vytŕčajú
rozvaliny prístavu a tiahnu sa do mora.

Objavenie Pavlopetri

Pre moderných archeológov predstavuje potopený úsek Pavlopetri
hotový poklad. Len málo nálezísk sa totiž zachová dokonale
nedotknutých. Neskoršie pokolenia majú nepekný zvyk vybudovať

Mesto pod hladinou.
Potápač sa vznáša
nad digitálnym mo-
delom ruín obytnej
budovy v zátoke
Vatika. Veľké škody
uštedrila mestu
moderná lodná
doprava.

na území starších sídel nové obydlia, čím vzácne pamiatky pochovajú pod vrstvou stavieb a odpadu. Keďže však Pavlopetri strávilo ostatných 3 000 rokov pod vodou, akoby zamrzlo v čase. Vďaka tomu sa naň dnes môžeme pozrieť ako na momentku neskoromykénskeho mesta a dozvedieť sa, ako vyzeralo a fungovalo.

Malé a preplnené centrum náleziska tvorí približne 9 000 štvorcových metrov (na porovnanie londýnske Trafalgarské námestie má 12 000 štvorcových metrov). Zachovalo sa okolo pätnásť budov, tesne nastavaných celkov z neopracovaného kameňa. Časť z nich slúžila na obytné účely, čo dokazujú kamenné ohniská a detské hroby vnútri domov (vtedy bežná prax, hoci dnes na nás pôsobí morbídne). Väčší obecný cintorín ležal tesne vedľa mesta.

Pavlopetri mohlo mať celkovú rozlohu až 80 000 štvorcových metrov. Túto plochu zaberajú roztrúsené predmestské domy vysoké jedno či dve poschodia. Stavby mali veľké dvory a malé zeleninové záhradky; niektoré budovy stáli osamotené, iné v „radovej zástavbe". Pavlopetri nepostavili hala-bala, naopak – premyslene ho naplánovali. Toto malé mesto malo kvalitné cesty a žľaby, ktorými odtekala voda privedená dômyselnými kanálmi. Ploché strechy domov zdobili záhrady ovocných stromov v kvetináčoch. Hore viselo aj mokré šatstvo, ktoré tam mohlo bezpečne schnúť mimo dosahu zlodejov.

Hoci stratené mesto sa v danej oblasti predpokladalo už od roku 1904, táto teória sa potvrdila až v roku 1967. Najväčšiu zásluhu mal na tom morský geoarcheológ Nicholas Flemming z britského Národného ústavu oceánografie. Keď preskúmal podmorský chrbát, ktorý vedie k ostrovčeku Pavlopetri, a našiel iba hrobky vytesané do kameňa, vyplavil sa späť na pevninu naprieč malou zátokou a objavil morské dno posiate základmi domov z neopracovaného kameňa. Spravil si náčrt a v roku 1968 povolal tím archeológov potápačov z Cambridgeskej univerzity, aby dno preskúmali. Hoci pôdorys mesta sa dokonale zachoval, samotné stavby už nie. More nad mestom je hlboké len niekoľko metrov a kotvy lodí, ktoré stáli v zátoke Vatika, poškodili mnohé zo zachovaných stien. Navyše veľké lode ešte donedávna využívali vody okolo ostrova na nelegálne čistenie trupu a žieravé látky krehkým rozvalinám nijako neprospeli.

Kozmopolitné centrum

Napriek chátraniu, ktoré spôsobila lodná doprava a iné ľudské činnosti, archeológia považujú nálezisko za zlatú baňu. Cambridgeský tím pôvodne odhadoval, že mesto vzniklo v mykénskom období. To sa rýchlo zmenilo, keď sa podarilo objaviť predmety zo staršej bronzovej doby, čo dokazuje osídlenie Pavlopetri dávno predtým, najneskôr okolo roku 2800 pred n. l. Tým sa Pavlopetri stalo bezkonkurenčne najstarším potopeným mestom, ktoré sme dosiaľ objavili. Nové nálezy v starovekom prístave, ako napríklad nástroje z obsidiánu a neolitická keramika, môžu vek sídla posunúť eštc ďalej do minulosti.

Plytké vody, vďaka ktorým sme sa o meste dozvedeli, ho zároveň vystavili neľútostnému bičovaniu vĺn. Prúdy pod hladinou prevracali a v konečnom dôsledku rozbíjali ľahšie artefakty, ktoré by vo väčších hĺbkach boli prežili. Výhodou je, že staroveké mesto je ľahko dostupné. Preskúmať ho môžete aj so základnou potápačskou výbavou. Je to však aj jedna z najväčších slabín tejto lokality. Až donedávna bola totiž nestrážená, a len čo sa o nej dozvedeli amatérski lovci pokladov, hneď sa na ňu vrhli. Škoda, že si uzurpovali časť vzácnych predmetov, z ktorých by boli archeológovia určite vyčítali ďalšie informácie o dejinách mesta. Napriek tomu vieme, že obyvatelia sa usilovne venovali tkáčstvu, pretože medzi bežné nálezy patria okrúhle kamene na upevnenie vláken vo zvislých krosnách. V Pavlopetri sa týchto závaží našlo oveľa viac než v iných lokalitách z rovnakého obdobia staroveku, čo naznačuje, že látky sa tu vyrábali na vývoz. Existujú náznaky, že mesto malo okrem tkáčov aj pisárov, obchodníkov a bronziarov. Za hradbami nepochybne pracovali tiež roľníci a pastieri, ktorí mesto zásobovali základnými potravinami.

Objavy z náleziska svedčia o jeho kozmopolitnej povahe. Dokonca aj bežné predmety ako krčahy či urny boli buď dovezené, alebo vykazujú vplyvy iných stredomorských civilizácií, napríklad egyptskej či minojsko-krétskej. Bohužiaľ, pohyb vody zredukoval väčšinu týchto pamiatok na črepy roztrúsené po morskom dne. Skutočnosť, že Pavlopetri bolo rušným prístavom, vieme vydedukovať z počtu a vlastností týchto črepov. Mnohé z nich totiž pochádzajú z prepravných či zo skladovacích nádob na olivový olej, exotické voňavky a farbivá. Na základe koncentrácie črepov v špecifických oblastiach archeológovia usudzujú, že tam existovalo niekoľko veľkých skladov.

Medzi najdôlcžitcjšic miesta v mykénskom meste patril megarón, veľká sieňová miestnosť, ktorá slúžila ako centrum administratívneho a náboženského života aj miesto stretnutí kupcov a obchodníkov. Jedným zo zaujímavejších nedávnych objavov v Pavlopetri je veľká stavba, ktorá sa javí ako staršia verzia megarónu. Tejto budove a iným stavbám, ktoré nám ilustrujú, ako ľudia v meste žili a pracovali, vdýchli život moderné technológie. 3D mapovanie sonarom umožnilo zrekonštruovať budovy Pavlopetri v bezprecedentných detailoch. Pavlopetri je vlastne prvé nálezisko zmapované touto technikou.

Pavlopetri dnes

Čas nebol k Pavlopetri milosrdný a až donedávna sa situácia len zhoršovala. Okrem pretrvávajúcich krádeží artefaktov sa pod stav náleziska podpísali aj nové projekty rozvoja infraštruktúry v regióne (napríklad plynovod či neďaleká elektráreň), ktoré nepriaznivo ovplyvnili vody v zálive. Našťastie vďaka aktivistom začali grécke úrady venovať problému väčšiu pozornosť.

Od roku 2016 je Pavlopetri na zozname ohrozených lokalít Nadácie svetových pamiatok, čo povzbudilo grécke ministerstvo kultúry, aby podniklo ďalšie kroky na ochranu náleziska a ohraničenie prístupu k nemu. V Pavlopetri dnes ponúka prehliadky so sprievodcom Eforát podmorských pamätihodností (eforát – archeologický úrad v Grécku, *pozn. prekl.*). Hydrografický úrad gréckeho námorníctva uvádza polohu náleziska na námorných mapách, nech si majitelia veľkých lodí uvedomia, aké riziko predstavuje ich plavidlo pre vzácnu pamiatku. Lokalitu ohraničujú aj bóje, aby sa zabránilo nezvratným škodám, ktoré spôsobujú malé člny.

Je iróniou osudu, že lode, bez ktorých staroveký prístav kedysi nedokázal existovať, dnes obchádzajú Pavlopetri širokým oblúkom, aby ochránili aspoň jeho ruiny.

Ako ukazuje obrázok, v Pavlopetri sa pod vodou našli aj prehistorické pohrebiská, ktoré boli vyhĺbené do pobrežných skál či plážových dún.

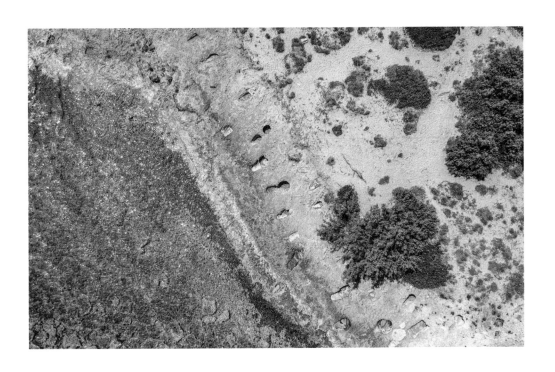

pribl. 2500 pred n. l. – 800 n. l.
Segor
Mesto, ktoré prežilo

Lot požiadal, aby sa smel ukryť v neďalekom Segore.
Anjel súhlasil a mesto ušetril.

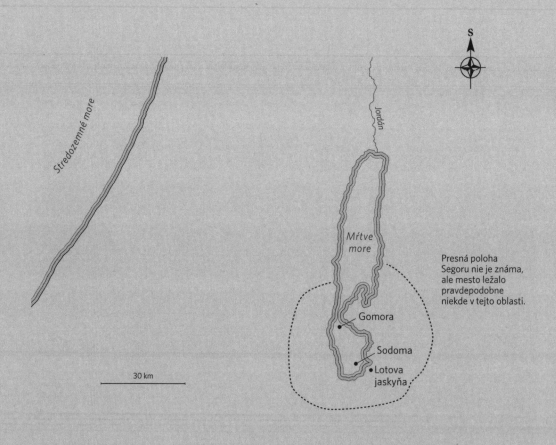

Stredozemné more

Jordán

Mŕtve more

Presná poloha
Segoru nie je známa,
ale mesto ležalo
pravdepodobne
niekde v tejto oblasti.

Gomora

Sodoma

Lotova
jaskyňa

30 km

Podľa Koránu (11) aj Biblie (Gn 13, 13) sa Sodomčania neštítili žiadnych ohavností. Náboženské zdroje sú pomerne skúpe na podrobnosti a až kresťanská cirkev o 2 000 rokov neskôr rozhodla, že nepochybne šlo o „hriech" sodomie.

V skutočnosti je pravdepodobnejšie, že v staroveku sa za najväčší prehrešok považovalo porušenie posvätných rituálov a zvykov pohostinnosti. Sodoma sa preslávila zlým zaobchádzaním s cudzincami – podobne ako Gomora a iné mestá v oblasti Mŕtveho mora koncom bronzovej doby v roku 1200 pred n. l. Preto Pán, Alah či Jahve vyslal do Sodomy dvoch (alebo troch) anjelov. Tých vo svojom dome dočasne prichýlil Lot (synovec Abraháma, od ktorého odvodzujú svoj pôvod Židia i Arabi a ako k praotcovi viery sa k nemu hlásia aj kresťania, *pozn. odb. red.*), ktorého Všemohúci vyzdvihol ako jediného spravodlivého v meste. Len čo sa rozniesla správa o nadpozemsky krásnych cudzincoch, pred Lotovým domom sa zišiel dav a chcel ich „spoznať". Použité slovo „*jada*" nevestilo nič dobré, pretože naznačovalo, že domáci chcú cudzincov spoznať v intímnom (sexuálnom) zmysle.

Lot ich požiadavke porozumel, preto k nim prehovoril: „Mám dve dcéry, ktoré ešte nepoznali muža. Vyvediem vám ich, robte s nimi, čo sa vám páči. Týmto mužom však nerobte nič také, veď oni sa uchýlili do tieňa mojej strechy!" (Gn 19, 8)

Pohľad z jordánskej strany na nehostinné brehy Mŕtveho mora. Jazero leží na tektonickom zlome, preto ho postihujú časté zemetrasenia. Zároveň ide o jednu z najslanších vodných nádrží na svete.

Výtržníci však túto nezvyčajnú ponuku odmietli a neprestávali si robiť zálusk na cudzincov. Preto anjeli Lota s rodinou vyviedli z mesta a nakázali mu odísť do vrchov. Kalich Pánovej trpezlivosti definitívne pretiekol a skutky rozvášneného davu spečatili osud Sodomy, Gomory a niekoľkých ďalších miest. Podľa Koránu Lotova žena ostala s bezbožníkmi v Sodome – možnože jej to bolo milšie, ako odísť s niekým, kto ponúkol jej panenské dcéry tlupe násilníkov.

Lot sa obával, že v divočine neprežije, preto požiadal, či by sa smel namiesto toho ukryť v neďalekom Segore. Anjel súhlasil a mesto ušetril. Pomohlo aj to, že Segor bol spomedzi miest určených na záhubu najmenší – aj voľný preklad jeho názvu nesie tento prívlastok. „A Pán dal padať na Sodomu a Gomoru síru a oheň z neba od Pána a zničil tie mestá i celé okolie Jordánu so všetkými obyvateľmi mesta a so všetkým poľným rastlinstvom. Keď sa jeho žena za ním obzrela, premenila sa v soľný stĺp." (Gn 19, 24-26)

Skutočnosť, že Segor prežil pohromu, hrá kľúčovú úlohu v pátraní po Sodome a Gomore, ale aj po Adame a Seboime, mestách,

Anjeli pomáhajú utiecť Lotovi a jeho rodine zo Sodomy (olejomaľba Jacoba Jacobsza de Wet, pribl. 1680).

ktoré takisto postihol Pánov hnev, no ktoré rýchlo upadli do zabudnutia. Problém je, že hoci Segor zostal obývaný až do neskorého stredoveku, napokon sa stratil aj on.

Segor pred Lotom

Jestvuje viacero miest, kde by Segor pravdepodobne mohol ležať, keďže údolie rieky Jordán patrilo medzi prvé osídlené oblasti na svete a dodnes je bohaté na náleziská. Segor bol starý už pred skazou Sodomy a Gomory. Mesto sa pôvodne volalo Balam (iný názov Bela, *pozn. prekl.*), ale zmenilo názov ešte pred príchodom Hebrejov, ktorí začali postupne dominovať kanaánskej kultúre v regióne. Sýrske kroniky (súbor textov zo 6. až 13. storočia n. l.) zaznamenáva dávnu tradíciu o vzniku „miest na rovine" dve generácie pred Abrahámom. Kanaánčan Armonius založil dve mestá Sodomu a Gomoru, ktorým dal mená podľa svojich dvoch synov. Tretie mesto pomenoval (alebo premenoval) po manželke Coare. (Iný názov Segoru je Coar, napr. v ekumenickom preklade Biblie, *pozn. prekl.*)

Keď Mojžiš prišiel do zasľúbenej zeme, uvidel vraj „južný kraj s okrajom roviny od Jericha až po Segor" (Dt 34, 3). „Rovina" pritom neoznačuje iba druh terénu, ale špecifickú oblasť s piatimi mestami, z ktorých už vtedy existoval len Segor. V Biblii sa nazýva aj údolie Sidim. Hebrejskí pisári ho prvýkrát spomínajú v súvislosti so vzburou miest na rovine proti elamskému kráľovi Chodorlahomerovi. Tohto panovníka neuvádza žiaden iný zdroj, ale informácie z tých čias sú všeobecne skúpe, takže nemôžeme vylúčiť, že kráľ skutočne žil. Jeho meno sa dá preložiť ako „Služobník Lagamara", mocného elamského boha. Ak by si nejaký Hebrej chcel kráľa vymyslieť, zrejme by sa nedržal elamskej gramatiky a nomenklatúry tak dôkladne. Keď Abrahám (ktorého si zvyčajne nepredstavujeme ako vojvodcu) Chodorlahomera z roviny vyhnal, päť miest získalo slobodu. Potom však morálne upadli, čo viedlo k ich skaze.

Za svoje pomerne úspešné pôsobenie pred opísanými udalosťami vďačili sčasti polohe pri Mŕtvom mori. V neskoršom období Segor údajne vyrábal balzam a indigo a vyvážal datle, ktoré hojne rástli na palmách v neďalekej oáze (čo môže byť hlavný dôvod, prečo si zakladatelia mesta vybrali dané miesto). V 3. storočí n. l. určil kresťanský spisovateľ Eusebius (*Onomasticon*, 261) polohu Mŕtveho mora „medzi Jerichom a Segorom" a uviedol, že stopy po úrodnosti zeme tam sú stále viditeľné. Mesto možno slúžilo ako hlbokovodný prístav na jednom konci Mŕtveho mora (no odborníci sa nevedia zhodnúť na ktorom).

Lotova jaskyňa

1 Pôvodná prírodná jaskyňa. Nedávne nálezy vrátane úlomkov keramiky a kamenných nástrojov naznačujú, že ju prvýkrát osídlili v staršej bronzovej dobe, okolo roku 3000 pred n. l.

2 Počas byzantského obdobia vznikol okolo jaskyne kláštor, ktorý pozostával z baziliky, obytnej časti pre mníchov a ubytovne pre pútnikov. Viaceré tamojšie nápisy sa odvolávajú na „svätého Lota", čo naznačuje, že jaskyňa bola obľúbeným pútnickým miestom.

3 Bazilikový kostol, ktorý vybudovali približne v 6. storočí n. l., tvorí členitú „predsieň" jaskyne.

4a, b, c Spolu sa v komplexe nachádza šesť mozaikových dlažieb, ktoré sa datujú od konca 6. až po 7. storočie n. l.

Medzi hlavné suroviny v regióne patril asfalt. Aj Mŕtve more bolo v staroveku známe ako jazero Asphaltites práve vďaka cennej látke, ktorej hrudy, ako píše rímsky geograf Strabón (16, 2, 42), ťažili miestni z jazera. Zdroj bohatstva sa stal pravdepodobne aj dôvodom neskoršej pohromy: vyskytujú sa totiž dohady, že zemetrasenie spôsobilo masívny výbuch asfaltu. Dôležitá môže byť skutočnosť, že ľudia v dávnej minulosti považovali asfalt za druh hliny a Korán opisuje skazu Sodomy ako dážď „kameňov z hliny poskladanej" (11:82). Povedomie o tejto udalosti prežilo abrahámovskú tradíciu. V Strabónovej *Geografii* z 1. storočia n. l. čítame (16, 2, 44):

Dôkaz o ohnivej povahe krajiny sa dá nájsť inde. Blízko Moasady [nemýliť si so slávnejšou Masadou] sa povaľujú beztvaré spálené kamene, zem je popukaná a pôda popolová. Vyvierajúci asfalt cítiť už z diaľky vďaka jeho prenikavému pachu. Vidno známky zničených miest... a miestni často tvrdia, že... v dôsledku zemetrasení a ohnivých erupcií raz jazero vyvrhlo zo svojich brehov skaly pokryté lávou. Niektoré mestá podľahli celkovej skaze. Z tých, čo prežili, neskôr obyvatelia aj tak odišli.

Je možné aj to, že vplyvom tektonickej aktivity sa drasticky zmenila hladina mora a Sodoma s Gomorou sa pridali k dlhému zoznamu potopených miest.

Segor po Lotovi

Segor prežil a osídlili ho zväčša Moabčania, ktorí údajne pochádzali z jednej z Lotových dcér. Tie sa po úteku zo Sodomy ponosovali, že „na zemi niet muža, ktorý by s nami obcoval" (Gn 19, 31), preto opili otca a znásilnili ho. Tak sa počal Moab. Segor neskôr využívali Rimania ako cestnú stanicu, kde sídlila aj lukostrelecká jazdecká jednotka zložená z miestnych obyvateľov. V neskorom období Rímskej ríše sa mesto stalo centrom židovskej kultúry.

Jedným z najdráždivejších stôp pri hľadaní polohy Segoru je mozaika známa ako Madabská mapa, ktorá je vyobrazená na dlážke byzantského kostola v Jordánsku. Segor na ňom jasne vidieť, ale zmeny morskej hladiny a neznáme staroveké názvy vedcov mätú. V ranom stredoveku arabskí pisatelia vyzdvihovali sladkosť datlí zo segorskej oázy, no ani oni nepomohli bližšie určiť polohu strateného mesta.

Azda posledný opis Segoru pochádza z pera anglického cestovateľa Sira Johna Mandevilla, ktorý do oblasti zavítal v polovici 14. storočia, keď staroveké mesto už sčasti zakrývala voda (*Cestopis*, 1356; šlo o dobový bestseller preložený do väčšiny európskych jazykov, do češtiny napríklad už v 15. storočí, najnovší český preklad vyšiel v roku 2024, *pozn. odb. red.*):

Segor, ktorý Boh ušetril vďaka Lotovej modlitbe, dlho prežil, pretože sa nachádzal na kopci. Časť z neho dodnes vytŕča nad vodnú hladinu a za dobrého a jasného počasia sa dajú vidieť jeho múry. Na pravej strane Mŕtveho mora stále stojí Lotova žena v podobe soľného stĺpa.

Segor dnes

Po pobyte v Segore sa Lot s dcérami odobral do neďalekej jaskyne, kde sa narodil Moab (s druhou dcérou mal podľa Biblie syna Amona, *pozn. odb. red.*). Jordánčania stotožnili staroveký Segor s dnešným Ghor es-Safi, čo má dokazovať aj neďaleká „Lotova jaskyňa", ktorá je súčasťou „najnižšie položeného múzea na svete" takmer 400 metrov pod hladinou mora. Či už ide o skutočnú Lotovu jaskyňu, alebo nie, múzeum ponúka artefakty z bohatej histórie oblasti, v ktorej sa prelínali židovské, kresťanské a arabské tradície. Skutočnosť, že krajina bola obývaná od bronzovej doby po súčasnosť, nám pripomína, že Segor, hoci o ňom za posledných päťsto rokov nič nevieme, prežil oveľa dlhšie než väčšina ostatných miest.

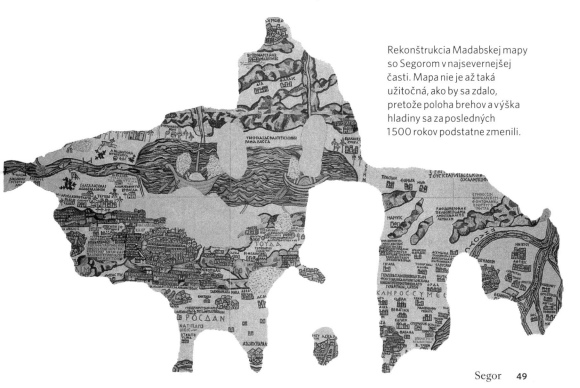

Rekonštrukcia Madabskej mapy so Segorom v najsevernejšej časti. Mapa nie je až taká užitočná, ako by sa zdalo, pretože poloha brehov a výška hladiny sa za posledných 1500 rokov podstatne zmenili.

pribl. 3000 – 1200 pred n. l.
Chattušaš
Kolaps mocného mesta

Nech toho, kto sa po mne stane kráľom a znova osídli
Chattušaš, potrestá Nebeský Boh Búrky.

Posledný riadok Anittašovej proklamácie

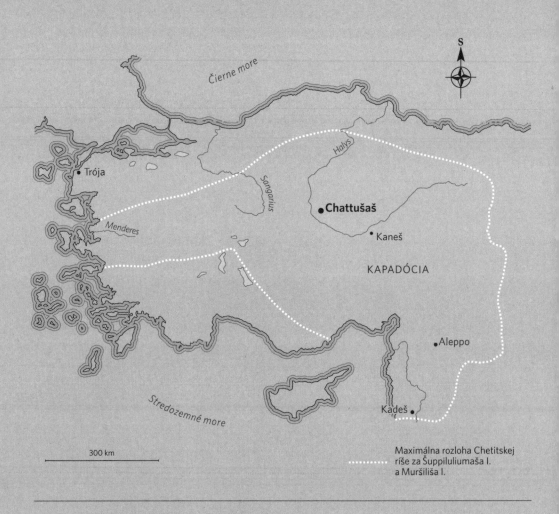

Maximálna rozloha Chetitskej
ríše za Šuppiluliumaša I.
a Muršiliša I.

Poloha mesta Chattušaš bola darom z nebies a zároveň (doslova) prekliatím. Okolo roku 5000 pred n. l. prišli do oblasti prví osadníci. Zvlnené roviny v severnej časti centrálnej Anatólskej plošiny, ktoré zavlažovala rieka Halys (dnes Kızılırmak), poskytovali úrodné polia, zatiaľ čo zalesnený svah, zľahka stúpajúci k pahorku na juhu, sľuboval obyvateľom ochranu a zároveň dostatok stavebného materiálu. Miesto malo dokonca vodný zdroj, keďže z vŕška stekal do rieky potok. V neďalekom rozľahlom lese žilo veľa divej zveri. Keď vezmeme do úvahy tendenciu neolitických ľudí budovať čoraz väčšie sídla, v oblasti muselo skôr či neskôr vyrásť mesto.

Ako prví na uvedené územie zavítali záhadní Chattijci, ktorí sa začiatkom bronzovej doby usadili na pahorku a založili malé, ale úspešné sídlo. Svoj mestský štát nazvali Chattuš. Živili sa najmä pestovaním jačmeňa a pšenice jednozrnovej (obľúbenej plodiny medzi prvými poľnohospodármi). Mäso a šatstvo získavali chovom oviec, ktoré pásli na planine, a aspoň raz do roka zasievali ľan a šošovicu. Skrátka, Chattijci naplno využívali dary prírody. Znepokojovali ich však susedia, najmä agresívni a rozpínaví Chetiti (podrobnejšie o Chetitoch písal autor v knihe *Zabudnuté národy starovekého sveta* [Ikar, 2022], *pozn. odb. red.*).

Tých historici až donedávna pokladali za pololegendárny národ podobne ako Trójanov. Jediné zmienky o nich totiž pochádzali

Bronzový ornament v podobe dvoch dlhorohých býkov pravdepodobne zdobil palicu alebo štandardu. Rohy zvierat majú zveličenú dĺžku, čo je typická črta maloázijských artefaktov z daného obdobia.

z Biblie, ktorá ich opisovala ako malý kmeň z bližšie neurčenej oblasti severnej Sýrie. No Chetiti (z mesta Kuššar, ktorého poloha je dodnes neznáma) tak ako Trójania skutočne jestvovali a v regióne zohrávali dôležitú úlohu. Chattijci by o tom vedeli rozprávať, pretože kontakt s výbojnými susedmi mal pre nich zničujúce následky. Keď okolo roku 1700 pred n. l. Chetiti dobyli Chattuš, ich kráľ Anittaš nariadil mesto zničiť, nasiať doň burinu a uprostred rozvalín vztýčiť tabuľku s varovaním, že ak sa niekto pokúsi Chattuš nanovo osídliť, potrestá ho „Boh Búrky".

Poloha na náhornej plošine však poskytovala toľko výhod, že bolo len otázkou času, kedy doň zavítajú noví osadníci. O približne sto rokov sa v meste usadil iný chetitský kráľ z Kuššaru menom Chattušiliš, ktorý svoje hlavné sídlo pomenoval Chattušaš. Je iróniou osudu, že o snahe kráľa Anittaša dnes vieme len vďaka záznamom, ktoré sa uchovali v mestských archívoch.

Z rastúceho vplyvu Chetitov v Malej Ázii profitoval aj Chattušaš, ktorý sa rozširoval a mocnel. Mesto však odjakživa priťahovalo cudzích dobyvateľov – Akkadčanov, Asýrčanov či Egypťanov. Zaujímavosťou je, že dnes je v newyorskom sídle OSN vystavená kópia prvej známej medzinárodnej mierovej zmluvy, ktorú uzavreli Chetiti a egyptský vládca Ramesse II. v roku 1259 pred n. l. Našla sa práve v Chattušaši.

Tých, ktorí sa usilovali prekonať hradby mesta, čakala neľahká úloha, pretože chetitskí králi posilnili prirodzenú ochranu Chattušaša múrmi hrubými osem metrov (bol to dvojitý múr s medzipriestorom, *pozn. odb. red.*). Tie sa tiahli viac ako osem kilometrov okolo mesta a mali vyše sto obranných veží. V tom

Chetitská bazaltová soška kňaza alebo boha, ktorá meria takmer jeden meter.

čase sa Chattušaš delil na vyššie mesto Büyükkale (Veľká pevnosť) a nižšie mesto, v ktorom žila väčšina populácie – okolo 50 000 ľudí.

Vyššie mesto malo svoj dodatočný obranný val, kráľovskú rezidenciu a množstvo chrámov. Nachádzal sa v ňom aj vzácny archív klinopisných tabuliek, z ktorých sa tisíce podarilo vykopať (hlinené tabuľky sú prakticky nezničiteľné). Tieto texty, ktoré obsahujú administratívne záznamy, právne dokumenty, chetitskú literatúru či podrobnosti o náboženských slávnostiach, nám ponúkajú jedinečný pohľad na život obyvateľov Chattušaša spred 3 000 rokov.

Celkový obraz dopĺňajú objavy archeológov – záhrady, amfiteáter či rybníky, ktoré slúžili ako vodné zásobníky (z jedného sa očivide stalo smetisko, keďže sa v ňom dosiaľ našla až tona keramiky).

Na horskom hrebeni dva kilometre severovýchodne od Chattušaša dali chetitskí králi postaviť kamennú svätyňu Yazılıkaya, ktorá je plná úchvatných basreliéfov s vyobrazeniami kráľov a bohov. Nájdeme tam aj veľký otvorený chrám, kam králi prinášali obety, ktoré mali zabezpečiť blaho ríše a hlavného mesta.

Tieto obety sa javili ako potrebné, pretože podnebie severných výšin sa stávalo čoraz chladnejším a suchším. Niekedy okolo roku 1200 pred n. l. sa Chattušaš vyľudnil. Keďže sa nenašli žiadne stopy po plienení, je možné, že zaúradovala prírodná pohroma, napríklad hladomor, ktorá vyprázdnenie mesta urýchlila. Ak skutočne nastal hladomor, došlo k nemu napriek obdivuhodným protiopatreniam chetitských kráľov. Chattušaš mal totiž obrovské sýpky, niektoré dlhšie než futbalové ihrisko, do ktorých sa zmestilo vyše 2 000 ton obilia.

Veľké zmeny znamenali pre kedysi úspešné mesto pohromu a chetitská ríša prudko upadala. Zmietali ňou politické nepokoje a musela čeliť aj útokom vonkajších nepriateľov. Koniec bronzovej doby so sebou priniesol v celom Stredomorí kolaps civilizácií, ktorému sa nevyhli ani Chetiti. Zúrivý bojový národ Kaškov napadol Chattušaš, vyplienil ho a vypálil rovnako ako pred tisíc rokmi Anittaš. Skutočnosť, že mesto podľahlo prudkému útoku skôr než obliehaniu, dokazuje veľké množstvo spáleného obilia v mestských skladoch.

Počas nasledujúcich desaťročí sa Chattušaš postupne vyľudnil. O približne osemsto rokov neskôr na jeho mieste vzniklo malé sídlo, ktoré prežilo ako dedina až do byzantského obdobia, potom však opäť zaniklo. Odvtedy sa na Chetitskú ríšu a Chattušaš, kedysi hrdé hlavné mesto, celkom zabudlo (nie je bez zaujímavosti, že chetitčinu rozlúštil až začiatkom 20. storočia český bádateľ Bedřich Hrozný, čím sa stal aj zakladateľom nového orientálneho vedného odboru – chetitológie, *pozn. odb. red.*).

Prvé hlinené klinopisné tabuľky sa v Chattušaši našli v 90. rokoch 19. storočia. Tento kúsok neputoval ďaleko, pretože ho vystavili v Boğazkalskom archeologickom múzeu, ktoré je vzdialené len niekoľko kilometrov.

Chattušaš dnes

Chattušaš objavili až v 19. storočí a odvtedy v ňom nepretržite prebiehajú vykopávky. Turecké úrady s veľkou hrdosťou uchovávajú časť svojho starobylého dedičstva a nekompromisne protestujú proti vývozu vzácnych artefaktov z náleziska európskymi objaviteľmi.

Vášnivý spor vyvolali najmä sfingy, ktoré v minulosti zdobili mestské brány Chattušaša. Tieto stvorenia zrejme predstavovali charakteristický emblém mesta a našlo sa ich hneď niekoľko v rozličných stavoch zachovanosti. Jedna zo sôch, ktorá bola vystavená v berlínskom Pergamonskom múzeu od roku 1934, sa v roku 2011 vrátila domov do Turecka.

V Chattušaši sa to dnes doslova hemží archeológmi a turistami. Jednou z atrakcií je 65-metrový zrekonštruovaný úsek mestských hradieb, pri ktorom sa použili výlučne techniky a materiály pôvodných staviteľov. Návštevníci môžu dumať aj nad významom zelenej kamennej kocky, ktorej patrí prominentné miesto v jednom z chrámov. Nefritová skala pripomínajúca sklo mala určite svoju funkciu, ale staroveké zdroje o nej mlčia.

Ak túžite po oddychu v prírode, môžete navštíviť İbikçam, posledný pozostatok hustého lesa južne od hlavného mesta, ktorý kedysi priťahoval do Chattušaša množstvo osadníkov.

pribl. 2500 – 600 pred n. l.
Mardaman
Nepoddajné mesto

*Ako ubiehali desaťročia, storočia a tisícročia,
vedomie o existencii Mardamanu sa postupne
vytratilo z ľudskej pamäti.*

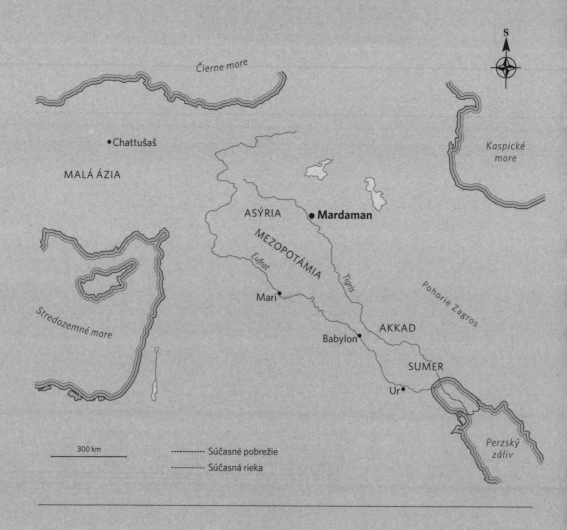

Čierne more

•Chattušaš

MALÁ ÁZIA

Kaspické
more

ASÝRIA • **Mardaman**

MEZOPOTÁMIA

Eufrat

Tigris

Mari•

Pohorie Zagros

Stredozemné more

AKKAD

Babylon•

SUMER

Ur•

------------ Súčasné pobrežie
------------ Súčasná rieka

300 km

Perzský
záliv

V múzeách po celom svete sa nachádzajú desaťtisíce hlinených klinopisných tabuliek a ďalšie k nim neustále pribúdajú z oblasti Mezopotámie a Malej Ázie. S istotou môžeme konštatovať, že jestvuje viac tabuliek než ľudí, ktorí ich vedia rozlúštiť, takže ich tajomstvá odkrývame iba postupne.

Tieto záznamy často hovoria o ľuďoch, ktorých sme nepoznali, a o miestach, ktoré sme zatiaľ neobjavili. Napríklad spomínajú národ Churritov, ktorý žil na území dnešnej severnej Sýrie, Iraku a východnej Malej Ázie a uctieval bohyňu Šuvalu z Mardamanu. Šuvalu poznáme aj z archeologických nálezov v Ure, Chattušaši a iných mestách. To nám prezrádza, že hoci Šuvalu hojne uctievali v celej oblasti, primárne bola božstvom mesta Mardaman, podobne ako Aténu uctievali v celom helenistickom svete, ale prevažne v Aténach.

Kde však ležal Mardaman? Z rozličných zmienok už dlhšie vieme, že šlo o dôležité mesto v Mezopotámii. Príležitostne ho spomínajú babylonské texty, takže v 2. tisícročí pred n. l. už určite existovalo. Ležalo pravdepodobne na križovatke ciest, keďže niektoré z tabuliek, ktoré o ňom hovoria, majú obchodnú povahu.

Ešte približne sto rokov po potvrdení existencie mesta nevedeli bádatelia určiť jeho polohu. Mardaman sa tak zaradil medzi pomerne vysoký počet miest, ktoré prežili do antiky, ale potom zmizli z historických záznamov.

Klinopisné tabuľky sú často polámané a texty na nich porušené. Neľahká rekonštrukcia záznamov je časovo náročná a to vysvetľuje, prečo veľa tabuliek ešte nie je rozlúštených.

Dnes už však vieme, že pred tridsiatimi storočiami sa niekto vedome usiloval, aby sa odkaz Mardamanu zachoval pre budúce generácie. Kľúčové záznamy boli totiž uložené do veľkej keramickej nádoby a zakopané do zeme pod hrubú vrstvu hliny. Z archeologických dôkazov vyplýva, že sa to udialo krátko po zničení okolitých budov. Dotyční možno uvažovali, že hlinené tabuľky vykopú, len čo sa vztýčia nové stavby, v ktorých sa budú môcť tabuľky nanovo uskladniť. Namiesto toho zostali texty pochované vedľa zničeného archívu. Ubehli desaťročia, storočia, tisícročia a vedomie o existencii Mardamanu sa postupne vytratilo z ľudskej pamäti.

Záhadné zrúcaniny

Archeologický výskum starovekého „Blízkeho východu" – teda územia, ktoré mali západní bádatelia „blízko" – zažíval v Európe 19. storočia rozkvet. Nadšenci húfne cestovali do oblasti ukoristiť čo najviac pokladov, aby ich potom mohli vystavovať v domácich múzeách. Osobitému záujmu sa tešili miesta spomenuté v Biblii, pretože pre niektorých potvrdzovali hodnovernosť posvätnej knihy.

Vo viktoriánskom Anglicku bola obzvlášť populárna Asýria. Odhalenie dosiaľ neznámej civilizácie vzbudilo záujem ľudí, ktorí sa pokladali za zakladateľov nového svetového poriadku. Objavilo sa a vykopalo mnoho mezopotámskych sídel, iné sa iba zaznamenali a odložili na neskorší výskum. Z tohto obdobia pochádza aj stručná zmienka o potenciálnom nálezisku v dedine Bassetki v súčasnom irackom Kurdistane. Lokalitou sa však počas 19. storočia a veľkej časti 20. storočia nikto nezaoberal.

Záujem o dedinu prudko stúpol po objavení takzvanej sochy z Bassetki, ktorá stvárňuje akkadského kráľa Narám-Sína. Turbulentná politická situácia dlhodobo znemožňovala ďalší výskum, ale po niekoľkých krvavých vojnách Bassetki napokon pripadli relatívne stabilnej (aspoň v roku 2023) autonómnej oblasti irackých Kurdov.

Vykopávky, ktoré sa naplno rozbehli v roku 2010, odkryli významné mesto bronzovej doby na križovatke ciest, čo z neho robilo dôležitý obchodný uzol medzi Mezopotámiou a Malou Áziou. Výskum v teréne odhalil vrstvu staršieho osídlenia, čím posunul vek mesta hlbšie do minulosti. Napokon sa preukázalo, že ľudia oblasť obývali už od začiatku bronzovej doby.

Našli sa hradby, palác aj obytná štvrť. Všetko naznačovalo, že šlo o dôležité mesto starovekého sveta, ale nikto nevedel, o aké mesto presne. Až sa napokon objavili starostlivo uskladnené tabuľky.

Fotografie drobivých hlinených artefaktov poslali doktorke Betine Faistovej, odborníčke na asýrčinu z Univerzity v Heidelbergu. Jej výskum odhalil bohatú históriu mesta a v roku 2018 definitívne preukázal, že zrúcaniny patria stratenému Mardamanu.

Séria dobytí

O meste dnes toho vieme (najmä vďaka vzácnemu archívu) pomerne veľa. Mardaman opakovane čelil nepriateľským útokom, niekoľkokrát padol, ale vždy sa znova pozviechal. V rozličných obdobiach patril rozličným štátnym celkom, inokedy zase dosiahol od mocností, ktoré v oblasti zápasili o nadvládu, krehkú nezávislosť.

Príbeh Mardamanu sa začal okolo roku 2800 pred n. l., keď na mieste budúceho mesta vznikla zastávka na obchodných ces-tách, ktoré sa utvárali medzi mestami ako Ur v Mezopotámii a jeho náprotivkami v Malej Ázii. V čase tretej urskej dynastie (pribl. 2100 – 2000 pred n. l.) sa mesto viackrát spomína ako obchodná križovatka.

Už v tomto období ho obkolesovali solídne hradby, ale ani tie ho neuchránili pred nepriateľmi. V skutočnosti sa o Mardamane prvýkrát dozvedáme v súvislosti s jeho zničením Narám-Sínom –

Pohľad britského umelca Johna Martina na pád Ninive, ďalšieho asýrskeho mesta v hornej Mezopotámii. Hoci maľba vyvoláva hlboký dojem, je z veľkej časti dielom autorovej predstavivosti, keďže prvé vykopávky v Ninive sa začali až dvanásť rokov po dokončení ob-razu, teda v roku 1842.

paradoxne tým kráľom, ktorého socha vzbudila všeobecný záujem o Bassetki.

Mesto vtedy už zrejme patrilo Akkadskej ríši, no pod panovníkom Duhsusuom sa zapojilo do takzvanej veľkej vzbury proti akkadskej nadvláde a pokúsilo sa získať nezávislosť. Narám-Sín však povstanie potlačil a Mardaman zbúral.

Po obnove mesta a po páde Akkadu sa Mardaman pričlenil k ríši Mitanni, ktorej vládli pomerne neznámi Churriti. Práve v tomto období Šuvala nadobudla status ochrannej bohyne mesta, hoci z ďalších dôkazov vyplýva, že svojej úlohy sa nezhostila práve najlepšie.

O Mardamane sa totiž znova dozvedáme pri jeho ďalšom dobytí, tentoraz asýrskym kráľom Šamši-Adadom I., ktorý v roku 1786 pred n. l. mesto nakrátko začlenil do svojej mocnejúcej ríše. Keď vplyv Asýrčanov dočasne opadol, Mardaman sa opäť osamostatnil. Potom sa však dostal do konfliktu s neďalekým Mari a záznamy z tohto mesta nám prezrádzajú, že Mardaman zase dobyli, tentoraz spojenci Mari.

Klinopisné symboly vznikali vtláčaním trojuholníkového rydla do vlhkej hliny. Len čo hlina zaschla, tabuľky sa mohli polámať, ale sotva zničiť. Tento fragment a terakotová soška pochádzajú z mitannského obdobia mesta (1600 – 1350 pred n. l.).

O niečo neskôr zostúpil z pohoria Zagros bojovný národ Turukkov a zrovnal mesto so zemou. Mardaman sa však znova pozviechal vďaka obnovenej moci Asýrskej ríše. V roku 1250 pred n. l. plnil funkciu hlavného mesta provincie, ktorej vládol asýrsky miestodržiteľ Aššurnasir. Záznamy z tohto obdobia sú vynikajúcej kvality, pretože približujú život Mardamanu generáciu pred jeho (ďalším) zničením (pribl. v roku 1200 pred n. l.), po ktorom niekto ukryl hlinené tabuľky do zeme.

Kto to urobil a kto nesie zodpovednosť za skazu mesta, nie je jasné, lebo písomné záznamy sa v tomto okamihu končia. No archeológovia preukázali, že nepoddajné mesto znova povstalo a v novoasýrskom období medzi rokmi 900 až 600 pred n. l. ešte naposledy prekvitalo. Jeho osud sa však aj naďalej úzko spájal s Asýriou. Keď ríšu rozvrátila vzbura a občianska vojna, padol aj Mardaman. Keďže sa obchodné cesty v železnej dobe zmenili a tovar prúdil inokadiaľ, nikto už nevidel zmysel v obnove zniče-ného mesta, a preto jeho rozvaliny zostali opustené (existujú však dôkazy o osídlení tohto miesta z neskoršieho helenistického a potom aj islamského obdobia, posledným osídlením bola kresťansko-aramejská osada z 19. a zo začiatku 20. storočia, *pozn. odb. red.*). Čo teda nedokázali dobyvatelia, dokázala ekonomika a Mardaman nadobro zmizol z máp.

Mardaman dnes

Archeológov sotva nadchne niečo viac než objavenie strateného mesta, preto dnes na nálezisku intenzívne pracujú. Na rozdiel od kolegov z 19. storočia, ktorí neboli oveľa lepší od obyčajných lovcov pokladov, dnešní archeológovia postupujú pomaly, me-todicky a ide im predovšetkým o poznanie, nie o zisk. Návšteva mesta je vzhľadom na jeho polohu vhodná len pre najodvážnejších turistov. Vďaka tejto izolovanosti a skutočnosti, že Mardaman bol objavený len nedávno, zostane mesto pre bežného návštevníka ešte na niekoľko desaťročí ťažko dostupným.

pribl. 3500 pred n. l. – 100 n. l.
Téby
Pýcha Egypta

... do Téb v egyptskej zemi, kde po domoch mnohé poklady ležia...
Homér, *Ilias*, 9, 382

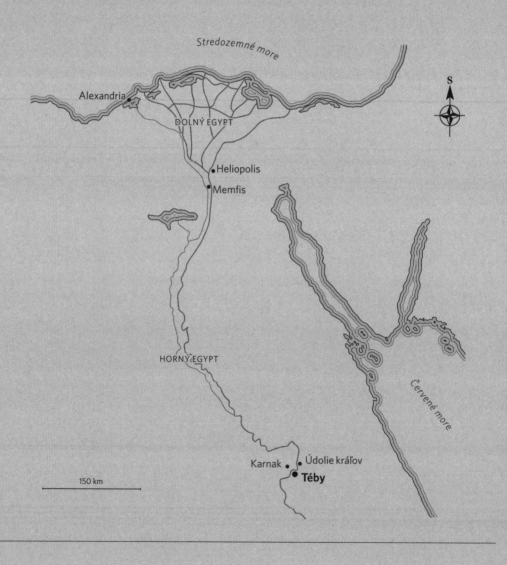

W aset bol politickým a náboženským centrom Egypta už vyše tisíc rokov predtým, ako ho navštívili prví Gréci. Tí zrejme prišli do oblasti v mykénskom období (1700 – 1050 pred n. l.) a chrámový komplex v Karnaku, ktorý vtedy existoval už stovky rokov, na nich spravil hlboký dojem. Gréci o meste hovorili ako o *Thebai*, teda „chráme". Toto nesprávne označenie sa v západnej kultúre vžilo, a preto dokonca aj dnes stratené egyptské mesto zvyčajne nazývame Téby, nie Waset.

O pôvode mena Waset sa dodnes diskutuje najmä preto, že mesto vzniklo dávno predtým, než sa v oblasti štandardizoval egyptský jazyk. Čo *waset* znamenalo v pôvodnom nárečí, môžeme len hádať. Existujú špekulácie, že názov odkazuje na *was* – tradičné žezlo faraónov –, ale táto teória vyžaduje od predfaraónskych obyvateľov priam jasnozrivé schopnosti. Sídlo totiž založili okolo roku 3500 pred n. l., keď Egyptu ešte nevládol jeden spoločný panovník.

Letecký pohľad na Ramesseum, chrám, ktorý dal postaviť Ramesse II. na svoju pamiatku. Rozbitá socha faraóna vnútri komplexu údajne inšpirovala slávnu báseň Percyho Byssheho Shelleyho *Ozymandias* (grécke meno Ramesseho).

Tak či onak, Waset patril medzi prvé egyptské mestá. Ležal na náplavovej rovine, ktorá vznikla z nánosov bahna v ohybe Nílu, a sformoval sa pravdepodobne spojením viacerých menších dedín. Oblasť vzdialená približne osemsto kilometrov od delty Nílu poskytovala tradične bohatú poľnohospodársku pôdu. Lokalita zároveň predstavovala prirodzené obchodné spojenie medzi kmeňovými klanmi na juhu a usadenejšími spoločenstvami na severe.

Prvé písomné záznamy o meste pochádzajú z hieroglyfov, ktoré vznikli okolo roku 2600 pred n. l. V tom čase už tébski panovníci ovládali značné územie. Medzi prvých známych vladárov patril Enjotef (Intef) I., ktorý v Tébach panoval v 22. storočí pred n. l. Enjotef nepredstavoval tradičného egyptského faraóna v neskoršom zmysle slova, ale zdá sa, že spravoval veľké územie od Asuánu ďaleko na juhu až po Koptos necelých 43 kilometrov severne od Téb.

S rastúcim významom Téb stúpala aj obľuba ich hlavného božstva Amona (Amuna). Začiatkom 2. tisícročia pred n. l. začali Amona stotožňovať s bohom slnka Ra a uznávať po celom Egypte ako vládcu bohov. Tým dôležitosť Téb ako centra Amonovho kultu ešte vzrástla. Chrámy na západnom brehu sa začali rozrastať a naberať celonárodný význam. Z Biblie (Nah 3, 8, *pozn. prekl.*) vieme, že Hebreji volali Téby „No-Amon" – Amonovo mesto.

Na keramické črepy alebo takzvané ostrakóny sa v starovekom svete zapisovali odkazy či poznámky. Tento kúsok pochádza z Egypta obdobia dvadsiatej dynastie (pribl. 1100 pred n. l.).

Okolo rokov 1700 – 1550 pred n. l. privial vietor zo severu lode so záhadnými Hyksósmi (čitateľ sa o nich dozvie viac v inej autorovej knihe *Zabudnuté národy starovekého sveta* [Ikar, 2022], *pozn. odb. red.*). Pôvod tohto etnika zostáva dodnes nejasný, ale isté je, že vďaka pokročilejšej vojenskej technike si postupne podrobilo severnú časť krajiny faraónov.

Pohroma pre Egypt mala paradoxne pozitívne dôsledky pre Téby, ktoré sa rýchlo stali centrom odporu voči dobyvateľom a hlavným mestom panovníkov trinástej dynastie (predtým v nich sídlil Enjotef z jedenástej dynastie, no ťažisko moci sa odvtedy posunulo na sever). Južným vládcom trvalo celé pokolenia, než vyhnali Hyksósov, a Téby si medzičasom upevnili postavenie hlavného mesta Egypta. So 60 000 obyvateľmi šlo v tom období o možno najväčšie mesto sveta.

Obchod už neprúdil len po Níle, ale aj naprieč púšťou. Karavány s tovarom prichádzali z Indie a Puntu (pobrežnej oblasti súčasnej Etiópie). Neskôr vznikol prístav v Myos Hormos (dnešné Al-Kusajr) pri Červenom mori, aby pomáhal zvládať vysokú premávku. Geograf Strabón tvrdí, že v prístave sa denne vystriedalo aj sto lodí. V tomto období sa zrodili aj obchodné styky s ľuďmi na severe, ktorí si hovorili Heléni a pri utváraní svojej kultúry sa do značnej miery inšpirovali Egypťanmi.

Za vlády panovníka Ramesseho II. (1279 – 1213 pred n. l.) dosiahol Egypt vrchol moci. Samotné Téby stratili časť prestíže, keďže Ramesse preniesol svoje sídlo na sever do účelovo vybudovaného mesta v delte Nílu. Nová lokalita totiž uľahčovala faraónovi vedenie vojen v stredomorských oblastiach. Téby však ďalej prosperovali ako kultové centrum, a to aj vďaka pokračujúcej podpore Ramesseho, ktorý mestské chrámy ešte rozšíril a zveľadil.

Keď v 8. storočí pred n. l. Homér spomína v *Iliade* Téby v egyptskej zemi, „kde po domoch premnohé poklady ležia", iné – grécke – Téby mohli bLednúť závisťou. Aj samotní Gréci rozlišovali medzi „Tébami so stovkou brán" v Egypte a „Tébami so siedmimi bránami" v Boiótii. Scestovaný historik Hérodotos (pribl. 484 – 420 pred n. l.) opisuje návštevu egyptských Téb i svoj rozhovor s kňazmi, ktorí mu tvrdili, že Dodóna, slávna Diova veštiareň v severozápadnom Grécku, má tébsky pôvod.

Sláva perly Egypta sa však chýlila ku koncu. Poloha, ktorá kedysi zachránila mesto pred Hyksósmi, ho tentoraz vystavila Kušitom (o Kušitoch tiež bližšie v *Zabudnutých národoch starovekého sveta* [Ikar, 2022], *pozn. odb. red.*), ktorí naň zaútočili z opačného smeru (dnešného Sudánu).

Kušitskí dobyvatelia zasadli na egyptský trón ako dvadsiata piata dynastia (pribl. 750 – 656 pred n. l.). Bolo to prvýkrát, čo

Tri masívne terasy pôsobi-
vého posmrtného chrámu
kráľovnej Hatšepsut, pribl.
polovica 15. storočia pred n. l.
Medzi ostatnými egyptskými
panovníčkami vynikala ako
plodná staviteľka a jej chrám
sa vo všeobecnosti považuje
za majstrovské dielo.

sa celá krajina ocitla pod cudzou nadvládou. To neuniklo pozornosti civilizácií na severe. V roku 663 pred n. l. asýrsky panovník Aššurbanipal podnikol na Egypt zničujúci nájazd, z ktorého sa Téby nikdy celkom nespamätali. Aššurbanipal sa potom vystatoval, že ulúpil „poklady palácov, látky, odevy, vzácne kamene" a dva obelisky z elektra (prirodzenej zliatiny zlata so striebrom, *pozn. prekl.*) s hmotnosťou 2 500 talentov (neuveriteľných 62 500 kilogramov; približne, pretože presná hodnota asýrskeho talentu nie je známa). Nasledovali ďalšie vojny. Najprv zaútočili Peržania a v roku 525 pred n. l. začlenili Egypt do svojej ríše. Potom Alexander Veľký porazil Peržanov a Egypt sa ocitol pod nadvládou gréckych Ptolemaiovcov. Ako posledná z tohto rodu zasadla na trón Kleopatra VII.

Spomienky na zašlú slávu spravili z Téb zaťatého nacionalistického rivala Alexandrie, hlavného mesta Grékov v Egypte. V oblasti došlo k niekoľkým vzburám proti ptolemaiovskej nadvláde. Vládnuca vrstva odpovedala tým, že dala kňazským vrstvám v Tébach viac moci a autonómie, ale mesto naďalej upadalo. Keď v roku 30 pred n. l. Rimania porazili Kleopatru a z Egypta spravili svoju provinciu, Téby už boli iba tieňom svojej slávnej minulosti. Ich obyvateľstvo sa živilo čiastočne poľnohospodárstvom, čiastočne zabávaním Rimanov, ktorí si prichádzali obzrieť známe ruiny. Jeden z nich napísal: „Mesto je pusté. Je v ňom niekoľko chrámov, no väčšina z nich tiež leží v rozvalinách... dnešné Téby sú len zhlukom dedín." (Strabón, *Geografia* 17, 1, 46)

Téby dnes

Staroveké Téby, ktoré dnes poznáme ako Luxor, sa čiastočne pozviechali vďaka turistickému ruchu. V meste nájdete toľko pamiatok a chrámov, že sa často výstižne označuje za najväčšie múzeum na svete. Medzi najpozoruhodnejšie pamätihodnosti patria chrámový komplex Karnak, slávne hrobky v Údolí kráľov a veľké chrámy v Ramesseu a Dér el-Bahrí (chrám kráľovnej Hatšepsut). Podobne ako iné lokality, aj tieto miesta sa nachádzajú na Zozname svetového dedičstva UNESCO.

Cisár Constantius II. (vládol 337 – 361 n. l.) dal z Téb priviezť obelisk a vystavil ho v Circuse Maxime. Poškodené zvyšky pamätníka obnovili v 16. storočí a dnes opäť stoja, tentoraz pred Lateránskym palácom. S 25 metrami je tébsky obelisk vyšší než jeho známejší náprotivok z Heliopolisu, ktorý sa vyníma uprostred Námestia svätého Petra vo Vatikáne.

Naproti Stéla z Téb. Ploché kamenné dosky vznikali na pamiatku rozličných ľudí alebo udalostí. Tabuľa na obrázku je vyrobená pre Luef-er-baka (napravo), „strážcu skladu Amonovho chrámu". Rytina ho zobrazuje s manželkou a dospelými deťmi.

pribl. 3500 – 300 pred n. l.
Faistos
Druhé mesto minojskej Kréty

Mestu možno chýbal labyrint či Minotauros,
ale malo iné prednosti.

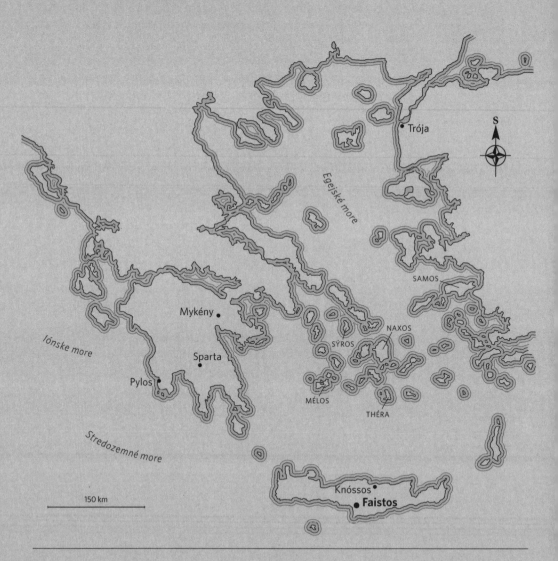

Vzhľadom na to, že počiatky takzvanej minojskej kultúry siahajú do roku 5000 pred n. l., starovekí Gréci sa mýlili, keď pokladali za otca krétskej civilizácie kráľa Minóa (žil tri pokolenia pred trójskou vojnou, teda okolo roku 1300 pred n. l.). Pokojne môžeme vylúčiť aj grécku teóriu, že jedno z prvých veľkých minojských miest Faistos založil Minóov brat Radamanthys.

Faistos ležal približne 96 kilometrov od paláca kráľa Minóa v Knósse. Mestu možno chýbal labyrint či Minotauros, ale zato malo iné prednosti. Nachádzalo sa totiž v strednej Kréte asi päť kilometrov od mora, kde vnútrozemskú Mesarskú nížinu od pobrežnej nížiny Debaki oddeľuje vysoký hrebeň. Nech už Faistos založil ktokoľvek, lokalitu si zrejme nevybral len pre pekné výhľady, ale najmä pre rieku Geropotamos a úrodné polia, ktoré sa dali z lokality pohodlne ovládať.

Keď už spomíname výhľady, tie vo Faiste patrili medzi najúchvatnejšie na Kréte. Staviteľia si dali záležať, aby z okien palácov bolo čo najlepšie vidieť pôsobivú Mesarskú nížinu, ktorú obklopuje pohorie Asterousia a náhorná plošina Lasithi.

Výhľady z Faistu patria medzi najúchvatnejšie spomedzi miest starovekej Kréty. Tento záber ukazuje, ako Faistos prostredníctvom svojej strategickej polohy ovládal okolitú poľnohospodársku krajinu.

Najstaršie stavby sa datujú približne do roku 3500 pred n. l., teda do neskorého neolitu, ale nevídaný rozkvet mesta nastal o päťsto rokov neskôr, keď Faistos v bohatstve a vo veľkoleposti zrejme iba tesne zaostával za Knóssom.

Názov, pod ktorým dnes mesto poznáme, je pogréčtená verzia minojského originálu, pretože Gréci si lokalitu spájali s Heraklovým vnukom Faistom. Pôvodný názov sa zrejme zachoval na úlomku, ktorý archeológovia vykopali zo zrúcanín, ale text na ňom je zapísaný v dvoch formách – v lineárnom písme A, ktoré sa dosiaľ nepodarilo rozlúštiť, a v krétskych hieroglyfoch, oproti ktorým pôsobí lineárne písmo A ako detská hračka.

Len čo sa z Faistu stalo jedno z popredných sídel najrozvinutejšej civilizácie na západ od Egypta, pustil sa neznámy panovník a architekt do stavby palácového komplexu, ktorý bol hodný postavenia mesta. Do práce sa vložilo nesmierne množstvo úsilia. Vysoko na svahu sa vykopali masívne terasy, aby zhora poskytovali výhľad na mesto, kde žili bežní ľudia. (Táto časť mesta si ešte len získava pozornosť archeológov.)

Gréci mykénskeho a archaického obdobia Faistos dobre poznali. Dokonca aj Homér ho viackrát spomína a opisuje ako „krásny a výstavný". Píše tiež, že Faisťania dodali lode flotile, ktorá napadla Tróju, a že o desať rokov neskôr časť tejto flotily na ceste domov stroskotala na južných brehoch Kréty práve pri Faiste.

V trójskej vojne stál Faistos na strane Grékov podobne ako Poseidón, boh mora a zemetrasení. Napriek tomu okolo roku 1700 pred n. l. postihli mesto v rýchlom slede dve zemetrasenia, ktoré zničili palácový komplex. Hoci ho Faisťania obnovili a začlenili doň aj časti originálu, ktoré prežili pohromu, zrekonštruovaná stavba sa pôvodnej nevyrovnala.

Staviteľia však umne využili riečku Geropotamos, ktorá pritekala z hôr, a napojili ju na palácovú stoku. Tak vytvorili dômyselný kanalizačný systém, za ktorý by sa nebol hanbil ani stredoveký hrad o dve a pol tisícročia neskôr. Na území paláca nechýbalo ani viacero hlbokých studní, ktoré zabezpečovali obyvateľom zásoby vody.

Ruiny komplexu robia hlboký dojem aj na dnešného pozorovateľa. Človeka nadchne napríklad veľké hľadisko, do ktorého sa zmestilo štyristo ľudí (päťsto, ak boli veľmi priateľskí) – hoci nádherný výhľad z neho určite odvádzal pozornosť mnohých návštevníkov od samotného predstavenia. Palác mal aj rozľahlé sklady s veľkými olejovými nádobami, charakteristickými pre minojskú kultúru. Ďalším typickým nálezom vo Faiste je takzvaná kamarská keramika. Poháre a nádoby tohto typu zvyčajne zdobili morské a rastlinné motívy v kombinácii bielej, oranžovej a červenej. Keramika bola tenšia a krehkejšia než iné typy, pričom niektoré poháre boli takmer rovnako tenké ako vajcová škrupina. Je zaujímavé, že kamarská keramika sa našla iba v minojských palácoch, čo naznačuje, že bola výsadou elity.

Bohužiaľ, Poseidón ešte nepovedal posledné slovo a v roku 1600 pred n. l. palác opäť vážne poškodilo zemetrasenie. Stavitelia tak museli začať odznova, ale mali dobrú motiváciu, pretože výhodná poloha v centrálnej Kréte zaraďovala Faistos medzi najvplyvnejšie mestá na ostrove. Jestvujú náznaky, že už v tomto období rástlo napätie medzi Faistom a neďalekým mestským štátom Gortýna, ktorý naberal na sile. Treba spomenúť aj mykénske sídlo Hagia Triada, ktoré ako prvé ohrozilo dominanciu Faistu a napokon ho o ňu aj pripravilo.

Situácia sa ešte zhoršila, keď okolo roku 1400 pred n. l. bojoví Achájci (Gréci) zaútočili na popredné minojské mesto Knóssos a vyplienili aj faistský palác. Tentoraz sa ho už nepodarilo obnoviť, hoci dolné mesto zostalo obývané. V 7. storočí pred n. l. dokonca zažilo krátku renesanciu a fungovalo ešte niekoľko storočí. Razili sa v ňom mince s motívmi mytologických bytostí ako Zeus, Herakles či Európa (Diova milenka, matka Minóa a Radamanthysa, *pozn. prekl.*). Na ich lícnej strane sa skvel názov mesta.

Faistos však už nikdy nedosiahol svoje niekdajšie postavenie a napokon sa stal obeťou čoraz násilnejších medzimestských vojen, ktoré sužovali ostrov. V 3. storočí mu zasadil posledný úder jeho dlhodobý rival Gortýna. Staroveký zemepisec Strabón sucho konštatuje osud mesta: „Gortýnčania zrovnali Phaestus [Faistos] so zemou… a krajina teraz patrí tým, ktorí ju znivočili.“ (*Geografia* 10, 4, 14).

Faistos dnes

Koncom 19. storočia sa bádateľom podarilo objaviť Faistos pomocou Strabónových opisov. Práce na vykopávkach sa začali dokonca ešte predtým, než archeologický výskum v známejšom Knósse odhalil modernému svetu stratenú minojskú kultúru.

Azda najzáhadnejším nálezom z Faistu je okrúhla hlinená tabuľka (s približne šestnásťcentimetrovým priemerom), ktorá sa žartovne nazýva „prvým cédečkom na svete“. Ako na CD, aj na tomto disku je informácia zapísaná v špirále, ale nevieme, či ju máme čítať od stredu k okraju, alebo naopak. Zápis je v známom, no nerozlúštenom minojskom jazyku a obsahuje desiatky symbolov odtlačených na povrch miniatúrnymi pečaťami. Na obrázkoch sú ľudské postavy, zvieratá, zbrane i kvety.

Akademici stále diskutujú o tom, čo sa na disku píše a ako ho treba čítať. Najpravdepodobnejšia interpretácia, ktorá vychádza z našich obmedzených informácií o minojskom jazyku, hovorí, že ide o modlitbu k „Veľkej Bohyni". V skutočnosti však môže ísť aj o niečo dôležitejšie, napríklad o proroctvo o konci sveta, ale aj o niečo banálnejšie, napríklad o zoznam potrebných vecí. Kým sa staroveké znaky nepodarí rozlúštiť, disk z Faistu zostane jednou z najprovokatívnejších záhad tohto strateného mesta.

Faistos v návštevnosti zaostáva za Knóssom, čo však nemusí byť na škodu. Pre vysoký počet turistov sa museli niektoré časti Knóssu zahradiť, aby sa zabránilo ich poškodeniu, zatiaľ čo Faistos ostáva návštevníkom prístupnejší.

Trojrozmerné narcisy alebo ľalie na prepracovanej hlinenej nádobe kamarského typu (pribl. 1800 pred n. l.)., ktorú zrejme využívali faistské rodiny z vyšších vrstiev pri formálnych príležitostiach alebo na hostinách.

DRUHÁ ČASŤ

Od Tróje po Rím

Už dávno pred nástupom Ríma jestvovalo na svete mnoho opustených miest. Dôvody ich neblahého osudu sa rôznia. O úpadok mezopotámskeho Uru sa napríklad pričinila zmena klímy. Iné mestá spustli v dôsledku náhlych pohrôm ako zemetrasenia či povodne. Ďalšie jednoducho prestali plniť svoj účel. Zapríčiniť to mohla zmena obchodných trás či prítomnosť lukratívnejšieho konkurenta, ku ktorému sa obyvateľstvo presunulo. Európu na úsvite železnej doby však celkovo čakali dramatické zmeny.

Už pred 4 000 rokmi, keď počet obyvateľov planéty dosahoval približne 0,06 % dnešnej populácie, sa vyskytovali problémy s preľudnením. Preľudnenie nedefinujeme v absolútnych číslach, ale ako pomer dostupných zdrojov a veľkosti danej populácie. Staroveký svet bol v získavaní, vo využívaní a v rozdeľovaní zdrojov podstatne menej efektívny než súčasný, takže ich nedostatok predstavoval každodennú realitu.

Jestvovalo viacero spôsobov, ako sa s problémom vyrovnať. Jedným z nich bol obchod, pomocou ktorého si ľudia vymieňali veci, čo mali, za veci, ktoré potrebovali. V prípade nedostatku prírodných zdrojov sa mohli zamerať na výrobu tovarov. Táto skutočnosť prispela k narastajúcemu trendu urbanizmu, keďže výrobcovia potrebovali na nákup surovín a na predaj hotových výrobkov trhy.

Iný spôsob, ako sa popasovať s problémom nedostatku, bolo uzurpovať si potrebné zdroje od slabších. V dôsledku toho sa ľudstvo zdokonaľovalo vo vedení vojen. Tie spoločnosti, ktoré sa nevedeli dostatočne rýchlo adaptovať na prítomnosť konfliktov, boli vyhubené spoločnosťami, ktoré si na bojovom poli počínali obratnejšie. V tomto spiatočníckom ľudskom vývoji hrali opäť významnú úlohu mestá, ktoré sa novej situácii usilovali čo najlepšie prispôsobiť.

V zmenených časoch im už nestačila iba výhodná poloha v úrodnom regióne alebo na prominentnej obchodnej ceste (prirodzene, ideálne bolo spĺňať obe podmienky). Teraz sa museli navyše vedieť brániť. Dejiny urbanizmu od konca bronzovej doby po obdobie Rímskej ríše sú čiastočne dejinami pretekov v zbrojení medzi tými, ktorí sa usilovali mestá vystužovať a opevňovať, a tými, čo sa zameriavali na nové technológie a techniky, ktoré by im pomohli súperove prekážky prekonať. V tomto období nezanikli niektoré úspešné a bohaté mestá vinou klimatickej zmeny či v dôsledku posunu obchodných ciest, ale preto, že sa nevedeli brániť proti početnejším a silnejším protivníkom.

Úsvit ríše

Mestá a štáty tohto obdobia odrážajú aj inú zmenu paradigmy – prechod od „civilnej" spoločnosti k „iniciatívnej". Zjednodušene povedané, účelom civilných spoločností (medzi ktoré sa zaraďovala väčšina prvých miest) je spolunažívať vo veľkom počte a nepozabíjať sa navzájom.

Oproti tomu iniciatívna spoločnosť sa vyvinie vtedy, keď dostatok ľudí v skupine rozhodne, že po dosiahnutí prvej méty – civilnej spoločnosti – treba využiť kolektívnu jednotu na iné ciele. Pod nimi môžeme rozumieť uctievanie božstiev, stavbu pyramíd a iných monumentov, ale aj obľúbené dobývanie a/alebo eliminovanie susedov. Organizované mestá ako celky poskytujú na naplnenie týchto účelov sklady, pracovnú silu, bojovníkov a administratívny aparát.

Vývoj spoločnosti však so sebou prinášal aj pozitívne zmeny. Mestá či štáty umožňovali svojim obyvateľom dlhší, pokojnejší a spravidla bohatší život než v minulosti. Metropoly predstavovali kultúrne centrá, v ktorých sa nachádzali divadlá alebo športové arény a žila v nich trieda maliarov, sochárov, dramatikov a básnikov. Umelci potrebovali mecenášov a priestor na prezentáciu svojich diel, interpreti potrebovali publikum. Hoci starovekí básnici a dramatici často ospevovali idylu života na vidieku, bez miest by sa neboli zaobišli.

V Stredomorí ranej antiky sa to len tak hemžilo mestskými kultúrami Grékov, Feničanov, Etruskov, Hebrejov či Galov (mestá tohto etnika sa za posledné dve storočia svojej nezávislosti prudko rozvinuli). Ich sídla však posudzujeme ako „izolované" jednotky. To znamená, že hoci sa ich obyvatelia mohli považovať za súčasť konkrétneho národa, necítili takmer žiadnu potrebu koordinovať sa politicky. Práve naopak, vnútronárodný boj bol charakteristickou črtou predklasického obdobia (Gréci sú toho učebnicovým príkladom).

Jediné veľké ríše, z ktorých každá zahŕňala viacero miest, ležali dovtedy na východe (egyptská, chetitská, asýrska a najnovšie perzská). Mestá týchto východných mocností často menili majiteľov, ale zriedkakedy dochádzalo k ich zničeniu. Keď si koncept ríše osvojila iniciatívna a rozpínavá kultúra Rimanov, mestá ako Kartágo alebo Numantia, ktoré Rimanom stáli v ceste, rýchlo pochopili, kto je pánom.

Peržania na východe aj Rimania na západe si uvedomovali výhody, ktoré vyplývajú z prepojenosti miest rozsiahlou sieťou ciest. Hoci tieto komunikácie boli určené predovšetkým na rýchly presun vojsk, prirodzene slúžili aj na ďalšie rozširovanie obchodných väzieb. Zdroje medzi mestami či dokonca ríšami sa mohli presúvať čoraz rýchlejšie. Toto obdobie sa stalo svedkom veľkého rozmachu Hodvábnej cesty (v skutočnosti ju tvorila celá sieť ciest) a s tým súvisiaceho nárastu karavánových zastávok. Mestá na trase poskytovali obchodníkom prostriedky na prepravu tovaru na západ, ale aj trhy, kde mohli svoje výrobky predávať. Len veľmi málo kupcov totiž sprevádzalo tovar od štartu po cieľ. Väčšina výrobkov sa predala cestou a mestá z toho profitovali na daniach.

Či mesto prosperovalo, alebo upadalo, nezáviselo už len od jeho postavenia ako samostatnej jednotky, ale aj od jeho úlohy v rámci vyššieho politického celku. Rímska ríša sa veľmi rýchlo rozrástla, a hoci väčšina jej populácie zostala vidiecka, rímska kultúra bola prevažne mestská, pretože v dôsledku jej expanzie vzniklo viac miest, než zaniklo.

pribl. 3000 – 1150 pred n. l.
Trója
Príbeh deviatich miest

... opäť má povstať kráľovstvo trójske.
Preto vydržte, sami sa chráňte pre šťastné chvíle!
Vergílius, *Aeneis* 1, 205

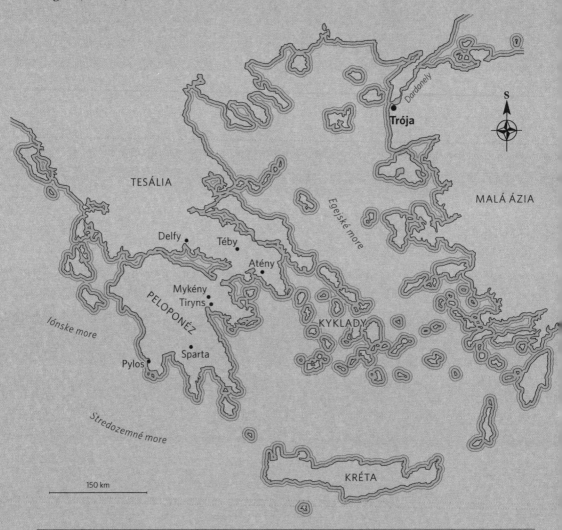

S otva existuje známejšie stratené mesto než Trója. Nie že by bolo bývalo oveľa väčšie alebo bohatšie než ostatné, ale rozpráva o ňom jedno z najdôležitejších diel západnej literatúry, Homérova *Iliada*.

Epos opisuje turbulentných 51 dní z desaťročného gréckeho obliehania Tróje, ktoré napokon viedlo k jej vyplieneniu a zničeniu. Hoci ďalšie a ďalšie pokolenia čítali príbeh o trójskej vojne, povedomie o polohe mesta postupne slablo. Napokon sa rozšírilo presvedčenie, že Trója aj s hrdinami a bohmi, ktorí bojovali pod jej hradbami, je len mýtus.

Koncom 19. storočia však amatérsky archeológ Heinrich Schliemann oznámil, že Trója je skutočná a že ju dokonca objavil na území dnešného Turecka. Odvtedy nálezisko podrobne skúmajú odborníci, ktorí zistili, že Trójí v skutočnosti existovalo najmenej deväť, pričom tá Schliemannova rozhodne nezodpovedá Tróji z Homérovej *Iliady*.

V antike Tróju navštívili „turisti" ako Alexander Veľký a v roku 124 n. l. rímsky cisár Hadrián, ktorý zrekonštruoval miestny odeón (na obrázku; polkruhovitá stavba so stupňovitými kamennými lavicami, určená na umelecké predstavenia, *pozn. prekl.*). Možno sa v ňom potom prednášala aj jeho poézia (Hadriánove básne neboli úplne na zahodenie).

Prvé Tróje

Panoráma s únosom Heleny uprostred divov starovekého sveta, Maerten van Heemskerck, 1535. Toto umelecké dielo je tak trochu hádankou, ktorá nabáda pozorovateľa, aby rozlúštil narážky na antický svet. Napríklad dúha v pozadí symbolizuje bohyňu Iris, ktorá oznámila správu o únose Heleny jej manželovi.

Trója existovala dávno pred trójskou vojnou. Prví ľudia sa na jej území usadili približne pred 5 000 rokmi. Za svoj nový domov si vybrali západný výbežok úrodnej roviny medzi dvoma riekami, ktoré dnes poznáme pod názvami Menderes (historicky Skamander) a Dumbrek-su (Simoeis). Bolo to v období, keď sa v Mezopotámii utvárali prvé mestské štáty a v Egypte sa pestrá zbierka menších kráľovstiev zjednotila pod spoločným panovníkom.

Trója I predstavovala malé sídlisko s približne dvadsiatimi obydliami obkolesenými ochranným valom z neopracovaného kameňa. Celková populácia nepochybne dosahovala vyššie počty, než by sa na prvý pohľad zdalo. „Trója" totiž plnila funkciu pevnosti, do ktorej sa vidiecke obyvateľstvo, čo žilo a pracovalo na rovine, utiahlo v čase núdze. O prvých Trójanoch toho vieme málo. Poznáme akurát ich keramiku a kovové výrobky, ktoré vykazovali podobné znaky ako analogické výrobky zo severnej Anatólie a z priľahlých ostrovov.

Ako a prečo prvé sídlo spustlo alebo bolo zničené, nie je jasné, ale takmer okamžite sa opäť zaľudnilo. Namiesto toho, aby noví osadníci odstránili staré ruiny, jednoducho ich zarovnali a začali stavať na nich. Tento proces sa neskôr viackrát opakoval. Niekedy sa takto nahradili len jednotlivé budovy, nie celé mesto. Preto dnes v určitých častiach Tróje nachádzame až 45 vrstiev osídlenia.

Vrcholná Trója

Prvotných osadníkov bezpochyby priťahovala úrodná pôda na rovine, ale s rozvojom civilizácie sa čoraz zreteľnejšie ukazovalo, že Trója má aj výhodnú obchodnú polohu. Mesto sa stalo dôležitou zastávkou na ceste z Malej Ázie na európsku stranu Dardanel a jeho umiestnenie v najužšom bode prielivu mu umožňovalo kontrolovať morskú trasu medzi Egejským morom a tým, čo dnes nazývame

Čiernym morom (Čierne more nieslo v minulosti názvy Nehostinné more či, naopak, Pohostinné more, *pozn. prekl.*).

Trójania sa preslávili chovom koní. Aj Hektor z *Iliady* sa na viacerých miestach označuje ako „skvelý jazdec" a archeológia potvrdila tento fakt početnými nálezmi konských kostí v meste a jeho okolí.

V roku 2500 pred n. l. sa Trója zaraďovala medzi významné centrá stredomorskej civilizácie bronzovej doby. V tom čase už mala podstatne lepšie opevnenie a jej citadelu chránil múr z veľkých tesaných kvádrov spevnených hlinenými tehlami. V tomto ohľade sa Trója podobala mnohým gréckym mestám ranej mykénskej kultúry. Navyše v pevnosti sa našli budovy megarónového typu, ktoré sa objavili aj v Mykénach.

Jediná informácia o zložení vtedajšieho obyvateľstva Tróje pochádza z textu na päťcentimetrovej pečati. Luvijský jazyk na artefakte spája Tróju s národom, ktorý žil v Chetitskej ríši (tá prekvitala okolo roku 1750 pred n. l.). Chetitské záznamy spomínajú mesto Wiluša, čo je takmer určite Trója. Jestvujú jasné etymologické súvislosti medzi názvom Wiluša a Ilion, ako starí Gréci volali Tróju (z tohto názvu vychádzal aj Homér v *Iliade*). Navyše obranné veže pevnosti mali štvorcový pôdorys a štýl, ktorý archeológovia poznali z iných chetitských miest.

Túto verziu Tróje zničilo okolo roku 1300 pred n. l. zemetrasenie alebo, ak uprednostňujeme vzrušujúcejšiu mýtickú verziu, nahnevaný Herakles, ktorému odmietol trójsky kráľ vyplatiť odmenu za poskytnuté služby. Mesto sa však takmer okamžite vzchopilo (podľa povesti s pomocou Apolóna a Poseidóna). Tentoraz bolo ešte majestátnejšie a mocnejšie, pričom kládlo väčší dôraz na obranu.

Trója *Iliady*

Šiesta generácia Tróje (fázy I až V ukončili zemetrasenia a požiare) má zrejme najbližšie k slávnej Tróji z mýtov. Archeologické nálezy zodpovedajú Homérovým opisom „široko stavanej" Tróje s „dobrými hradbami" a „prekrásnymi vežami", ktoré sa týčili do úctyhodnej výšky dvanástich metrov. Keďže veže stáli na mohutných hradbách, poskytovali výborný výhľad na okolitú krajinu. Z jednej z nich vystrelil Paris šíp, ktorý trafil Achilla do päty (podľa mytológie jeho jediného zraniteľného miesta, *pozn. odb. red.*) a zabil ho.

Hoci nemáme dobový záznam o legendárnom obliehaní (Homérov epos vznikol o päťsto rokov neskôr), písomné správy z tohto obdobia zmieňujú citeľné napätie a niekedy aj otvorené konflikty medzi Grékmi a Chetitmi. Okolo roku 1250 pred n. l. mesto niekto napadol, čo sa dá vydedukovať z bronzových hrotov kopijí, šípov a nábojov do prakov, ktoré sa našli zaryté v hlinených stenách. Trója bola zničená krátko nato.

Z veľkých hlinených nádob zakopaných po hrdlo do zeme, v ktorých sa zrejme malo skladovať obilie, sa dá usudzovať, že pevnosť sa pripravovala na obliehanie. Nepochované kostry na uliciach naznačujú, že opatrenia vyšli nazmar.

Z týchto skutočností vyplýva, že Trója skutočne jestvovala a príbehy z *Iliady* sa zakladajú na pravde.

Po Achillovi

Trója sa po porážke znova pozviechala. Ďalší konflikt zažila okolo roku 1200 pred n. l., ale je nepravdepodobné, že za agresiou stáli mykénski Gréci, pretože ich civilizácia v tom čase prudko upadala. Prijateľnejšia je verzia, že mesto sa stalo obeťou útočníkov, ktorí

Bohovia Olympu sa o osud Tróje dôkladne zaujímali. Hermés a Aténa podporovali Grékov v obliehaní, zatiaľ čo Artemis (uprostred) stála na strane Trójanov. Váza v čiernofigúrovom štýle, pribl. 600 pred n. l.

zničili aj Mykény a mestá Malej Ázie – teda národov, ktoré vykorenil chaos spojený s kolapsom bronzovej doby (myslené sú tzv. morské národy, *pozn. odb. red.*). Tieto etniká všade rozsievali ešte väčší zmätok a plienili hlava-nehlava.

Trója zostala opustená až do obnovenia civilizácie v archaickom období Grécka. Osadníci premenovali sídlo, ktoré sa na dlhé storočia scvrklo prakticky na dedinu, na Ilion. Názov Trója však zostal pevne zakorenený v povedomí Grékov a neskôr aj Rimanov, ktorí sa považovali za nefalšovaných potomkov trójskeho hrdinu Aenea (tento predok Romula a Rema zachránil z horiaceho mesta svojho otca a syna, *pozn. prekl.*). Trója sa stala jednou z prvých turistických destinácií na svete a istý čas prekvitala ako nikdy predtým.

Na sklonku Rímskej ríše sa o Tróji uvažovalo ako o mieste na „Nový Rím", ale u staviteľov nevzbudzoval upadajúci prístav prílišnú dôveru a napokon si vybrali Konštantínopol. Ako ukázal čas, rozhodli sa správne. Pri zmenách pobrežia sa totiž v trójskom prístave kopilo čoraz viac naplavenín. Dnes mesto delí od mora päť kilometrov a dielo skazy dokonala séria zemetrasení.

Trója sa v ranom stredoveku premenila na dedinu, potom na opustenú zrúcaninu, neskôr na povesť a napokon na mýtus.

Zostal po nej len pahorok s miestnym názvom Hisarlık, v ktorom sa nenápadne ukrývali vrstvy strateného mesta.

Trója dnes

Tróju znova objavil miestny farmár, ktorý sa očividne vyznal v mytológii (tým miestnym farmárom bol zastupujúci britský konzul Frank Calvert, ktorý vlastnil aj polovicu Hisarlıku a ktorý trochu nespravodlivo zostal ako objaviteľ Tróje v Schliemannovom tieni, *pozn. odb. red.*). Všimol si totiž, že nad Hisarlıkom sa týči vrch Ida (podobne ako hora z *Iliady*) a že miesto leží medzi dvoma riekami, ktoré by mohli zodpovedať Skamanderu a Simoeisu.

V roku 1870 tieto postrehy prilákali amatérskeho archeológa Heinricha Schliemanna. Keď pri skúmaní lokality prerazil vrstvu VI, ktorú dnešní vedci považujú za Tróju z Homérovho eposu, kopal ďalej. Zásoby zbraní, zlata a drahokamov, čo objavil, boli o tisíc rokov staršie, než predpokladal, a chybne ich vyhlásil za „Priamov poklad" (Priamos – kráľ, ktorý vládol počas legendárnej vojny v Tróji, *pozn. prekl.*).

Odvtedy sa Trója stala opäť vyhľadávanou turistickou atrakciou a zároveň aktívnou archeologickou lokalitou. Odhadovaná veľkosť sídla značne vzrástla po objavení dolného mesta na pevninskej strane citadely. Tam žila väčšina populácie, ktorú chránila hlboká priekopa – presne, ako to opísal Homér.

Trója sa nachádza na Zozname svetového dedičstva UNESCO. Od roku 2018 sa môže pochváliť múzeom, ktoré každodenne umožňuje stovkám turistov navštíviť slávne ruiny. Pred vchodom stojí dvanásťmetrový (mierne gýčový) drevený kôň. Zatiaľ sa ho nikto neodvážil vziať dnu.

1200 – 200 pred n. l.
Tonis
Mesto, ktoré potopilo samo seba

Tu počas úteku z Grécka zakotvili milenci Paris a Helena Trójska,
ktorých na juh zaviali nepriaznivé vetry.

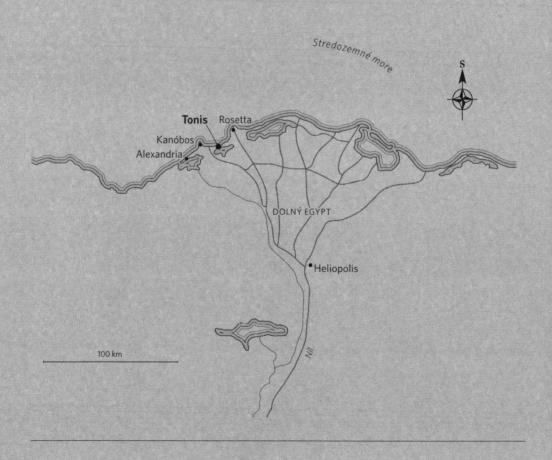

Starogrécky spisovateľ Hérodotos (pribl. 484 – 420 pred n. l.) sa niekedy označuje za „otca dejepisu“, ale pre svoj zvyk šíriť fantastické príbehy, ktoré začul na cestách, sa mu občas hovorí aj „otec lží“. Dva príklady informácií, ktoré sa považovali za nepravdy, nájdeme v jeho správach z Egypta – krajiny, ktorú Gréci odjakživa dobre poznali.

Hérodotos nás najprv informuje o nákladnom plavidle, ktoré nazýva *baris* (bárka). Čln údajne vyrobili z akáciového dreva, ktorého vrstvy sa vraj na trupe prekrývali podobne ako tehly na stavbe. Keďže medzi početnými vrakmi z toho obdobia sa žiadna podobná loď nenašla, morskí archeológovia dospeli k záveru, že Hérodotos sa jednoducho splietol.

Na inom mieste dejepisec spomína „mýtický“ prístav v ústí Nílu, kde „na pobreží... stál a dosiaľ stojí Heraklov chrám“ (*Dejiny* 2, 113). Tu počas úteku z Grécka zakotvili milenci Paris a Helena Trójska, ktorých zaviali na juh nepriaznivé vetry. Strážca ústia Nílu, „ktorý sa volal Tonis“, najprv nevedel, čo si s utečencami počať. Napokon sa rozhodol, že pokiaľ bude obchod medzi národmi prebiehať

Osiris pod vodou. Socha z 2. až 4. storočia pred n. l. stojí na morskom dne uprostred tieňov niekdajšieho mesta.

hladko ako doteraz, Egypťania sa do záležitostí Grékov nemajú čo miešať. Dlho sa predpokladalo, že Tonis a jeho prístav patrili medzi Hérodotove výmysly. Koniec koncov, keď človek rozpráva príbeh o Helene Trójskej, očakáva sa, že bude fabulovať.

Skutočný Tonis

Prístavné mesto však existovalo a v žilách jeho obyvateľov kolovala obchodnícka krv. Gréci ho volali Hérakleion podľa slávneho Heraklovho chrámu, Egypťania používali domáce meno Tonis. Tento dvojaký názov dobre vystihoval mesto, ktoré bolo takmer rovnako grécke ako egyptské. Egypťanom vyhovovalo, že obchod s Grékmi prebieha v prístavoch Naukratis a Tonis, a nie vo vnútrozemí.

Vo 4. storočí pred n. l. faraón Nechtnebof I. (vládol 380 – 362 pred n. l.) uvalil desaťpercentné clo na grécke tovary, ktoré vchádzali do Tonisu. Výťažok využil na svoj obľúbený chrám. „Nech zo zlata, striebra, opracovaného aj neopracovaného dreva a čohokoľvek spoza Hau-nebut [Stredomoria] odovzdá sa desiatok ako obetný dar mojej božskej matke Neit," hlása nápis na panovníkovej stéle.

Z dôkazov objavených v Naukratise vieme, že Gréci nepredávali Egypťanom len drevo, ale aj striebro, meď, víno a olivový olej. Opačným smerom putoval papyrus, koreniny a jemná egyptská keramika s charakteristickou fajansovou glazúrou. Samotný Tonis by sme mohli nazvať starovekými Benátkami. Tvorili ho ostrovčeky poprepájané mostmi, pod ktorými sa vinuli vodné cesty. Na hlavnom ostrove na severe stál spomínaný Heraklov chrám. Nechýbali prístaviská, pontóny nad ústím rieky ani veľký kanál, ktorý hlavný ostrov križoval. Niekedy sa lodné kotvy odtrhli alebo ich kapitáni v zhone nechali v riečnom nánose, kde ich neskôr vo veľkých počtoch objavili archeológovia.

Na dne prístavu leží vyše sedemdesiat lodí zo 6. až 2. storočia pred n. l. Prinajmenšom časť z nich bola potopená náročky, či už ako obranné opatrenie, súčasť rituálov, alebo prostriedok na rozširovanie územia pre ďalšiu výstavbu, ktorú nariadili úradníci.

Vo 4. storočí hral Tonis úlohu hlavného prístavu Egypta a bol podnikavejším náprotivkom neďalekého Kanóbosu (toto mesto malo už vtedy povesť uvoľnených mravov a zhýralosti, ktorú si udržalo až do obdobia Rímskej ríše).

Metropola odsúdená na zánik

Úspech Tonisu však stál doslova na vratkých základoch. Mestské ostrovčeky tvorila tvrdá hlina, ktorú celé tisícročia obmýval Níl.

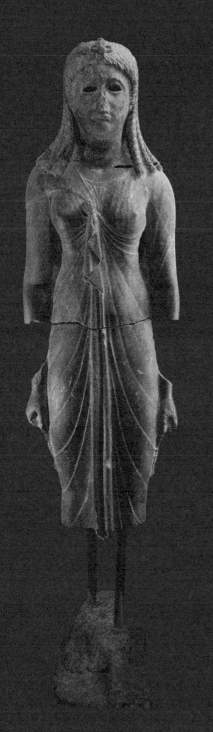

Socha, pravdepodobne ptolemaiovskej kráľovnej, a dokonale zachovaná stéla s kráľovským výnosom z roku 380 pred n. l., ktorým prvý faraón tridsiatej dynastie Nechtnebof (gr. Naktanebés) preukazuje priazeň chrámu bohyne Neit.

Keď prístav prosperoval a stával čoraz viac veľkých budov, na hlinu tlačila váha stoviek ton kamenia.

Vytvorili sa tak ideálne podmienky na proces, ktorý sa nazýva skvapalnenie pôdy. Dochádza k nemu, keď sa zemina plne nasýtená vodou stlačí a prudko zachveje, napríklad pri zemetrasení. Vtedy sa štruktúra pôdy zmení z pevnej na kvapalnú – s katastrofálnymi následkami pre budovy nad ňou.

Zdalo by sa, že proti Tonisu sa sprisahali všetci bohovia. Nielenže v dôsledku zemetrasenia náhle a hrozivo zmizlo viacero ostrovov, ale obnovu mesta komplikovala aj ekonomická kríza, ktorá nastúpila po dobytí Egypta Alexandrom Veľkým (332 pred n. l). Nové kozmopolitné mesto Alexandria si totiž začalo okamžite ukrajovať zo stredomorského obchodu na úkor Tonisu.

Okrem toho mestá nílskej delty devastovali zmeny morskej hladiny na egyptskom pobreží. Severovýchodné Pelusium odstrihli od mora močiare, ktoré sa vytvorili na miestach niekdajšieho prístaviska. Tonis mal opačný problém. Stúpajúca morská hladina pomaly pohlcovala aj tie ostrovčeky, čo dovtedy odolali seizmickým otrasom. Skazu urýchľovala nadmerná výstavba, ktorá ešte väčšmi zatláčala zeminu pod hladinu. V 8. storočí n. l. zemetrasenie definitívne potopilo kedysi skvostné mesto Tonis, ktoré dnes leží približne desať metrov pod vodou v zálive Abú Kir.

Znovuobjavenie

Dlhé storočia sa Tonis a Hérakleion pokladali za dve rozdielne mýtické mestá. Na znovuobjavenie si museli počkať až do 21. storočia, keď mali morskí archeológovia konečne k dispozícii vhodné nástroje na prieskum potopených ruín v zálive Abú Kir. Projekt vedený Európskym inštitútom pre podvodnú archeológiu (IEASM) pod taktovkou Francka Goddia sa začal v 90. rokoch minulého storočia. V roku 2000 sa vďaka špeciálne vyvinutým nástrojom (jadrovému magnetickorezonančnému magnetometru, viaclúčovej batymetrii, bočnému sonaru, sedimentovému profileru, satelitnému pozičnému systému) Tonis/Hérakleion konečne podarilo objaviť. Nálezisko je dvakrát väčšie než Pompeje a preskúmať ho celé zaberie vyše sto rokov.

Tonis dnes

Podmorský výskum IEASM priniesol fascinujúce objavy. V prvom rade sa potvrdili Hérodotove správy o existencii Tonisu aj jeho stotožnenie s Hérakleionom. Sochy, chrámy a nápisy, ktoré sa v lokalite dosiaľ podarilo objaviť, dramaticky zmenili pohľad historikov na vzťahy Grékov a Egypťanov. Hoci sa zatiaľ preskúmalo len päť percent územia, už teraz sa našlo množstvo sôch, hieroglyfických nápisov, mincí, šperkov aj bežnejších predmetov, ktoré nám prezrádzajú veľa podrobností o vtedajšom živote v Egypte.

Azda najprekvapujúcejší bol objav z roku 2010, keď sa našli zvyšky riečneho člna *baris* vyrobeného z akáciových dosák. Správa o vraku pod zatopeným prístaviskom v Tonise zasiahla morských archeológov ako prílivová vlna. Dizajn a konštrukcia lode sa presne zhodovali s Hérodotovým opisom. Tieto rukolapné dôkazy zaradili „mýtické" mesto aj „vymyslený" čln do ríše neodškriepiteľných faktov. Niekde v tieňoch podsvetia sa teraz starý historik určite spokojne usmieva.

pribl. 1650 – 468 pred n. l.
Mykény
Legendárne začiatky a záhadný koniec

Pozrel som sa do tváre Agamemnóna.

Heinrich Schliemann

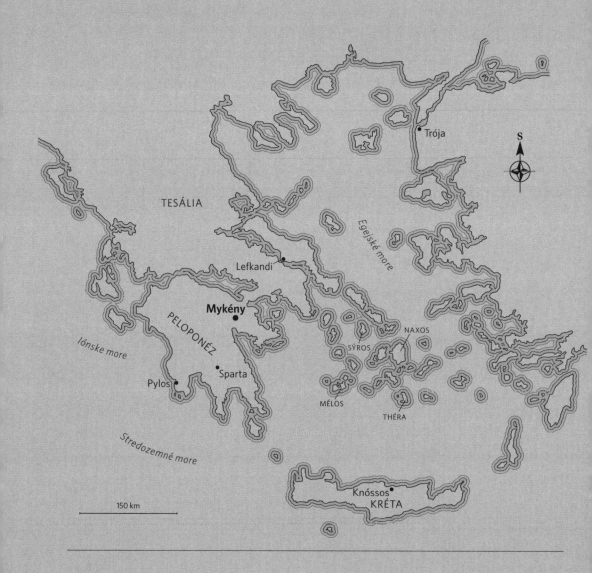

J eden staroveký cestovateľ využil pri pátraní po Mykénach mesto Nemea, ktoré sa nachádzalo blízko rokliny, kde Herakles usmrtil legendárneho nemejského leva. Ak totiž kráľ Eurysthes, ktorý zadal Heraklovi úlohu zabiť obávané zviera, vládol Mykénam, jeho mesto určite ležalo neďaleko.

A naozaj, bolo tam – na ľavej strane cesty do Argosu, komplex opustených ruín na vrchole kopca asi dvesto metrov nad okolitou Argoskou nížinou. Cestovateľ, o ktorom hovoríme, sa volal Pausanias. Opisuje, ako pri prechádzke medzi rozpadnutými múrmi narazil na Leviu bránu (*Cesta po Grécku* 2, 15, 2 – 2, 18, 3). Táto brána sa dnes považuje za najpôsobivejší pozostatok zničeného mesta a civilizácie, čo okolo neho vyrástla. Hlboko zapôsobila už na prvého návštevníka Pausania, ktorý ju okolo roku 160 n. l. spomenul vo svojej príručke pre rímskych cestovateľov.

Až dovtedy sa ruiny Mykén nachádzali v akomsi limbe medzi stratenosťou a zabudnutím. Hodnostári ako Alexander Veľký či rímsky cisár Nero metropolu obišli, pričom možno dokonca putovali rovnakou trasou, ako opisuje Pausanias. Keby boli vedeli, čo sa nachádza v ich blízkosti, určite by obaja boli radi navštívili domov dobyvateľa Tróje Agamemnóna. O podobnej zastávke však neexistuje žiaden záznam. Navrchu kopca bolo bezpochyby vidieť zrúcaniny, ale už v tom období sa to v Grécku ruinami len tak hemžilo, takže nešlo o nič zvláštne. Kým mesto neidentifikoval Pausanias, pozostatky Mykén opradených legendami zastrel závoj

Takzvaná Agamemnónova tvár je v skutočnosti zlatá pohrebná maska neznámej osoby zo 16. storočia pred n. l. Našla sa v „hrobovom kruhu A" v Mykénach.

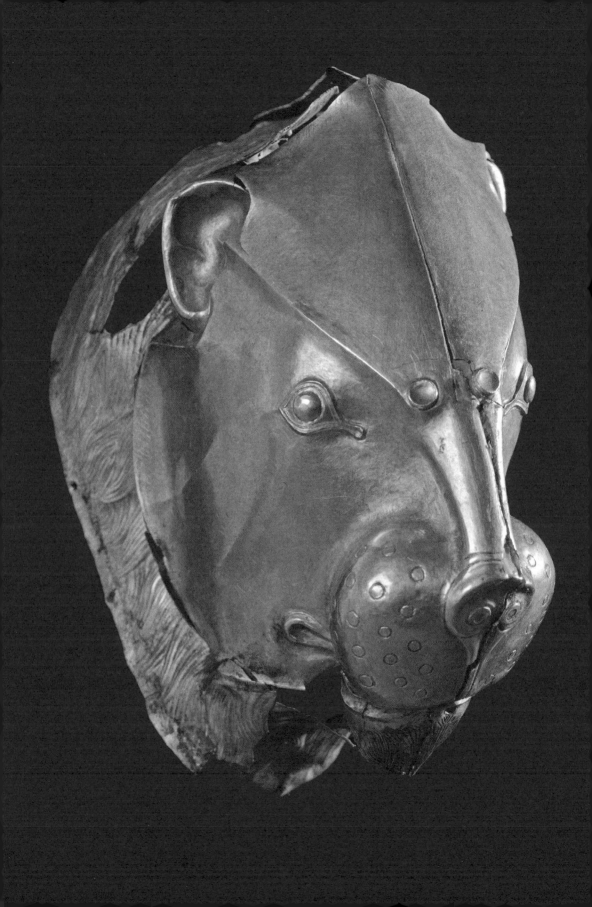

Toto pozoruhodné stvárnenie ľavej hlavy sa našlo v jednom z mykénskych hrobov. Dokazuje, že Gréci už v 16. storočí pred n. l. vynikali v spracúvaní kovov.

času a ich príbeh poznali nanajvýš miestni pastieri a duchovia, ktorí zažili mesto v časoch jeho najväčšej slávy.

Kedysi boli Mykény naozaj slávne. Homér o nich vo svojej *Iliade* napísal, že boli „bohaté zlatom", a ospevoval ich ako „široko rozľahlé, krásne a výstavné". Podľa básnika vtedy žilo v Mykénach okolo 30 000 obyvateľov. Mesto obchodovalo s Malou Áziou, Kaukazom, Egyptom a so Sýriou. Mykénske obchodné lode brázdili vody Egejského mora a bojové plavidlá dopravovali hrdinov do obliehanej Tróje. Mykénski námorníci zároveň pôsobili ako obávaní piráti, ktorí ovládali súostrovie Kyklady. Jestvujú aj náznaky, že bojovníci z týchto lodí sa dávali najímať ako žoldnieri v mnohých vojnách mladšej bronzovej doby.

Rozmedzie rokov 1650 – 1050 pred n. l. sa vyznačovalo takou veľkou dominanciou Mykén, že hovoríme o mykénskom období Grécka. No hoci mesto ovládalo severný Peloponéz, Atiku (120 kilometrov na severovýchod) a dokonca Knóssos na Kréte, nikdy sa nestalo centrom ríše ani rozľahlého kráľovstva. Na to bola geografia Grécka príliš členitá. Slabá úroveň vtedajšej komunikácie a administratívy neumožňovala centralizovanú vládu nad rozľahlým hornatým územím. Namiesto toho pôsobili Mykény ako prvé medzi rovnými – ako hegemónna sila, ktorá dominovala nad ostatnými kráľovstvami do tej miery, že postavenie mnohých týchto opevnených miest sa zredukovalo na vazalov.

Legenda Mykén prežila dlho po ich úpadku. Mesto údajne založil mýtický hrdina Perzeus, ktorý dodnes hľadí na svet z rovnomenného súhvezdia. Podľa legendy sa héros zastavil pri istom prameni a ako pohár použil klobúk veľkej huby. Zatiaľ čo pil studenú vodu, rozhliadol sa po úrodnej Argoskej nížine a uvedomil si, že je to výborné miesto na založenie mesta. Prameň sa dnes volá Perseia a samotné mesto odvodzuje svoje meno od spomínanej huby – μύκης alebo *mykos* v gréčtine.

Súčasní archeológovia namietajú, že ak by sa príbeh zakladal na pravde, legenda o Perzeovi by bola nepravdepodobne stará. Mykény totiž už pred 8 000 rokmi osídlili neolitickí ľudia. Tí nám nezanechali veľa stôp o svojej činnosti – až na charakteristickú „dúhovú" keramiku (v skutočnosti iba čierno-červenú). Zvyšok ich archeologického dedičstva znehodnotili ambiciózne stavebné projekty nasledujúcich pokolení.

Okolo roku 1350 pred n. l. vznikla v meste pevnosť. Jej múry boli také hrubé, že neskoršie generácie ich volali „kyklopské", pretože ich mohla postaviť len rasa obrích jednookých remeselníkov. Niektoré nadpražia a boky brán tvorili kamenné kvádre s hmotnosťou vyše dvadsať ton. Neskoršia výstavba sa tiahla severovýchodným smerom,

Nasledujúca dvojstrana
Letecký pohľad na Mykény, v ktorých neustále prebiehajú vykopávky. Náročný terén ukazuje, že pri stavbe Mykén – podobne ako pri budovaní väčšiny vtedajších miest – sa myslelo predovšetkým na bezpečnosť, nie na pohodlie.

aby zabezpečila prameň, ktorý spolu s pôsobivými podzemnými cisternami a sýpkami umožňoval Mykénčanom prežiť prakticky ľubovoľne dlhé obliehanie. Iné stavby ako hrádze a kanály naznačujú, že pevnosť zaobchádzala so zásobami vody veľmi šetrne.

Mnohých mykénskych panovníkov poznáme z legiend. Potomkovia bájneho Perzea vytvorili perzeidovskú dynastiu, ktorá vymrela Eurysthom a Heraklom. Nahradili ju Atreidovci. Činy prekliatych členov tohto rodu by si zaslúžili samostatnú knihu, tu však spomenieme len jednu z ich najpôsobivejších stavieb v Mykénach, ktorá prežila dodnes – hrobku neskorého kráľa Agamemnóna, vodcu Grékov z Homérovej *Iliady*.

Táto kupolovitá krypta (*tholos*) navrchu kopca Panagitsa, ktorej sa niekedy hovorí tiež Atreova pokladnica, pôsobí grandiózne aj na mykénske pomery. Iba kamenné nadpražie nad vchodom váži 109 ton. Spustnutá kráľovská sieň, takzvaný megarón, dnes človeku vyrazí dych tiež. Jej podlahu kedysi zdobili farebné mozaiky a na omietnutých stenách sa skveli živé fresky. Medzi artefakty nájdené na mieste patrí aj skarabeus, dar od faraóna Achnatona III., ktorý mesto poznal pod egyptským názvom Mwkanu.

O živote bežných Mykénčanov toho vieme podstatne menej, keďže osadníci, ktorí územie nanovo osídlili v helenistickom období, bezohľadne zničili pozostatky mnohých budov zo zlatej éry mesta. Niektoré domy však prežili, najmä príbytky palácových spolupracovníkov, ktoré sa nahusto zhlukli okolo trónnej siene. Dnes nesú mená ako „Dom štítov", „Dom obchodníka s olejom" či „Dom sfíng". Z týchto stavieb je zrejmé, že v Mykénach žila sofistikovaná úradnícka, obchodnícka i remeselnícka trieda. Archeológovia pravidelne objavujú mykénske výrobky v Egypte, Sýrii či v Levante.

Veľa toho nevieme ani o tamojších náboženských praktikách. Niekoľko povedomých mien sa objavuje v záznamoch v lineárnom písme B (ktoré sa používalo v súvekom Grécku), ale niekedy v nejasnom kontexte – napríklad Poseidón sa uvádza ako boh koní a Dionýzos ako boh plodnosti. Aténe (Menvre) prischla úloha ochrankyne *wanaxa*, teda kráľa.

Nech už je, ako chce, bohovia neochránili Mykénčanov pred obrovskou katastrofou. V troskách sa totiž neocitlo len ich mesto, ale celá mykénska civilizácia. Príčiny kolapsu bronzovej doby sú dodnes nejasné, no archeologické nálezy dokladujú vážne poškodenie mesta. Po opravách a hrubom zalátaní poškodených múrov čelili Mykénčania ďalšiemu útoku. Spálené obilie a zelenina v sýpkach naznačujú, že mesto malo stále dostatok zásob, aby prečkalo obliehanie, ale chýbali mu ľudské zdroje. Kto Mykény napadol

Ozdobný sklenený prívesok z Mykén. Nie je zrejmé, či použitý vzor niečo symbolizoval, alebo mal len dekoratívnu funkciu.

a prečo ľahli popolom, to sú dve otázky, ktoré visia nad záhadným koncom celého mykénskeho obdobia.

Len čo sa Grécko po kolapse pomaly pozviechalo z temného obdobia, aj Mykény sa znova pokúsili postaviť na nohy. Mesto však už nikdy nedosiahlo svoju niekdajšiu úroveň. Opraty moci už držali v rukách iní a okolo roku 468 pred n. l. argoskí hopliti (ťažkoodenci, *pozn. prekl.*) zdevastovali obnovené Mykény a vyhnali miestne obyvateľstvo (vraj zo žiarlivosti, keďže Mykénčania poslali do boja proti Peržanom 80 mužov, ktorí sa po boku Sparťanov zúčastnili na slávnej bitke pri Termopylách, kým Argos ani jedného, ako podotýka Pausanias, *pozn. odb. red.*). Potom už ostali len zrúcaniny a dejiny, ktoré v ľudských pamätiach rýchlo vybledli do podoby mýtu.

Mykény dnes

V 18. storočí Mykény znova objavil Francesco Vandeyk, ktorý pri ich hľadaní využil dvetisícročnú *Cestu po Grécku* (Pausanias by sa určite veľmi potešil). Samotný výskum sa však začal až o sto rokov neskôr, keď sa niekoľko archeológov pustilo do vykopávok.

Patril medzi nich aj Heinrich Schliemann, objaviteľ Tróje. Kým úrady zistili, že na výskum nemá povolenie a zakázali mu ďalšiu činnosť, iniciatívne vykopal väčšinu citadely. Medzi Schliemannove najvýznamnejšie objavy patrí úchvatná pohrebná maska, ktorú pohotovo nazval „Agamemnónovou tvárou". Tento artefakt je vytepaný z jediného plátu zlata. Veľké množstvo vzácneho kovu medzi pohrebnými predmetmi ukazuje, že prívlastok „bohaté zlatom", ktorým Homér ovenčil mesto, je opodstatnený.

Na nálezisku odvtedy nepretržite prebiehajú výkopové práce. Nedávny geografický prieskum oblasti odhalil dolné mesto. To sa stále skúma a v budúcnosti nám určite prinesie ešte veľa informácií o živote obyčajných Mykénčanov.

Mykény sú zapísané na Zozname svetového dedičstva UNESCO. V miestnom múzeu sa nachádza výstava najzaujímavejších artefaktov a informácie o dejinách mesta. Prakticky nedotknutá Atreova pokladnica, hrobky a obnovená ikonická Levia brána priťahujú denne davy turistov. Návštevníci môžu vojsť do megarónu rovnako ako ich predkovia pred 3 500 rokmi, ibaže teraz je návšteva časovo obmedzená od úsvitu do súmraku a platí sa za ňu malé vstupné.

Zlaté kolíky sa našli vo viacerých stredomorských náleziskách bronzovej doby vrátane Mykén. Niektorí odborníci sa domnievajú, že vďaka dierke vo vrchnej časti sa dal tento 5,9-centimetrový artefakt používať ako ihla.

305 pred n. l. – 165 n. l.
Seleukia nad Tigrisom
Nebezpečný konkurent

Mesto, cez ktoré prúdil tovar zo Stredného východu a Číny, sa zaradilo medzi najväčšie na svete.

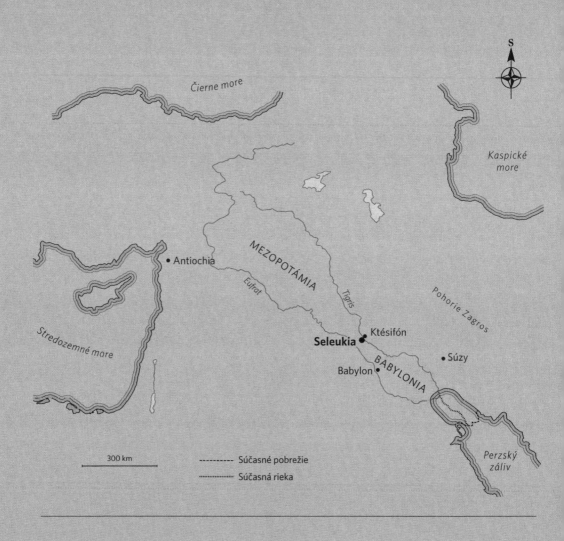

Čierne more

Kaspické more

MEZOPOTÁMIA

• Antiochia

Eufrat

Tigris

Pohorie Zagros

Ktésifón

Seleukia

• Súzy

BABYLONIA

Babylon •

Stredozemné more

Perzský záliv

300 km

---------- Súčasné pobrežie

·············· Súčasná rieka

V roku 311 pred n. l. bol Babylon už tisíce rokov starý. Mesto v časoch svojej najväčšej slávy konkurovalo Asýrskej ríši. Aj po svojom podrobení zostalo centrom odporu proti cudzej nadvláde. Babylončania, hrdí na dedičstvo predkov, boli pripravení vzoprieť sa aj najnovšiemu uzurpátorovi, macedónskemu generálovi Seleukovi I. Ten sa po viacerých peripetiách stal vládcom Babylonu a Mezopotámie, ktoré od Perzie ukoristil Alexander Veľký.

Seleukos bol rozvážny generál (musel byť, ak chcel prežiť neľútostný boj o moc po Alexandrovej smrti) a dobre si uvedomoval problémy, ktoré Babylon narobil Asýrčanom. Vedel, že zrovnať ho so zemou by neprinieslo požadované účinky. Skúšali to už viacerí a Babylon zakaždým povstal z popola ako bájny fénix.

Presun obyvateľstva

Seleukos sa namiesto toho rozhodol oslabiť Babylon tým, že mu vezme obchod a poľnohospodárske bohatstvo, ktorým sa mesto tisícročia pýšilo. Docielil to tak, že neďaleko postavil ďalšie mesto na ešte výhodnejšom mieste okolo 35 kilometrov juhovýchodne od dnešného Bagdadu. Volalo sa Seleukia, po svojom zakladateľovi. Keď ho dnes potrebujeme odlíšiť od ostatných miest s rovnakým

Seleukos I. Nikator (vládol 305 – 281 pred n. l.), spočiatku radový generál Alexandra Veľkého, sa vďaka svojej rafinovanosti, diplomacii a vodcovským schopnostiam vypracoval na vládcu jednej z najväčších ríš starovekého sveta.

menom (Seleukos ich založil viacero), voláme ho Seleukia nad Tigrisom. Okrem výhodnej polohy na Tigrise bolo sídlo napojené perzským kráľovským kanálom aj na Eufrat. Neďaleko ležalo mesto Opis, ale rýchlo ho pohltila nová monštruózna metropola, ktorú si Seleukos predstavoval ako budúce hlavné mesto obrovskej ríše.

Práce sa začali medzi rokmi 309 až 301 pred n. l. Historik Appianos vo svojich *Sýrskych vojnách* (12, 58; súčasť *Rímskych dejín*, ktoré tvorí 24 kníh, *pozn. prekl.*) uvádza zaujímavý detail: babylonskí kňazi astrológovia úmyselne zatajili dobyvateľom najpriaznivejšiu hodinu, kedy treba spustiť výstavbu, ale Seleukovi vojaci napriek tomu spontánne začali práce v správnom čase. Nové mesto sa budovalo podľa gréckeho vzoru a dômyselného plánu architektov. Hlavná ulica v podobe dvojitého bulváru sa tiahla naprieč celým mestom. Nechýbal ani samostatný palác a administratívna štvrť. Domy sa stavali pekne pozdĺž priamok. (Budovatelia sa neštítili recyklovať staršie materiály – jedna z tehál mestských hradieb má na sebe pečať z obdobia spred päťsto rokov.)

Minca s podobizňou sásánovského kráľa Šálipúra I. (vládol 240 – 270 n. l.), ktorá sa našla v Seleukii nad Tigrisom. Na lícnej strane je znázornený ohnivý oltár, keďže Sásánovci pokladali oheň za posvätný.

Seleukos rátal s tým, že Babylon prirodzene zoslabne, preto jeho hradby nezbúral (Pausanias, *Cesta po Grécku* 1, 16, 3), ale povzbudzoval (alebo nútil) jeho obyvateľov, aby sa presťahovali do Seleukie. Chcel, aby v Babylone neostal nikto okrem kňazov a chrámových pracovníkov. Odídenci z Babylonu žili v Seleukii s Macedónčanmi a nemalou židovskou komunitou. Jedinú kostrbatú črtu pravidelne vybudovaného mesta tvorili hradby, ktoré obkolesovali 550 hektárov územia. Ich polohu určovala rieka, kanál a povaha miestneho terénu. Rímskemu spisovateľovi Plíniovi Staršiemu pripomínali „orla s roztiahnutými krídlami" (*História prírody* 6, 30).

Medzi východom a západom

V nasledujúcom storočí sa mesto zaradilo medzi najväčšie na svete. Konkurovalo egyptskej Alexandrii a dokonca prekonalo hlavné mesto Seleukovskej ríše na západe – Antiochiu. Podobne ako predtým Babylon, Seleukia sa stala dopravným uzlom, cez ktorý prúdil tovar medzi Strednou Áziou, Mezopotámiou, Indiou, Afrikou a Európou. Neskôr sa táto obchodná sieť rozšírila o Čínu a iné miesta na východe a začala sa nazývať Hodvábna cesta.

V samotnom meste sa stretla zaujímavá zmes kultúr. Keramika ukazuje fascinujúce spojenie gréckych a miestnych štýlov. Ozdobné omietky, ktoré sa používali na budovách rozličného typu, nesú

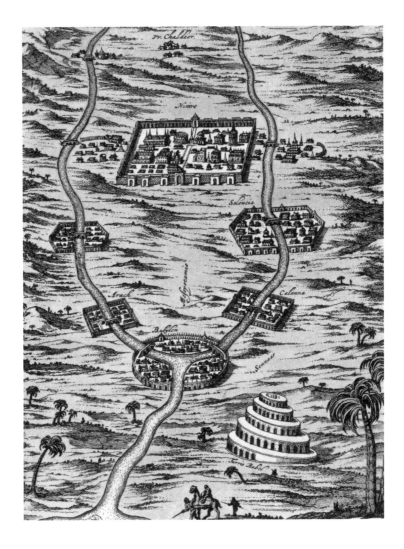

Mezopotámia na rytine *Babylonská veža* (1679) od Athanasia Kirchera. Hoci sa mapa zameriava najmä na biblické udalosti, odráža aj rozsah vedomostí o Mezopotámii v 17. storočí.

grécke aj stredovýchodné motívy. Lokálne mezopotámske zvyky prispeli do pestrej mozaiky tiež. Prinajmenšom časť obyvateľstva pokračovala v starej tradícii pochovávať mŕtvych vo svojich príbytkoch.

Nový súper

Seleukia pokračovala v spájaní východnej a západnej kultúry aj po rozpade ríše Seleukovcov a po dobytí mesta Partmi v roku 141 pred n. l. Podobne ako predtým Babylončania, aj Macedónčania sa pod cudzou nadvládou búrili. Preto rovnako ako Seleukos, partskí panovníci chceli tiež oslabiť centrum domáceho odporu postavením

Detail z Oblúka Septimia Severa, ktorý zachytáva dobytie Seleukie nad Tigrisom v roku 195 n. l. Vojaci z tohto ťaženia údajne priniesli domov mor, ktorý zdevastoval Rímsku ríšu.

konkurenčného mesta – Ktésifónu. Ten sa napokon stal hlavným mestom Partov. Parti pre istotu vybudovali ešte aj konkurenčný prístav Vologcsocerta (Valashabad).

Táto taktika zaberala, hoci pomaly. Seleukijská keramika vykazuje známky zhoršenej kvality a vyskytujú sa náznaky etnických nepokojov, ktoré v určitom bode vyústili až do pogromu proti Židom. Podľa židovského historika Jozefa Flavia (*Židovské starožitnosti* 18, 3, 9) zahynulo okolo 50 000 jeho súkmeňovcov a zvyšní utiekli do Ktésifónu alebo ešte ďalej.

Smrteľný úder Seleukii napokon nezasadili Parti, ale Rimania. Začiatkom 2. storočia n. l. bol Rím na vrchole moci. Cisár Traján posunul hranice ríše na východ, kde vytvoril novú – hoci krátko trvajúcu – provinciu Mezopotámia. V roku 116 n. l. dobyl a vyplienil Ktésifón aj Seleukiu.

Mesto však pretrvalo a v roku 165 n. l., keď sa Rimania vrátili, v ňom údajne stále žilo 300 000 ľudí. Tentoraz ho už však dobyvatelia zrovnali so zemou. Je iróniou osudu, že rímsky vojenský veliteľ Avidius Cassius sa vyhlasoval za potomka Seleuka, ktorý mesto vyše tristo rokov predtým založil (dokonca sa o niečo neskôr pokúsil uzurpovať si cisársky titul v tom istom čase, keď vtedajší cisár Marcus Aurelius bojoval vo veľkej vojne proti Markomanom a Kvádom i na území dnešného Slovenska, *pozn. odb. red.*). Z tejto rany sa už Seleukia nespamätala. Keď v roku 197 n. l. Rimania znova napadli Mezopotámiu, na mieste kedysi hrdého mesta už našli iba ruiny.

Seleukia dnes

Nad časťou zasypaných zrúcanín Seleukie sa vytvoril pahorok, dnes známy ako Tell Umar. Na začiatku 20. storočia si už presnú polohu mesta nikto nepamätal. Bolo to aj z toho dôvodu, že koryto Tigrisu sa posunulo a *tell* ležal dva kilometre od neho.

V roku 1927 začali lokalitu skúmať archeológovia, ktorí si mysleli, že vykopávajú Opis. Práce sporadicky pokračovali ďalšie desaťročie. Ruiny sa napokon podarilo identifikovať ako stratenú Seleukiu aj vďaka objavu impozantnej stavby venovanej zakladateľovi mesta. Vykopali sa tisíce predmetov – gréckych, stredovýchodných aj takých, ktoré niesli črty oboch kultúr. To opäť dokázalo, že mesto zohrávalo úlohu kultúrneho prostredníka medzi Partiou a Stredomorím. Artefakty načrtli historikom pomerne jasný obraz o jeho fungovaní. Žiaľ, nemáme k dispozícii žiadne klinopisné archívy, z ktorých sa inokedy (aj v prípade starších sídel) dozvedáme mnoho zaujímavých podrobností o mestskom živote v Mezopotámii.

Kým nie je situácia v Iraku priaznivo naklonená turizmu, môžete navštíviť menšiu Seleukiu Pieria („Seleukiu nad morom"). Aj ju založil Seleukos a má tú výhodu, že leží neďaleko pláže moderného prímorského mesta Çevlik v Turecku.

720 pred n. l. – pribl. 700 n. l.
Sybaris
Dračie mesto

Sybariďania si vyvinuli zmysel pre veľkolepé náboženské oslavy, komunálne stretnutia a súkromné hostiny.

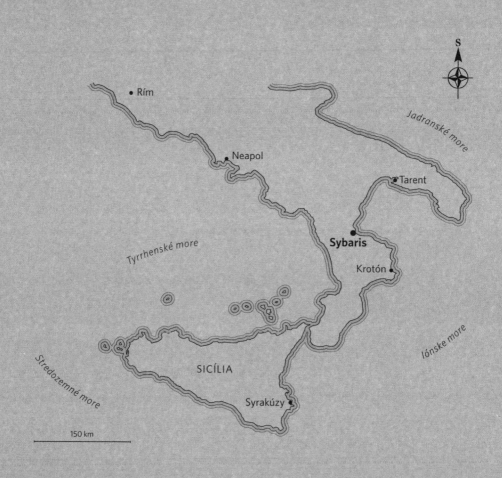

Sybaris bola pôvodne obluda – nenásytná dračica, ktorá žila v jaskyni neďaleko delfskej veštiarne. Von vychádzala loviť dobytok alebo ľudí. Ako to už však s netvormi v gréckej mytológii býva, Sybaris našla svojho premožiteľa. Hrdina Eurybates vytiahol dračicu z brlohu a zvrhol ju zo svahu. Obluda si udrela hlavu o skalu a zahynula. Na tom mieste vyvrel prameň, ktorý sa na jej pamiatku volá Sybaris.

V neskoršom období grécki prieskumníci italského pobrežia narazili v Tarentskom zálive na úrodnú rovinu. Táto planina ležala medzi dvoma riekami Crathis (dnes Crati) a Sybaris. Názov druhej rieky vznikol zrejme z rovnakého dôvodu ako názov Thames (Temža) v americkom Connecticute. Ľudia skrátka v neznámej krajine pomenúvajú miesta tak, aby im pripomínali domov.

Lokalita mala ideálne podmienky na usadlý život, preto do nej okolo roku 720 pred n. l. zavítali grécki kolonisti. Len čo vytlačili

Dejiny svastiky siahajú do hlbokej minulosti. Než ju v 20. storočí zneužili nacisti, slúžila ako náboženský symbol v Indii či ako motív na sybaridských dlážkach v 6. storočí pred n. l. Do roku 1935 ju používali aj skauti.

Strieborný statér zo Sybaridy (pribl. 520 pred n. l.). Hoci v priemere meral len tri centimetre, predstavoval zhruba trojdenný plat kvalifikovaného pracovníka.

pôvodných obyvateľov, ktorí tam mali postavenú nekropolu a svätyňu, na nízkom hrebeni neďaleko brehu vybudovali svoje mesto a pustili sa do obrábania bohatej pôdy medzi riekami. Podľa povesti založil Sybaridu istý Sagaris z Heliké a tento detail neveštil pre budúcnosť mesta nič dobré. (Heliké neskôr postihlo zemetrasenie a zaplavila ho vlna cunami, ktorá zahubila jeho obyvateľov. Žiarliví bohovia však s Heliké ešte neskoncovali. Mesto, ktoré sme objavili a preskúmali iba nedávno, patrí medzi archeologické lokality najviac ohrozené klimatickou zmenou.)

Sybaris nebolo prvé grécke mesto založené v južnej Itálii. V skutočnosti tam vyrástlo toľko kolónií, že neskôr sa oblasti hovorilo Magna Graecia – Veľké Grécko. Mnohé z týchto miest boli väčšie a silnejšie než ich náprotivky v Grécku. Veď pôvodne grécke sídla ako Tarent, Neapol či Syrakúzy sa dodnes zaraďujú medzi najvýznamnejšie mestá v regióne. Približne v rovnakom čase, v akom vznikla Sybaris, sa sformovala ďalšia kolónia na pobreží trochu južnejšie – Krotón.

Jedným z hlavných dôvodov, prečo sa Grékom nepodarilo vybudovať ríšu podľa vzoru Asýrčanov či Rimanov, bola ich vzájomná nevraživosť. Je pravda, že bojovali aj proti domorodým kmeňom či proti Feničanom, s ktorými zároveň ostro súperili o obchod, ale najviac zo všetkého neznášali vlastné konkurenčné mestá. Takto sa do sporu dostali aj Krotón a Sybaris.

Rozbuškou konfliktu sa stala už skutočnosť, že mestá vyznávali radikálne odlišné prístupy k životu. Sybaris ťažila z poľnohospodárskeho bohatstva svojich úrodných polí a stala sa tak jedným z najmocnejších miest v Magna Graecia. Grécky historik Diodóros Sicílsky (*Dejiny* 12, 9) uvádza, že v roku 510 pred n. l. žilo v meste 300 000 obyvateľov, čím sa veľkosťou zaraďovalo tesne za Atény. Sybariďania si vyvinuli zmysel pre okázalé náboženské oslavy, komunálne stretnutia a súkromné hostiny. Pôžitkárstvo sa v meste zakorenilo tak hlboko, že Sybaris sa stala synonymom rozkoše a v angličtine sa dodnes slovom „*sybaritic*" označuje prepych hraničiaci s dekadenciou.

Krotónčania hľadeli na tento šťastný hedonizmus s pohŕdaním, pretože sami mali bližšie k Sparte. Na rozdiel od nej však dávali väčší priestor slobodným umeniam. Napríklad filozof a matematik Pytagoras pôsobil pôvodne v Krotóne a mesto sa preslávilo aj výbornými lekármi.

V protiklade k trochu úzkoprsým Krotónčanom (ktorí napokon uznali Pytagorove myšlienky za poburujúce a vyhnali ho) Sybariďania prisťahovalcov vítali. Prijali ich však toľko, že vnútorné rozbroje medzi skupinami nakoniec viedli k *stasis* – kríze, ktorá zničila mnohé grécke mestá klasického obdobia. Napokon muselo veľa imigrantov utiecť, aby si zachránili holú kožu. Útočisko našli v Krotóne. Sybaridskí vyslanci okamžite požadovali, aby im utečencov bezpodmienečne vydali.

Diodóros tvrdí, že Krotónčania si nechceli znepriateliť mocnejšieho suseda a chystali sa mu vyhovieť. K zhromaždeniu však prehovoril Pytagoras a presvedčil ho, aby požiadavky Sybariďanov odmietlo aj za cenu vojny.

Historici sa zhodujú, že hoci tento incident mohol rozdúchať konflikt, pravdepodobne sa k nemu schyľovalo už skôr. Dve mestá boli blízkymi susedmi a veľkými konkurentmi v obchodovaní, ktoré prebiehalo medzi italským vnútrozemím a stredozemnými kultúrami. Vzhľadom na tendenciu gréckych miest riešiť svoje spory na bojisku sa z dlhodobého hľadiska vojne nedalo vyhnúť.

Podrobnosti o konflikte sa nezachovali, ale výsledok je dobre známy. Napriek početnej prevahe utrpeli Sybariďania drvivú porážku. „Rozzúrení Krotónčania nebrali zajatcov a zahubili každého, kto sa im dostal do rúk. Takto zahynula väčšina Sybariďanov. Potom [krotónski hopliti] napadli mesto Sybaris a zrovnali ho so zemou." (Diodóros, *Dejiny* 12, 10) Podľa niektorých zdrojov Krotónčania svojich susedov tak veľmi nenávideli, že odklonili rieku Crathis a zaplavili zdemolované mesto. Súčasný výskum však preukázal, že niečo podobné sa nedalo uskutočniť.

Sybaris ležala polstoročie v rozvalinách, ale jej lokalita bola príliš lukratívna na to, aby zostala neobývaná. Prisťahovalcov z Tesálie však nečakalo vrúcne privítanie, pretože Sybaris v ruinách Krotónčanom vyhovovala. Preto noví obyvatelia mesta poprosili

Levy zabíjajú prasa – terakotová arula (malý oltár) zo Sybaridy (6. storočie pred n. l.).

Podľa starovekého
spisovateľa Aeliana
Claudia (*Zvláštnosti
zvierat* 16) sa miestne
kone učili tancovať
pre publikum. To
sa Sybariďanom
vypomstilo, keď ich
jazdectvo zaútočilo
na Krotónčanov.
Nepriateľ odpovedal
hudbou a vyrazil
do protiútoku, v ktorom
zmietol tancujúce kone
aj ich zaskočených
jazdcov.

o pomoc Aténčanov, ktorí postupne budovali kompaktnú
ríšu ostrovných štátov a ich moc rástla. Súvekí Aténčania boli
vynaliezaví, dynamickí a ambiciózni, no niekedy sa správali
odsúdeniahodne. Sybariďanom pomohli tak, že ich vypudili z ich
vlastného mesta a v roku 444 pred n. l. ho premenovali na Thurii.

Vyhnaní Sybariďania sa pobrali na juh, kde založili nové mesto
na brehoch rieky Traeis. Štvrté vtelenie Sybaridy nemalo dlhé
trvanie, keďže krátko po roku 350 pred n. l. ho zničil domáci italský
kmeň Bruttov.

Thurii si udržalo solídne postavenie aj v rímskom období. Jedno
z mien cisára Augusta pôvodne znelo Thurinus, pretože jeho otec
vybojoval menšie víťazstvo v danej oblasti. V stredoveku sa delta
rieky posunula a nánosy bahna nakoniec odrezali mesto od mora.
Vyprázdnené Thurii sa napokon stratilo pod usadeninami z riek.
Dračica Sybaris tak završila svoju pomstu.

Sybaris dnes

Sybaris dodnes pokladáme za stratené mesto, pretože archeológovia nevedia s istotou, či sa im ju skutočne podarilo nájsť. Najpravdepodobnejším kandidátom sú zrúcaniny vedľa rímskych pozostatkov v Thurii neďaleko súčasného mesta Sibari (jeho obyvatelia sa však nevyznačujú nadpriemernou zhýralosťou). Ruiny objavili za veľkej slávy v roku 1968, ale na rozhodujúci dôkaz o ich identite sa ešte čaká.

Krotón prežil celé veky a dnes je z neho moderná metropola Crotone v Kalábrii.

Na predpokladanom nálezisku Sybaridy prebiehajú v súčasnosti archeologické vykopávky. Postupne sa skúmajú vrstvy z neskorého staroveku a Rímskej ríše. Práce na období gréckej kolonizácie sa začali až v roku 2022. Zatiaľ sa podarilo vykopať pozostatky divadla a kolonádových ulíc. Mnohé z miestnych objavov sa nachádzajú v neďalekom Národnom archeologickom múzeu Sibaritide. Múzeum aj vykopávky sú prístupné verejnosti.

pribl. 1250 pred n. l. – pribl. 1400 n. l.
Plataje
Na veľkosti nezáleží

*Miesto kolosálnej bitky, po ktorej sa Grécko
vymanilo spod perzského vplyvu.*

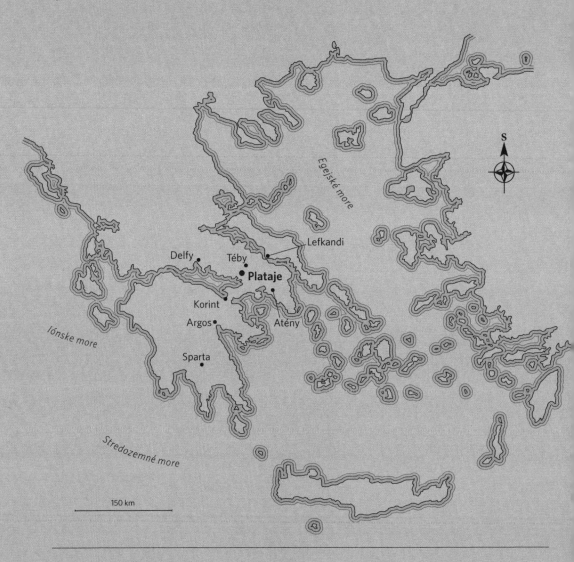

Malé horské mesto Plataje (Plataia) zohrávalo v dejinách staroveku dôležitú úlohu. V mnohých ohľadoch bolo typicky grécke. Jeho obyvatelia sa vyznačovali energickosťou, hrdinskosťou a vynaliezavosťou, ale zároveň nevedeli zabrániť tomu, aby im nefunkčná národná politika opakovane ničila mesto. Zakaždým, keď niekto Plataje zrovnal so zemou, tvrdohlaví obyvatelia ich obnovili.

Už ani v staroveku sa presne nevedelo, kto a kedy Plataje založil. Neďalekí Tébania tvrdili, že malé mesto na rozľahlej planine pod horou Kithairón s výhľadom na boiótske roviny vybudovali oni. Platajčania rezolútne odmietali, že by ich predkami boli tébski kolonisti, a svoj pôvod odvodzovali od menovkyne Plataie, vodnej víly a dcéry Asopa, boha neďalekej rieky.

Do debaty o pôvode mesta sa zapojili novovekí archeológovia a váhavo sa priklonili na stranu Tébanov. Dodnes sa nenašli dôkazy, že by Plataje boli pred „palácovým obdobím" mykénskej kultúry (1400 – 1200 pred n. l.) obývané, a Tébania mali v tom čase dobrý dôvod danú lokalitu osídliť. Opevnenie, z ktorého neskôr vznikli Plataje, sa totiž nachádzalo len desať kilometrov od Téb a to navyše na strategickom bode životne dôležitej cesty do Korintu.

Stvárnenie antických Platají na drevoryte z 18. storočia (Chevalier de Folard: *Histoire de Polybe*).

Aristeidés, ktorý viedol aténske jednotky v bitke pri Platajach, vykonáva obetu na počesť padlých bojovníkov.

Proti Tébam aj Peržanom

Z historických prameňov sa o Platajach prvýkrát dozvedáme až približne pol tisícročia po ich založení. V medzičase fungovali prevažne ako pevnosť, kam sa mohli v prípade nebezpečenstva uchýliť roľníci, ktorí obrábali bohaté roviny v okolí rieky Asopos.

Len čo sa grécka civilizácia pozviechala z kolapsu bronzovej doby, Tébania sa pokúsili obnoviť svoju nadvládu nad Platajčanmi. Tí preto oslovili s prosbou o pomoc Spartu, ktorá predstavovala najväčšiu vojenskú silu v súvekom Grécku.

Ako však vieme, Sparťania sa do boja mimo Peloponézu príliš nehrnuli, preto Platajčanom navrhli, aby sa obrátili na Atény. Dejepisec Hérodotos (ktorý nepatril medzi fanúšikov Sparty) sa domnieva, že Sparťania takto chceli rozdúchať konflikt medzi Aténčanmi a Tébanmi – čo sa im aj podarilo. Keď sa Tébania pokúsili nasilu začleniť Plataje do svojho spolku, narazili na aténsku armádu, ktorá im uštedrila poriadny výprask. Rieka Asopos sa potom stala hranicou medzi Tébami a Platajami, za čo boli Platajčania Aténčanom nesmierne zaviazaní.

V roku 490 pred n. l. stáli osamotení Aténčania proti sile perzskej armády na rovine pri osade Maratón severovýchodne od Atén. Sparťania hanebne odmietli Aténčanom pomôcť. Obrancovia znepokojene sledovali, ako Peržanom prichádzajú ďalšie posily. Keďže sa k Aténčanom nikto nechcel pridať, predpokladali, že cudzí vojaci patria k protivníkovi. Ukázalo sa však, že sú to priatelia z Platají. Ich vojsko bolo malé, ale vstúpil doň každý Platajčan, ktorý si vedel navliecť brnenie (podľa viacerých antických historikov stálo pri Maratóne proti obrovskej perzskej presile [tu sa ich čísla dosť rozchádzajú, ale 100 000 je ich najnižší odhad] 9 000 Aténčanov a 1 000 Platajčanov, *pozn. odb. red.*).

Po porážke Peržanov spomínali Aténčania na pomoc Platají s vďačnosťou a Peržania s myšlienkou na krutú pomstu. Keď sa Peržania o desať rokov do Grécka vrátili, ich nové a vylepšené invázne jednotky najskôr porazili Sparťanov pri Termopylách a potom zrovnali so zemou Atény aj Plataje (ale utrpeli kľúčovú porážku v námornej bitke pri Salamíne, *pozn. odb. red.*). V roku 479 pred n. l. grécko--perzské vojny vyvrcholili tým, že spojená grécka armáda porazila Peržanov (a Tébanov) v plánovanej bitke pri ruinách Platají, po ktorej sa Peržanov konečne podarilo vytlačiť z Grécka. Vďačný národ mesto obnovil a obyvatelia Platají získali v Aténach špeciálne privilégiá.

Proti Sparte

Bohužiaľ, jednota Grékov po zažehnaní perzskej hrozby dlho nevydržala. Atény začali svojich bývalých spojencov utláčať a nútiť ich, aby sa stali vazalmi ich rastúcej ríše. Preto Sparťania spozorneli a spojili sa s Korintom. Do protiaténskeho spolku sa pridali aj Téby, čo Plataje automaticky zaradilo do tábora Aténčanov.

Keď nepriateľstvo prerástlo do otvoreného konfliktu, Tébania sa pokúsili vyradiť Plataje z rovnice a dobyť ich prekvapujúcim preventívnym útokom. Len čo však Platajčania zistili, že tébsky predvoj tvorí iba niekoľko stoviek mužov, zmasakrovali ho a pripravili sa na obliehanie. Sparťania vedeli, že strategická poloha Plataji bude ohrozovať útoky na Atény, preto robili všetko pre to, aby mesto získali (udalosti v Platajach sa stali jednou z hlavných iskier, ktoré zapálili požiar zničujúcej peloponézskej vojny, *pozn. odb. red.*).

Priame útoky na hradby sa neskončili úspechom. Zlyhala aj obliehacia rampa. Platajčania totiž vyhĺbili popod múry tunely, a len čo nepriateľ rampu umiestnil, podkopali ju. Nepomohla ani veža postavená k hradbám, pretože Platajčania nadstavovali múry rýchlejšie ako Sparťania vežu. Zaujímavý pokus zničiť bránu pomocou veľkého zariadenia, ktoré vrhalo oheň, stroskotal tiež, keďže zmena vetra takmer vypálila sparťanský tábor.

Napokon sa Sparťania uchýlili k starej osvedčenej taktike vyčkávania pred hradbami, kým protivníka nevyhladujú. Platajčanom sa podarilo evakuovať väčšinu obyvateľov mesta (to je dosť nepresné; podľa Tukydida unikla len časť posádky [asi 200 mužov], ktorým sa v noci a vďaka nepriaznivému počasiu podarilo prebiť a uniknúť do Atén [Tukydides III, 22 – 24], *pozn. odb. red.),* ale v roku 427 pred n. l. hlad napokon prinútil zvyšných obrancov kapitulovať. Rozzúrení Sparťania posádku pobili (opäť dosť nepresné; podľa Tukydida prebehol po kapitulácii mesta súd, na ktorom Sparťania dali viac na svojich spojencov Tébanov ako na obhajujúcich sa Platajčanov a následne popravili vyše 200 platajských obrancov a 25 Aténčanov, ktorí boli s nimi počas obliehania, ženy predali do otroctva [Tukydides III, 52 – 68], *pozn. odb. red.*) a Plataje opäť ľahli popolom.

(Znova) Téby a v područí ríše

Tébania na mieste Plataji postavili *katagogion* (hostinec) a veľký chrám venovaný bohyni Hére. Po skončení peloponézskej vojny (Atény prehrali) v 70. rokoch 4. storočia pred n. l. Platajčania mesto obnovili a tvrdohlavo odmietali vstúpiť do tébskeho spolku (Tébania sa v tom čase postavili Sparte a vojensky šokujúco zlomili jej dominanciu po vyhratej peloponézskej vojne, *pozn. odb. red.*). Keďže zrekonštruované Plataje ležali na území zasvätenom Hére, Tébania v roku 373 vyžili túto zámienku, aby mesto znova zrovnali so zemou.

Našťastie pre Platajčanov sa príliš sebaisté Téby vzopreli rastúcej moci Macedónie. Po dohode o spolupráci s macedónskym kráľom Filipom II. (ktorý strávil časť detstva v Tébach) sa mesto vzbúrilo proti jeho synovi Alexandrovi Veľkému. Alexander vyjadril svoj postoj jasne – Téby vymazal z mapy a ostentatívne obnovil Plataje. Vojvodca sa práve chystal na vojnu proti Perzii a chcel ukázať solidaritu s malým mestom, ktoré vzdorovalo sile Perzskej ríše aj tébskej šikane.

Pod nadvládou Macedónčanov a neskôr aj Rimanov Plataje prosperovali. Ako súčasť veľkých ríš prišli o svoju strategickú dôležitosť, a preto už neexistoval dôvod ničiť ich. V meste zostala funkčná komunita aj počas obdobia Byzantskej ríše, ktorá nahradila Rímsku. Plataje sa definitívne vyľudnili pravdepodobne až s pádom Byzancie.

Plataje dnes

Zo starobylých Platají sú dnes už len zrúcaniny, a hoci nepôsobia nejako výnimočne, často ich navštevujú turisti, ktorí sa zaujímajú o vojnové dejiny. Chcú totiž na vlastné oči vidieť miesto obrovskej bitky, ktorou sa Gréci kedysi vymanili spod perzskej nadvlády.

Niekoľko kilometrov od pôvodného mesta vyrástla dedina menom Plataies. Po administratívnej reforme v roku 2011 sa táto obec začlenila pod tébsku správu. Takto po 2 500 rokoch Téby konečne dosiahli svoj odveký cieľ dostať Plataje pod svoju kontrolu.

Perzskí lukostrelci rozsievali na diaľku skazu, ale v boji zblízka proti gréckym hoplitom veľa nezmohli, ako názorne ukazuje aj táto červenofigúrová váza z obdobia grécko- -perzských vojen (pribl. 470 pred n. l.).

pribl. 3000 pred n. l. – 500 n. l.
Taxila
Tri podoby mesta

Miesto prvej univerzity na svete,
kde sa vyučovala medicína, vojenstvo či právo.

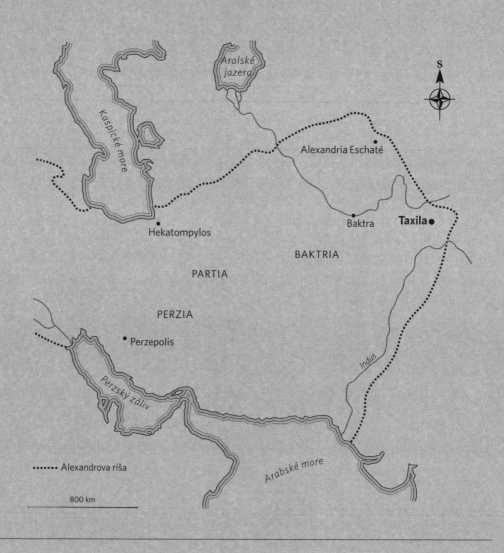

Taxila sa približne 1 500 rokov týčila na kopci s výhľadom na rieku Tamra Nala, asi 32 kilometrov severozápadne od dnešného pakistanského hlavného mesta Islamabad. Ležala na križovatke, kde sa stretali, obchodovali a bojovali rozličné národy Eurázie. V 1. storočí n. l. mesto navštívil grécky filozof Apollónios z Tyany a v 7. storočí čínsky mních Süan-cang. Medzi tých, ktorí v rôznych obdobiach prechádzali ulicami mesta, patrili achajmenovskí Peržania, grécki vojaci Alexandra Veľkého, Indovia Maurjskej ríše, Skýti, Parti, Kušánci či Huni.

Pôvod

Budha s mníchmi v stúpe taxilského kláštora Džaulian (2. storočie pred n. l.). Reliéf demonštruje zmes indických, gréckych a perzských umeleckých štýlov.

Prvé roľnícke sídlo v oblasti vyrástlo okolo roku 3500 pred n. l., teda zhruba v čase, keď sa v Mezopotámii (približne 3 000 kilometrov na západ) etablovali prvé mestá. Pôvodné osídlenie Taxily dnes poznáme ako mohylu Saraikala, v ktorej sa našli predmety z kamennej až bronzovej doby. Niekoľko nástrojov ukazuje fascinujúci prechod medzi dvoma obdobiami. Ak ste romantickejšej povahy, možno sa vám viac zapáči legendárna verzia. Podľa nej mesto založil

Morská príšera Kétó
z gréckej mytológie
znázornená na dvoch
taxilských paterách.
Na hornej obludu
osedlal neznámy
hrdina, na dolnej
Nereida (morská víla)
s cherubínom.

Štítová obruba s reliéfom,
na ktorom sú vyobrazené
honosne odeté osoby,
pravdepodobne uctievači
božstva.

Kanvica s motívom
jazdca na slonovi
(1. storočie n. l.).

istý Takša, synovec hindského boha Rámu, ktorý sídlo pomenoval
po sebe – Takšašila.

V každom prípade miesto sa odjakživa volalo Taxila, hoci podľa
inej etymológie znamenal jeho názov „mesto z tesaného kameňa".
Najstaršia etapa Taxily sa skončila kolapsom civilizácie povodia
rieky Indus. Keď približne v roku 700 pred n. l. sídlo nanovo zalo-
žili, ležalo už trochu ďalej, na mieste, ktoré je dnes známe ako Bhír
Mound.

Zdá sa, že oblasť tentoraz kolonizovali achajmenovskí Peržania,
ktorí prezieravo zainvestovali do čoraz dôležitejšej obchodnej
križovatky. Archeologické výskumy preukázali, že Taxila sa postupne
zmenila z obchodnej zastávky na veľkú obchodnú stanicu (*emporion*)
a neskôr na plnohodnotné mesto. Jedna dlhá ulica – pravdepodobne
pôvodná cesta, pozdĺž ktorej vznikali prvé budovy – sa tiahla z jed-
ného konca obnovenej Taxily na druhý. Od tejto hlavnej tepny
neskôr odbiehali do bokov väčšie či menšie ulice s obchodmi
a domami.

Mesto malo sofistikovaný odvodňovací systém a vsakovacie
studne (primitívne septiky) na splašky. Na rozdiel od mnohých
včasných mestských štátov Stredomoria vznikla Taxila v rámci
organizovanej ríše a zdá sa, že jej obyvatelia sa ani nepokúsili
postaviť obranné hradby. Mesto podľa všetkého pokojne prechá-
dzalo z rúk do rúk. Raz mu vládla Perzská ríša, inokedy jej súperi
z indických mocností na juhu. V obdobiach, keď žiaden štát nemal
na kontrolu oblasti dostatok síl, Taxila jednoducho fungovala ako
nezávislé mesto.

Nezávislosti sa tešila aj za kráľa Omfisa (Ambhiho) v roku
326 pred n. l., keď do oblasti prikvitla armáda Alexandra Veľkého.
Mesto nekládlo žiaden odpor a pripojilo sa k Macedónskej ríši
v bujarej atmosfére obiet, jazdeckých hier a gymnastických podujatí.
Bezproblémovému odovzdaniu moci určite pomohla aj skutočnosť,
že Alexander bol veľkým obdivovateľom učenosti a práve Taxila
sa preslávila svojimi mudrcmi. Jej dobrá povesť v tejto oblasti mala
v budúcich storočiach ešte vzrásť. Historik Arrianos (*Alexandrova
výprava* 7, 1, 6) uvádza, že na Alexandra spravili učenci taký hlboký
dojem, že sa pokúsil niektorých získať pre svoj kráľovský dvor.

Alexandrova ríša nemala dlhé trvanie a jej seleukovských nasle-
dovníkov viac zaujímali oblasti bližšie ku Grécku a k Stredomoriu
než východné územia. V roku 317 pred n. l. sa tak mesto znova ocitlo
pod indickou nadvládou ako súčasť Maurjskej ríše, ktorú založil
panovník Čandragupta. V Indii sa rozšíril budhizmus a Taxila sa stala
jedným v najvýznamnejších stredísk učenia o tomto náboženstve.
Študenti si však neprichádzali do mesta prehlbovať vedomosti len

Stúpa Dharmaradžika („veľká") v Taxile
z 3. storočia pred n. l. V 5. storočí n. l.
ju vyplienili lúpežníci a odvtedy je opustená.

o budhistických doktrínach, ale aj o medicíne, vojenstve či o práve. Vyskytujú sa názory, že šlo o prvú univerzitu na svete, treba však podotknúť, že nejestvovali žiadne fixné študijné osnovy. Každý učiteľ si určoval svoje podmienky či učebný plán a neudeľovali sa nijaké tituly. Študenti zvyčajne začínali v tínedžerskom veku a končili, keď dosiahli úroveň vedomostí, ktorá uspokojila ich učiteľa.

Ríša Alexandra Veľkého sa na východe rozpadla, ale zanechala za sebou fascinujúci indicko-grécky štát Baktriu. Hoci od západu ju odrezala nová Partská ríša, zostala úspešným celkom niekoľko ďalších storočí. Keď Baktriovia ovládli Taxilu, jej bezbranná poloha ich očividne znepokojila, pretože mesto znova presťahovali, tentoraz do lokality za riekou, ktorej dnes hovoríme Sirkap. Prirodzené obranné vlastnosti terénu posilnili masívnymi päťkilometrovými kamennými hradbami s mohutnými bastiónmi.

S kvalitným opevnením prežila Taxila všetky pády aj vzostupy baktrijského kráľovstva. Raz fungovala ako jeho súčasť, inokedy ako nezávislý mestský štát. Mince razené v slobodnej Taxile odrážajú fascinujúcu zmes kultúrnych vplyvov, napríklad grécke mýty zobrazené v indickom štýle. Samotné mesto vykazuje zreteľné helénske črty, keďže jeho tretie zhmotnenie sa realizovalo podľa princípov gréckeho urbanistu Hippodama z Miléta. Napriek tomu Taxile dominovali budhistické vplyvy.

Neskoršia Taxila

Keď začiatkom 1. storočia pred n. l. Indoskýti zvrhli posledného baktrijského kráľa, moc v Taxile prevzala nová línia vládcov. Mohlo to byť približne v čase, keď k rímskemu spisovateľovi Strabónovi dorazili správy z východu, ktoré zaznamenal vo svojom diele *Geografia* (15, 1, 62):

> *Niektoré nezvyčajné a zvláštne zvyky v Taxile:*

> *Ľudia, čo si nemôžu dovoliť veno, privedú dcéru (po dovŕšení veku na vydaj) do tržnice a zvolajú dav trúbami... ak nejaký muž prejaví záujem, odhalia dcéru zozadu až po ramená a potom aj spredu. Ak je muž spokojný a žena sa dá presvedčiť, vstúpia do manželstva.*

> *Mŕtvych hádžu ako potravu supom.*

Iná zmienka o Taxile v západných písomnostiach staroveku pochádza z pera rímskeho autora Aeliana Claudia. V jeho

Dekoratívna kamenná konzola z Taxily zobrazuje cherubínskeho mladíka s ohánkou na muchy.

Starostlivo vytesaný kamenný kruh z Taxily (1. storočie pred n. l.). Palmety (ornamentálne motívy v tvare palmového listu, *pozn. prekl.*) a lotosové púčiky sa spájajú do esteticky príjemného vzoru.

Zvláštnostiach zvierat (12, 8) sa spomínajú slony, ktoré sú v oblasti nadpriemerne veľké.

Úpadok Rímskej ríše na západe viedol aj k úpadku Taxily, keďže obchod na Hodvábnej ceste, z ktorého mesto profitovalo, ustal. Po ďalších skúškach osudu v roku 450 n. l. napadol Taxilu kmeň spriaznený s Heftalitmi (Bielymi Hunmi; o Heftalitoch píše autor viac vo svojej knihe *Zabudnuté národy starovekého sveta* [Ikar, 2022], *pozn. odb. red.*). Pri nasledujúcich útokoch došlo k deštrukcii budhistických kláštorov a centier učenosti. Hoci zvyšky Taxily prežili krátke obdobie Hunskej ríše, šlo už prakticky len o mesto duchov. Posledný známy návštevník mesta, čínsky mních Süan-cang ho v roku 645 n. l. opisuje zväčša ako zrúcaniny v dezolátnom stave. Na Taxilu sa tak na ďalších tisíc rokov celkom zabudlo.

Taxila dnes

Súčasné štvrté zhmotnenie Taxily je moderné mesto, ktoré leží, bohužiaľ, tak blízko originálu (objaveného v 60. rokoch 18. storočia), že ho ohrozuje priemyselným znečistením, vápencovými kameňolomami a rabovaním. Ruinám starobylého mesta, ktoré sa nachádzajú na Zozname svetového dedičstva UNESCO, tak v dôsledku škôd napáchaných v 21. storočí hrozí definitívny zánik a zabudnutie.

Mnohé taxilské predmety sú dnes uložené v tamojšom múzeu, ktoré obsahuje jednu z najvýznamnejších zbierok grécko-indických budhistických sôch na svete.

83 pred n. l. – pribl. 850 n. l.
Tigranokerta
Stratená metropola stratenej ríše

*Jedno z mála miest, kde kultúry západu
a východu nažívali v mieri.*

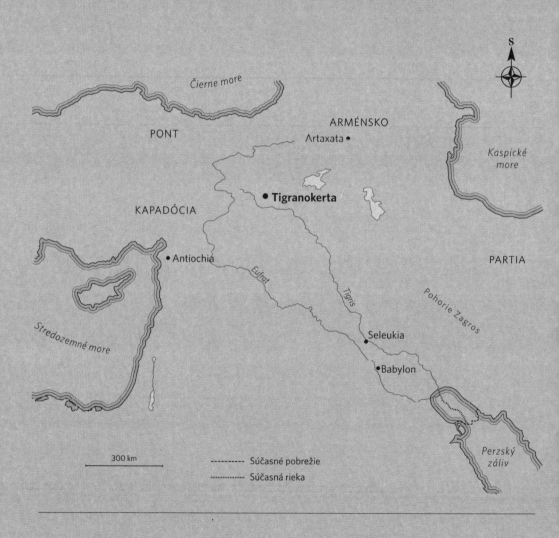

Alexander Veľký mal sen o vytvorení kultúry na východe, v ktorej by sa snúbili grécke a perzské prvky. Táto túžba umrela spolu s ním, keďže jeho šovinistickí macedónski generáli nevideli dôvod meniť postup, ktorý im dovtedy prinášal samé víťazstvá. Preto osídľovanie v oblastiach, ktoré Alexander dobyl, spočívalo skôr v prekrývaní pôvodných kultúr gréckymi mestami než v ich akceptovaní. Ak však predsa len chceme nájsť príklad Alexandrovej vízie v praxi, stačí sa pozrieť na činy panovníka, ktorý založil svoje nové hlavné mesto podľa Alexandrových ideálov.

Arménska ríša

Tigranokerta Arcach v dnešnom Azerbajdžane je jedným z mnohých miest s názvom Tigranokerta, ktoré vznikli v artaxovskom Arménsku. Presná poloha hlavného mesta, ktoré založil Tigranes II. Veľký, nie je známa.

Dnes o Arménsku nezmýšľame ako o imperiálnej mocnosti, ale pred 2 000 rokmi sa artaxovské Arménsko rozkladalo od Kaspického až po Stredozemné more (Artaxovci alebo Artašovci – vládnuca dynastia so zakladateľom Artaxiasom I., *pozn. prekl.*). Ríši vládol Tigranes II., ktorý si za svoje činy od moderných historikov (aj od niektorých starovekých Grékov) vyslúžil prívlastok „Veľký".

V 1. storočí pred n. l. zmietala Levantou politická nestabilita. Moc Seleukovskej ríše prudko upadala (Seleukos bol Alexandrov generál, ktorý ovládol široké územie od Baktrie až po brehy

Stredozemného mora) a mestá v oblasti hľadali nového ochrancu. Počas tohto poloanarchického obdobia Arménsko prekvitalo ako pomerne bezpečná krajina chránená prírodnou prekážkou v podobe hôr. Tigranes výhodnú polohu využil a vybudoval rozľahlú multietnickú ríšu, ktorú udržiaval pohromade kombináciou vojenskej sily a obozretnej politiky.

Nové hlavné mesto

Tigranova nová ríša potrebovala nové hlavné mesto. Doterajšia arménska metropola Artaxata (Artašat) ležala príliš hlboko v zázemí a z nových Tigranových dŕžav na juhu bola ťažko dostupná. Preto si panovník vybral nové miesto na slávnej kráľovskej ceste, ktorá kedysi spájala stred achajmenovskej Perzie (Irán) s jej stredomorskými územiami.

Ako mnohí panovníci pred ním a po ňom aj Tigranes pomenoval svoje nové hlavné mesto po sebe: Tigranokerta, teda „mesto, ktoré založil Tigranes". Stavebné práce sa začali v roku 83 pred n. l.

Keďže sa mesto malo stať Tigranovým pamätníkom, vládca sa usiloval, aby pôsobilo čo najoslnivejšie, a využíval na to všetky zdroje, ktoré mu jeho rozľahlá ríša poskytovala. On sám bol človekom doby, ktorého ovplyvnili rôznorodé okolité kultúry – od gréckej cez perzskú až po domácu arménsku. Toto multikultúrne pozadie vládcu sa prirodzene odrazilo aj na podobe Tigranokerty.

Tetradrachma s Tigranom II. na averze a Tyché (Fortunou) Antiochijskou na reverze. Keďže Antiochia bola súčasťou upadajúcej Seleukovskej ríše, minca vyjadruje Tigranove mocenské ambície.

Miesto spojenia Grécka a Perzie

Tigranokerta sa od začiatku mohla pochváliť občianskou vybavenosťou podľa gréckeho vzoru. Tigranes bol veľkým obdivovateľom antických filozofov a dramatikov, preto dal pre svojich nových obyvateľov vybudovať veľké divadlo a pravdepodobne aj agoru (námestie, kde sa konali trhy a zhromaždenia občanov, centrum verejného života, *pozn. prekl.*) či *gymnasion* (zariadenie na telesnú aj duševnú výchovu mužskej mládeže, *pozn. prekl.*). Mimo hradieb si však pre seba postavil perzský palác s loveckým areálom a verejnou záhradou (po grécky *paradeisos*, z avestského *pairidaeza* – ohrada, park; avestčina, avesta – mŕtvy jazyk, ktorým sú zapísané staroiránske náboženské texty, *pozn. prekl.*)

Mesto potrebovalo už len obyvateľov a Tigranes vymyslel, kde ich zohnať. K helénskej kultúre inklinoval čiastočne preto, lebo mal grécku manželku Kleopatru. (Kleopatra bolo pôvodne grécke, nie egyptské meno – vo včasnej gréckej mytológii bola Kleopatra dcérou severného vetra Borea.) Otec Tigranovej Kleopatry bol nemenej ambiciózny a výbojný vládca Mithradatés IV. Eupator, ktorý práve budoval mocné kráľovstvo zaberajúce veľkú časť Malej Ázie a Krymu.

Mithradatés a Tigranes uplatňovali svoju ctižiadosť aj v Kapadócii, rozľahlom a dezorganizovanom kráľovstve na juhu Malej Ázie. Namiesto rozbrojov o korisť uzavreli panovníci priateľskú dohodu – Mithradatés v Kapadócii dosadí bábkového kráľa a Tigranes stadiaľ deportuje 300 000 obyvateľov do Arménska ako základ svojho nového mesta.

Mnohí sa k presídlencom pridali dobrovoľne. Životopisec Plutarchos uvádza, že byť obyvateľom Tigranokerty znamenalo určitú prestíž. „Mesto bolo plné votívnych darov, lebo každý bez rozdielu, či to bol radový občan, alebo významný činiteľ, pokladal za otázku osobnej cti prispieť kráľovi na zveľadenie a výzdobu mesta." (*Lucullov životopis* 26, 2) Hebreji z Palestíny, aramejské kmene z Mezopotámie či Arabi z juhu čoskoro prispeli ku kozmopolitnej povahe Tigranokerty.

Rímska pohroma

Vyplienenie Kapadócie prinieslo Tigranovi nielen bohatstvo, ale aj problémy. Kráľovstvo, ktoré s Mithradatom tak bezohľadne vyrabovali, totiž spadalo pod ochranu Rímskej republiky. V tom období boli Rimania militaristickí a agresívni. Ich vedúci politici sa chceli za každú cenu zviditeľniť, prípadne získať prostriedky na čoraz nákladnejší aristokratický život.

Rimania teda rozpútali vojnu s Mithradatom, pretože ich lákala korisť v podobe Pontu. Spočiatku sa však situácia nevyvíjala podľa ich predstáv, keďže Mithradatés nepredal svoju kožu lacno. Nielenže nepriateľa zatlačil späť, ale dobyl aj väčšinu Malej Ázie a časť Grécka, pričom zabil desaťtisíce Rimanov. Rím sa však nikdy nevzdával, a tak jeho légie napokon vypudili Mithradata z jeho územia a prinútili ho uchýliť sa k svojmu zaťovi v Tigranokerte.

Keď Tigranes odmietol vydať svojho svokra Rimanom, tí, nabudení vidinou pokladov Arménskej ríše, si poňho prišli osobne. V roku 69 pred n. l. tak došlo k nerovnej bitke medzi Rímom a Arménskom juhozápadne od čiastočne nedokončených hradieb Tigranokerty. Tigranovo vojsko tvorilo 100 000 mužov, zatiaľ čo jeho rímsky náprotivok generál Lucullus mal k dispozícii azda desatinu z tohto počtu. Tigranes pri pohľade na úbohú veľkosť rímskej armády žartoval: „Ak je to diplomatická delegácia, je priveľká, ak dobyvateľská sila, primalá."

Ilustrácia bitky medzi Rimanmi a Arménmi v rukopise z roku 1475 n. l. Hoci ide o nepresné zobrazenie v takmer všetkých ohľadoch, poskytuje zaujímavý obraz toho, ako staroveký svet vnímali neskoršie pokolenia.

Pád Tigranokerty

Rímske vojsko možno nevynikalo veľkosťou, ale tvorili ho veľmi skúsení a motivovaní legionári, ktorí sa už nemohli dočkať bitky, aby si splnili povinnosť a konečne mohli ísť domov. Keďže Tigranova armáda bola priveľká na čelný útok, Lucullus presunul svojich mužov na krídlo nemotorného nepriateľa a prikázal im presekať sa jeho šíkmi až do stredu vojska.

Väčšina Tigranových vojakov sa na bitke vôbec nechcela zúčastniť, preto sa ich morálka zoči-voči prudkému útoku Rimanov zosypala (súboj sa odohral 6. októbra 69 pred n. l. a je považovaný za jednu z najmajstrovskejšie vybojovaných bitiek v rímskych dejinách, *pozn. odb. red.*). Tigranes musel utiecť a nechať mesto napospas nepriateľovi. Kapadócke obyvateľstvo Tigranokerty sa vôbec netajilo tým, na čej strane stojí, a už pred bitkou povzbudzovalo Luculla. Hoci nedokončené mestské hradby merali okolo dvadsať metrov na výšku a dosahovali takú hrúbku, že do nich boli zabudované stajne, v konečnom dôsledku to nič neznamenalo, pretože mešťania otvorili brány a nadšene privítali dobyvateľov.

Aj keď sa Tigranovi podarilo zachrániť svoj hárem a väčšinu kráľovského pokladu, Rimania ulúpili odhadom 8 000 talentov zlata (1 talent – 25 kilogramov). Lucullus potom dovolil zajatým Kapadóčanom vrátiť sa do vlasti a pri svojom odchode mesto vypálil.

Neskoršia Tigranokerta

Tigranokerta sa z rímskeho plienenia spamätala, ale svoj ríšsky lesk už nikdy nezískala. Keď o desať rokov prišiel do oblasti vojvodca Pompeius (Magnus), obnovil mesto ako administratívne centrum. Tigranokerta zohrala úlohu vo vojnách Partov s Rimanmi v 1. storočí n. l., keď sa Arménsko ocitlo uprostred konfliktu medzi dvoma súperiacimi mocnosťami. Aby ho jedna či druhá nerozdrvila, muselo sa často spoliehať na prezieravú diplomaciu. Rimania v roku 83 n. l. Tigranokertu ešte raz krátko okupovali, ale nespôsobili jej veľké škody a po úspešných vyjednávaniach odtiahli.

Tigranokerta potom zostala prominentným regionálnym mestom a vo 4. storočí n. l. prešla pod priamu rímsku správu. Keď sa z Východorímskej ríše stala Byzantská, mesto sa premenovalo na Martyropolis na počesť kresťanských mučeníkov. V 7. storočí zmenilo meno opäť, tentoraz na Majarfarkin, lebo pripadlo umajjovskému Arabskému kalifátu. V tom období však už prudko upadalo.

Potom sa niekdajšie hrdé hlavné mesto postupne zmenilo na pusté ruiny a v stredoveku sa naň celkom zabudlo.

Tigranokerta dnes

Presná poloha Tigranokerty zostáva záhadou. Predpokladá sa, že leží niekde v provincii Diyarbakır, kurdskej oblasti dnešného Turecka, na rieke Tigris alebo Batman, pravdepodobne neďaleko mesta Silvan. Zatiaľ však po nej archeológovia pátrajú márne. Preto naterz zostáva len symbolom krátkeho obdobia, počas ktorého bolo Arménsko imperiálnou mocnosťou, a miesta, kde kultúry východu a západu nažívali v mieri.

pribl. 510 – 330 pred n. l.
Perzepolis
Politický symbol

Mesto vzniklo ako politický symbol a aj jeho zničenie
malo vyslať jasný politický signál.

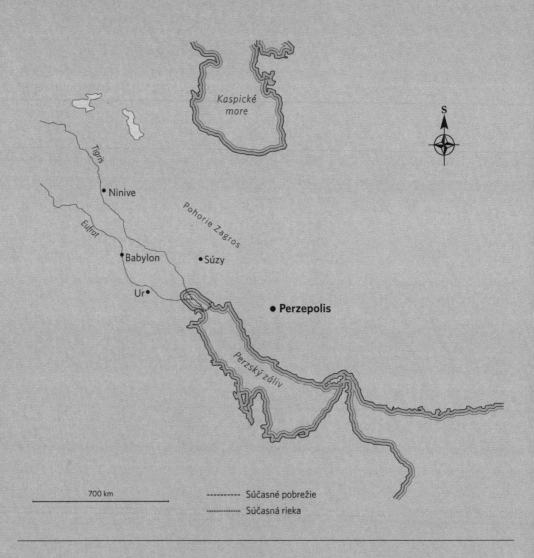

700 km

---------- Súčasné pobrežie

·············· Súčasná rieka

Jestvuje veľa druhov miest a nie všetky slúžia primárne ako ľudské obydlia. Medzi také patrí aj Perzepolis, v ktorom takmer nikto nežil. Niektorí odborníci dokonca špekulujú, že mesto bolo väčšinu roka celkom prázdne.

Perzepolis na úpätí Hory milosrdenstva (Kuh-e Rahmat) tvoril kedysi jadro najväčšej ríše starovekého sveta. Achajmenovská Perzia sa na vrchole moci rozprestierala od pobrežia Stredozemného mora a južných kataraktov Nílu až po svahy Himálájí a brehy rieky Indus.

Bola to ríša Kýra II. Veľkého, ktorého nástupcovia zbúrali chrámy aténskej Akropoly a rozprášili Sparťanov pri Termopylách. Perzský vládca sa nazýval „kráľ kráľov" a vonkoncom nešlo o nadnesený titul. Spadali pod neho doslova stovky panovníkov malých či veľkých kráľovstiev, pretože Perzská ríša bola taká obrovská, že jej nemohol priamo vládnuť jeden človek.

Jeden z prvých Kýrových nasledovníkov kráľ Dárajavauš (z gréckych záznamov známy ako Dareios I. Veľký) si uvedomil, že rozľahlá a kozmopolitná Perzská ríša potrebuje nové hlavné mesto, ktoré by symbolizovalo jednotu vlády a ľudu. „Ahura Mazda [hlavný perzský boh] rozhodol, že treba postaviť túto pevnosť, a ostatní bohovia

Lev zviera korisť, zatiaľ čo v pozadí vystupuje sprievod po schodoch. Vysoko štylizované, jedinečné a nesmierne pôsobivé – také je perzské umenie achajmenovského obdobia.

Reliéf v „Paláci sto stĺpov" je natoľko podrobný, že na ňom vieme podľa okrúhlej plstenej čiapky a charakteristického opasku rozoznať médskeho hodnostára. Méd drží za ruku postavu v perzskom rúchu, čo symbolizuje priateľstvo medzi dvoma národmi.

súhlasili. Ja som ju postavil a postavil som ju bezpečnú, užitočnú a nádhernú," informuje Dareios budúce generácie nápisom na základnom kameni, ktorý neskôr objavili archeológovia. Mesto nazval „Parsa", čo Gréci prepisovali ako „Perzepolis", pričom oba názvy znamenajú „Mesto Peržanov".

Stavba sa začala okolo roku 510 pred n. l. masívnou umelou plošinou, na ktorej mali vyrásť najdôležitejšie budovy. Táto terasa z veľkých blokov (nespevnených maltou) stojí dodnes. Začína sa na úrovni terénu na východnej strane, kde sa opiera o horský masív, a tiahne sa pozdĺž klesajúceho svahu, takže jej najzápadnejší okraj tvorí múr vysoký vyše dvanásť metrov. Platforma zaberá celkovú plochu 125 000 štvorcových metrov a poskytuje výhľad na rozľahlú Marvdaštskú planinu, úrodné územie zásobované sútokom riek Pulvar a Kor. (Dnes je táto oblasť známa najmä odrodou hrozna, ktorá sa pestuje v okolí regionálneho centra Širáz. Vyrába sa z nej víno, ktoré si pochvaľoval už Marco Polo a iní cestovatelia.)

Dareios vybudoval Perzepolis a iné mestá ako Ekbatana či Súzy prestaval na oblastné metropoly. Perzepolis mal síce veľký význam ako ceremoniálne stredisko ríše, ale na administratívne účely sa príliš nehodil. Ležal totiž v ťažko dostupnom teréne približne 850 kilometrov južne od súčasného Teheránu v Iráne a v zimných mesiacoch sa doň cestovalo veľmi ťažko.

Mesto však predstavovalo monumentálne dielo už za Dareiovho života a práce na ňom pokračovali aj po jeho smrti. Ďalší panovníci ho vylepšovali ešte takmer dvesto rokov. Za ten čas sa z Perzepolisu stalo veľkráľovo letné sídlo a miesto, kam mu podrobení vládcovia prichádzali prisahať vernosť. Dozvedáme sa o tom z basreliéfov na dodnes stojacich stenách, kde je zobrazených dvadsaťtri zástupcov vazalských národov. Hodnostárov, ktorí prišli vzdať hold vládcovi, stvárňujú tak podrobne, že väčšinou vieme určiť ich národnosť. Vyslanci prinášali dary v podobe zlatých či strieborných váz, drahokamov, exotických zvierat, vzácnych korení alebo jemne tkaných látok. Predstaveniu sa prizerala kráľovská stráž a perzskí šľachtici.

Slávnosti dosahovali vrchol počas jarnej rovnodennosti, čiže na perzský nový rok (tento sviatok sa dodnes oslavuje v Iráne). Vazali vchádzali cez hlavnú bránu, za ktorou sa nachádzalo monumentálne schodisko vytesané do západnej steny. Po širokých schodoch sa dalo prejsť aj na koni, aby sa kráľovské nohy nemuseli dotknúť zeme. Hore sa delegáti zhromaždili na pomerne malom nádvorí a čakali, kým ich vpustia cez takzvanú Bránu všetkých národov. Za ňou sa už nachádzali vysokánske dvere do apadany alebo audienčnej haly, obrovskej budovy, do ktorej sa zmestili tisíce ľudí.

Apadana bola najväčšia a najgrandióznejšia budova v Perzepolise, ktorú Dareios úmyselne navrhol tak, aby návštevníkov ohúrila. Slávny panovník sa jej konečnej podoby nedožil, ale s výsledkom práce svojho nástupcu Xerxésa by bol určite spokojný. Steny boli vykladané mramorom, z veľkej časti ich však tvoril miestny sivý vápenec vyleštený dohladka ako sklo. Aj dnes pôsobí apadana úchvatne, hoci z jej ohromných stĺpov už stojí len trinásť.

Tieto stĺpy sú pozoruhodne vysoké a štíhle a ich štýl nesie jedinečnú pečať Perzskej ríše. Od gréckych náprotivkov sa líšia tým, že okrúhle a jemne kanelované (ozdobené zvislými žliabkami, *pozn. prekl.*) drieky vykazujú znaky svojich drevených predchodcov (ktoré sa vyrábali z vysokých libanonských cédrov) a hlavice pod stropom majú podobu dvoch zvierat spojených chrbtami. Tento dizajn umožňoval umiestniť strešné trámy priamo na hlavy zvierat a docieliť tak lepšiu stabilitu. Výsledkom je jedinečný perzský štýl, ktorý vznikol spojením gréckych, egyptských a babylonských prvkov a dokonale odzrkadľuje multietnickú povahu obrovskej Perzskej ríše.

Postupom času pridal každý perzský kráľ na terasu nové stavby. Niekedy šlo o veľkolepé paláce, inokedy o obytné štvrte pre panovníka a jeho dvoranov. Viacero skromných obydlí sa našlo mimo hlavného areálu a je možné, že v nich nastálo bývali mestskí remeselníci, ktorí venovali svoje životné úsilie nepretržitému zveľaďovaniu Perzepolisu.

V meste okrem remeselníkov bývali aj polopermanentní úradníci, ktorí mali za úlohu Perzepolis spravovať. Hoci sa väčšina ríšskej administratívy vykonávala v oblastných metropolách, úradníci z Perzepolisu starostlivo zapisovali, koľko tovaru roľníci dodali a koľko vína, pšenice a dobytka ešte dlhujú. Iné záznamy hovoria

„Dávajte cisárovi…" Predstavitelia podrobených národov vystupujú po hlavnom schodisku v Perzepolise, aby odovzdaním tribútu vyjadrili svoju podriadenosť perzskému panovníkovi.

Predchádzajúca dvojstrana Ruiny Perzepolisu s výhľadom na údolie. Cestou do kráľovského mesta musel človek prekročiť hory v pozadí.

o polohách a logistických kapacitách dedín, pevností, miest a kráľovského majetku v správnej oblasti Perzepolisu.

Mesto vzniklo ako politický symbol a aj jeho zničenie malo vyslať jasný politický signál. Katom Perzepolisu sa stal Alexander Veľký, ktorý ho dobyl v roku 331 pred n. l. Mestu spočiatku hrala do karát jeho nedostupná poloha a macedónska armáda mala ťažkosti dostať sa cez hory aj cez tvrdohlavých perzských obrancov.

Alexander sa nechcel zmocniť Perzepolisu len pre jeho poklady, ktoré naňho čakali v kráľovskej pokladnici. Podmanenie hlavného mesta ríše malo upevniť Alexandrovu pozíciu dobyvateľa a vládcu Perzie. Keď však Alexander napokon Perzepolis získal, nevedel, čo si s ním počať. Mesto ako také stelesňovalo slávnostný pomník perzských panovníkov. Niektorí z nich tam dokonca odpočívali v pôsobivých kamenných hrobkách vytesaných do skalnatej hory, ktorá sa týčila nad mestom.

Posledné, čo Alexander potreboval, bolo permanentné poukazovanie na vznešenosť dynastie, ktorú nahradil. A tak jednej noci on a jeho druhovia v alkoholovom opojení vypálili mesto do tla. Podľa povesti šlo o impulzívny vandalský čin, na ktorý Alexandra nahovorila istá hetéra menom Thais (hetéra – starogrécka kurtizána, ktorá poskytovala nielen telesnú, ale aj duchovnú potechu; bola milenkou Ptolemaia a možno aj Alexandra, *pozn. odb. red.*). Jej rodné Atény totiž pred stopäťdesiatimi rokmi vyplienili Peržania, čo im nikdy neodpustila. Fakt je, že Alexander už Perzepolis nepotreboval. Nechcel ho použiť ako svoje hlavné mesto a obával sa, že by mohol slúžiť ako symbol perzského odporu. Vypálením hrdého Perzepolisu dal Alexander všetkým najavo, že Dareiova dynastia je raz a navždy preč a ríšu teraz vedie on.

Z barbarského činu vzišlo aspoň niečo dobré. Tisíce hlinených tabuliek z kráľovského archívu sa v prudkom ohni upiekli na keramiku. Čiastočné zrútenie steny archívu záznamy zakrylo a pochovalo na ďalších 2 200 rokov. Tabuľky, ktoré vykopali archeológovia začiatkom 20. storočia, nám dnes ponúkajú jedinečné informácie o spravovaní provincie Perzskej ríše v rokoch pred Alexandrovým vpádom.

Perzepolis dnes

Perzepolis sa v súčasnosti nachádza na Zozname svetového dedičstva UNESCO. Po zničení ležal prakticky nedotknutý až do výkopových prác moderných archeológov. Vďaka tomu zostali budovy a artefakty v areáli pôvodné a nezrekonštruované. Iránska vláda,

Macedónčania hýria pod vedením hetéry Thais uprostred planúcich ruín Perzepolisu (maľba Georgea-Antoina Rochegrossa, 1890). Dnešní historici sa domnievajú, že zničenie mesta nebolo dôsledkom náhleho impulzu, ale symbolickým politickým gestom.

hrdá na svoje perzské dedičstvo, má lokalitu pod drobnohľadom, hoci uznáva, že v dôsledku poľnohospodárskej a priemyselnej činnosti neďalekého mesta Marvdašt došlo k istým neoprávneným zásahom.

Za vstup do areálu sa platí. Môžete si najať aj sprievodcu, ktorý vás prevedie dejinami Perzepolisu. Turisti si návštevu mesta (denný výlet zo Širázu) často spájajú s prehliadkou Nakš-e Rustam – pôsobivých hrobiek vytesaných do skalného brala.

pribl. 600 – 133 pred n. l.
Numantia
„Španielska Masada"

Keď došli zásoby... slabší obyvatelia sa stali potravou silnejších.

Appianos, *Hispánske vojny*

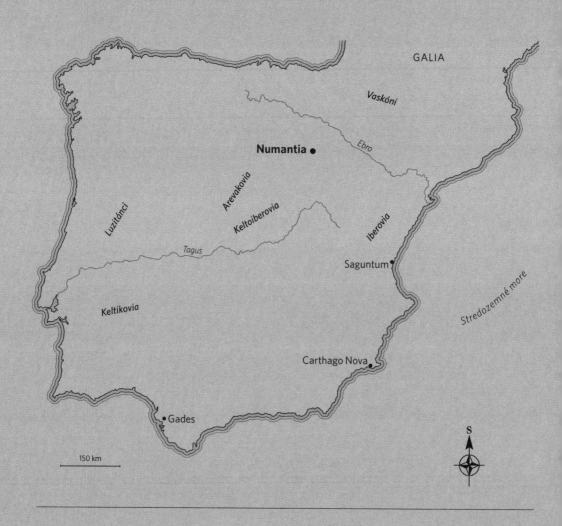

Okolo roku 600 pred n. l. sa na Pyrenejskom polostrove objavil nový národ. Podľa jazyka a predmetov, ktoré používal, sa vyznačoval keltskými črtami, ale rýchlo sa vo všetkých smeroch prispôsobil novému prostrediu a vytvoril svojskú kultúru, ktorú dnes nazývame keltoiberskou.

Draví a bojovní Keltoiberovia promptne vypudili pôvodných obyvateľov hornatej strednej Hispánie (čo nebolo ľahké, keďže tamojšie etniká sa v boji vyznali rovnako dobre). Okolo roku 300 pred n. l. Keltoiberovia dobyli sídlisko na kopci neďaleko dnešného mesta Soria a usadili sa tam.

Mesto na vrchu, ktorý dnes poznáme pod názvom Cerro de la Muela („Zub"), malo výbornú polohu. Obkolesoval ho hustý les a neďalekým údolím sa vinula splavná rieka Douro. Podľa ozdobných malieb na keramike môžeme usudzovať, že v oblasti žil dostatok divých zvierat. Medzi časté umelecké motívy z nej patria dudky, volavky, orly, jarabice či holuby.

Obrázok Numantie z rukopisu z roku 1727. Ilustrátor musel čerpať inšpiráciu zo starovekých opisov, pretože skutočnú Numantiu objavili až o 133 rokov neskôr.

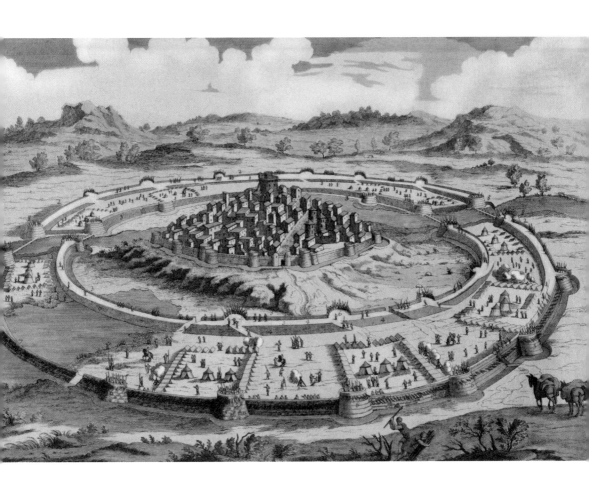

Numantia po vyko-
pávkach v novovekej
ére. Mesto je dnes
národnou pamiatkou
a jeho hrdinskí
obrancova sa tešia
v španielskej tradícii
veľkej úcte.

Zvrchu kopca sa dala kontrolovať cesta, ktorou pastieri odnepa-
mäti vodili svoje stáda a čriedy údolím rieky Ebro k pasienkom
za úžinou Piqueras. Lokalita poskytovala toľko výhod, že v nej
archeológovia našli známky prvého osídlenia už z neskorého
neolitu či stopy opevnenia z turbulentných čias staršej železnej
doby (okolo roku 900 pred n. l.). Ako posledný sa tam usadili
Arevakovia, odnož Keltoiberov, ktorí svoje mesto pomenovali
Numantia.

Rím

Keltoiberovia pri hľadaní nového domova vyhnali pôvodné obyva-
teľstvo, ale oni sami sa neskôr museli brániť pred nebezpečným
nepriateľom. Šlo o najorganizovanejšieho a najkrutejšieho protiv-
níka, akého kedy poznali – rímsky senát a ľud (úslovie *Senatus
Populusque Romanus*, často v podobe skratky S.P.Q.R., vyjadrovalo
dve zložky vlády Rímskej republiky, *pozn. prekl.*).

Medzi rokmi 264 až 146 pred n. l. Rimania pokorili mocné Kartágo (v troch tzv. púnskych vojnách, *pozn. odb. red.*) a porazili aj macedónskych nástupcov Alexandra Veľkého (v štyroch macedónskych vojnách medzi rokmi 215 – 148 pred n. l., *pozn. odb. red.*). Človek by sa bol preto domnieval, že podmaniť si niekoľko riedko obývaných horských pevností v hispánskom vnútrozemí nebude pre nich predstavovať väčší problém. V tom čase mohli Numantčania zhromaždiť od päť- do osemtisíc bojovníkov, zatiaľ čo rímski legionári pohodlne aj desaťnásobok tohto počtu. Napriek tomu vojny v Hispánii spôsobovali Rimanom vrásky na čele a napätie z konfliktu vyvolalo v ich spoločnosti veľké zmeny.

Jednu z nich pociťujeme dodnes. V Ríme sa pôvodne nový rok začínal v marci, keď sa ujímali úradu noví konzuli. Až do posledných rokov Rímskej republiky boli konzuli zároveň vojenskými vodcami a v polovici 2. storočia pred n. l. medzi ich prvé úlohy patrilo zhromaždiť vojsko, odpochodovať do Ibérie a pokračovať tam v zdanlivo nekonečnom dobývaní (ktoré úspešne završil až cisár Augustus o pol druha storočia neskôr).

Keďže vhodné obdobie na ťaženie pripadalo spravidla na jar a začiatok leta (nikto príčetný nechcel v Hispánii bojovať v augustovej horúčave), konzuli niekedy ešte ani poriadne nedorazili na miesto, a už sa museli vrátiť domov. Preto sa rozhodlo, že nový rok sa posunie na prvého januára (konzulský a azda aj občiansky rok sa začínal v starovekom Ríme prvého januára pravdepodobne už od roku 190 pred n. l., definitívne to potvrdil v roku 46 pred n. l. pri svojej reforme rímskeho kalendára G. I. Caesar, *pozn. odb. red.*). To dalo konzulom dostatok času na zhromaždenie armády, vypochodovanie do Hispánie a rozvinutie úspešného ťaženia.

Napriek tomu sa nie všetci konzuli vyznamenali. Keltoiberovia a najmä Numantčania predstavovali tvrdý oriešok. Súveké vojenské formácie Rimanov nevedeli efektívne čeliť taktike protivníka, ktorá spočívala v prekvapivých útokoch a nasledujúcom stiahnutí sa. Numantčanom hral pri prepadoch do karát aj neprehľadný terén, v ktorom mali Rimania problémy so zásobovaním. V roku 136 pred n. l. konzul Mancinus opakovane zaútočil na Numantiu, ale obrancovia ho zakaždým odrazili.

Po obzvlášť veľkom nezdare sa Mancinus so svojimi mužmi ocitol v pasci a všetkým hrozila záhuba. Mladý dôstojník Tiberius Gracchus obratnou diplomaciou zachránil légie a s obrancami vyjednal poctivý mier. Ten však senát rázne odmietol. Rimania sa Mancina zriekli a spútaného v reťaziach ho doviedli k bránam Numantie. Miestni ho však odmietli prijať. Rozčarovaný Tiberius Gracchus potom vyhlásil politickú vojnu rímskym hodnostárom, ktorým šlo len o vlastný prospech, a tým sa začalo storočie chaosu, ktorý sa skončil až pádom samotnej Rímskej republiky.

Vojna na život a na smrť

V roku 133 pred n. l. sa Rimania rozhodli porátať s Numantiou raz a navždy. Tentoraz pre zmenu vybrali schopného generála Scipia Aemiliana (ktorý definitívne zničil Kartágo v poslednej, tretej púnskej vojne, *pozn. odb. red.*) a na ťaženie mu poskytli patričné prostriedky. Scipio sa vyvaroval priameho úderu. „Na miesto sa ťažko útočilo pre rieku, rokliny a husté lesy v okolí,“ hlási historik Appianos (*Hispánske vojny* 16, 76). „Do otvorenej krajiny viedla len jedna cesta a tú blokovali priekopy a barikády. Numantčania mali výbornú pechotu aj jazdectvo. Hoci ich bolo len okolo 8 000, ich chrabrosť spôsobovala Rimanom veľké ťažkosti.“

Súčasný archeologický výskum ukázal, že Numantia ležala mierne na západ od vrcholovej línie kopca na území veľkom približne 25 hektárov. Obkolesovali ju hradby zväčša z neopracovaného kameňa, ktoré boli také odolné, že ešte dnes sa na niektorých miestach týčia do výšky dvoch metrov. Do mesta sa dalo dostať len dvoma dôsledne stráženými bránami a Scipio múdro zavrhol priamy útok. Namiesto toho obohnal Numantiu svojím vlastným múrom, čím ju hermeticky uzavrel. Potom už len vyčkával, kým sa mesto vyhladuje a kapituluje.

V posledných dňoch vládlo v Numantii peklo, pretože jej obyvatelia sa odmietli vzdať. Keď im došlo jedlo, začali jesť varenú kožu a potom telá padlých. Lenže ani tento zdroj obživy im nestačil, preto sa slabší stali potravou silnejších (tak to aspoň tvrdí Appianos a spresňuje, že pre bojujúcich mužov sa obetovali ženy a deti).

Keď sa Rimania konečne zmocnili mesta, našli ho takmer vyľudnené. Vyziabnutých preživších kváril hlad a mor. Mnohí si radšej vzali život, než by padli do rúk nepriateľa. Rimania si odvážnych protivníkov ctili, ale podnikli rázne opatrenia, aby proti nim už nikdy nemuseli bojovať. Z Numantie zostala hŕba popola a senát vyhlásil, že mesto sa nesmie nikdy obnoviť.

Rímska Numantia

Z týchto plánov však zišlo, keďže lokalita bola pre Rimanov príliš drahocenná na to, aby ju len tak opustili. Po zvyšok dejín ríše vykazovala Numantia črty klasického rímskeho sídla so statusom *municipium* (mesto, ktorého obyvatelia mali práva a privilégiá Rimanov). Nová Numantia prerástla pôvodné hradby a rozšírila sa na západ aj na juh. V jej centre sa nachádzali typické rímske

Dva kone spojené chrbtami na ozdobe z numantskej nekropoly. Predmet sa dal nastoknúť na žrď, pravdepodobne šlo o úradný symbol.

Pád Numantie od Aleja Veru, 1881. Zachytené udalosti mohli v skutočnosti prebiehať ešte ponurejšie. Zoči-voči rímskej hrozbe totiž mnoho žien nespáchalo samovraždu, ale zabili ich a zjedli vlastní spolubojovníci.

stavby a vymoženosti – verejné kúpele (jedny pre mužov, druhé pre ženy), pamätný oblúk či portikus (otvorená stĺpová hala pred hlavným vchodom budovy, *pozn. prekl.*).

Rímska Numantia však upadala spolu s Rímskou ríšou a vo 4. storočí v nej už takmer nikto nežil. Jestvujú náznaky, že v 6. storočí lokalitu krátko obývali vizigótski dobyvatelia Hispánie, ale potom už nadobro osirela a nikto ju viac neosídlil.

Numantia dnes

Napriek tomu spomienka na Numantiu a jej zúfalý odpor prežila dodnes. V stredoveku sa mesto stalo symbolom národnej jednoty, ktorú presadzovali panovníci Leónu. Najprv sa predpokladalo, že stratené mesto leží v Zamore v dnešnej autonómnej oblasti Kastília-León, ale v roku 1860 sa ho napokon podarilo lokalizovať ďalej na východ.

Dnes je národnou pamiatkou preplnenou oslavnými pomníkmi, ktoré vznikli v rozličných obdobiach novovekých dejín. Spomienka na historickú udalosť sa udomácnila aj v hovorovej španielčine. Slovné spojenie *defensa numantina* dnes vyjadruje tvrdošijnú, zúfalú obranu a teší sa popularite napríklad medzi športovými komentátormi.

TRETIA ČASŤ

Naprieč Rímskou ríšou

Mnohé mestá rímskeho obdobia spomenuté v tejto kapitole prešli pred svojím zánikom veľkými zmenami. Skutočnosť, že sa tento proces týka značného počtu sídel (najmä v severozápadnej Európe), nie je veľkým prekvapením. Rímske mestá sa totiž nachádzali na inej úrovni než mestá podrobených národov. Preto rímski dobyvatelia ostatých radi poučovali, ako by správne mesto malo vyzerať. Navyše bežne povzbudzovali poddaných, aby opustili sídla, ktoré nespĺňajú požadované kritériá, a presunuli sa do „vhodnejších" miest, ktoré vznikali podľa osvedčeného vzoru.

Šlo o veľmi úspešnú politiku. Až do tej miery, že rímsky koncept mesta sa vžil hlboko do západnej kultúry a pretrval dodnes. Príkladom sú verejné budovy od súdov po knižnice, v ktorých sa zrkadlí rímska architektúra. Rimania vnímali svoju ríšu ako mozaiku *civitas* (politicky organizovaných spoločenstiev ľudí, obcí, *pozn. odb. red.*). Každá z nich predstavovala poloautonómnu administratívnu jednotku s ústredným mestom, ktoré spravovalo a zdaňovalo okolité dediny a hospodárstva. (Spôsob takéhoto usporiadania vychádzal z nezávislých gréckych *polis* – mestských štátov, od ktorých sa odvodzuje slovo „politika".) Súčasným, oveľa slabším ekvivalentom *civitas* je „okres".

Urbs et Orbis

Medzi kritériá, ktoré definovali rímske mesto, prekvapivo nepatril vysoký počet obyvateľov. Mesto jednoducho predstavovalo správne centrum okolitej krajiny. V Európe toto zázemie patrilo zvyčajne konkrétnemu kmeňu, preto sa mesto (ktoré buď existovalo už predtým ako kmeňové stredisko, alebo vzniklo celkom od piky) stalo „urbánnou manifestáciou" tohto kmeňa. Ako dva vynikajúce príklady zo súčasnosti môžeme uviesť kmeňové centrá Parisiov a Venetov.

Rímska administratíva sa nezaobišla bez niektorých budov, najmä bez baziliky, ktorá slúžila ako súdna sieň aj archív. Keď ľudia zo studených a preplnených horských pevností, ktorí si ešte stále mysleli, že mesto primárne plní obrannú funkciu, uvideli vymoženosti ako kanalizácie, fontány či kúpele, zmenili názor. (Rimania pri výstavbe nového mesta považovali funkčné kanály a vodovody za prioritu.)

Rimania sa pomocou miest zároveň usilovali začleniť podrobené národy do svojho sveta. Porímšťovanie nespočívalo iba v násilnom procese kultúrnej kolonizácie, ale aj v nenápadnom zasievaní rímskych prvkov do miestnych obyčají. Vidno to na príklade budovania chrámov lokálnych božstiev s grécko-rímskymi črtami. V každom prípade sa nesmelo zabúdať na to, že miera „civilizovanosti" jedinca sa posudzuje podľa toho, do akej miery prijal antické vzory. Aby Rimania k tomuto procesu dopomohli, stavali divadlá, knižnice či amfiteátre. Hradby sa využívali na obranu aj na administratívu, čo umožňovalo úradníkom sledovať pohyb ľudí aj tovaru cez mestské brány. Takýto model urbánnej kultúry sa rozšíril po celej ríši vrátane miest, ktoré Rimania nazývali „kolóniami". *Colonia* sa nepovažovala len za rímsku vojenskú základňu, ale aj za rozšírenie samotného Večného mesta. Obyvatelia *colonie* mali totiž rovnaké práva a povinnosti ako tí, ktorí žili pod palatínskym pahorkom. Vďaka tejto homogenizácii mestskej kultúry sa mohol návštevník z Timgadu (v severoafrickom vnútrozemí) všade cítiť ako doma – v Caesarauguste (Zaragoza, Španielsko), v Colonii Claudia Ara Agrippinensium (Kolín, Nemecko) či v Caesarei (Caesarea, Izrael).

Svet podľa Ríma

V rímskom svete teda vládol špecifický koncept. Mestá v ňom nerástli organicky z osady na dedinu, z dediny na mesto a podobne. Namiesto toho sa mesto vybudovalo podľa vopred stanoveného plánu v lokalite starostlivo vybratej na základe ekonomických, vojenských či kultúrnych dôvodov. Mestá vyzerali pozoruhodne rovnako nezávisle od toho, kde v grécko-rímskom svete sa nachádzali, a obsahovali mnoho totožných budov a inštitúcií. Kým ríša fungovala, šlo o veľmi úspešný model, pričom mnohé mestá založené Rimanmi prekvitajú dodnes. Vo 4. storočí n. l. sa však svet začal meniť a viaceré zo stratených či zabudnutých miest v záverečnej časti knihy túto zmenu paradigmy neprežili.

pribl. 600 pred n. l. – 275 n. l.
Glanum
Posvätné galské mesto

V roku 275 n. l. stihla mesto pomsta bohov.

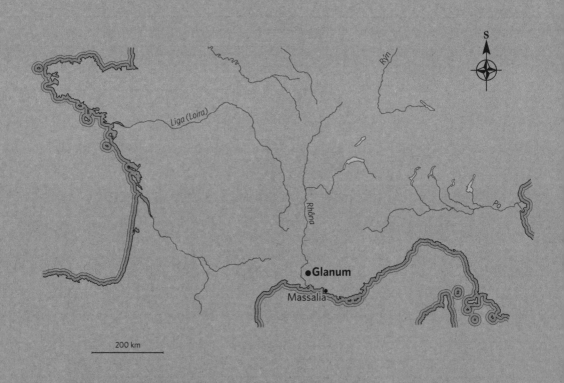

Už pred príchodom galského kmeňa Salluviov, ktorý sa do oblasti presídlil v železnej dobe okolo roku 600 pred n. l., sa na mieste budúceho Glanumu nachádzal posvätný prameň. Prišelcov nepriťahoval iba jeho kultový význam, ale aj vhodné spojenie prameňa s neďalekým dobre brániteľným kopcom. Medzi ďalšie výhody lokality patril aj výhľad do údolia (dnes Notre-Dame-de-Laval), ktorým sa tiahla hlavná obchodná cesta z pobrežia do vnútrozemia dnešného Provensalska v južnom Francúzsku.

Obchodné príležitosti si všimli aj aktívni grécki kolonisti. V tom období obyvateľov mesta Fókaia v Malej Ázii ohrozovala rozpínavá achajmenovská Perzia, preto sa mnohí z nich zbalili a odsťahovali tak ďaleko, ako sa len dalo. Približne v čase, keď na pobreží založili Massaliu (neskôr Marseilles), Galovia vo vnútrozemí začali stavať Glanum. Netrvalo dlho a šikovných Grékov z Massalie zaujali obchodné možnosti na severe. Len čo rozšírili svoje podnikanie do Glanumu, dejiny dvoch miest – ktoré patria medzi najstaršie vo Francúzsku – sa úzko prepojili.

Pokročilé zvetranie znemožňuje rozoznať protagonistov bojovej scény na Mauzóleu Iuliovcov. Tento pamätník z konca 1. storočia dali postaviť príslušníci slávneho rodu na počesť svojich predkov.

Galsko-grécke mesto

V meste vyrástla helénska štvrť. Úspešní obchodníci si tam stavali pôsobivé vily a v ich okolí vznikali iné grécke stavby. Jedna z nich, takzvaný „Antový dom" (pomenovaný podľa predĺžených bočných múrov na oboch stranách hlavného vchodu), sa dodnes pozoruhodne zachovala, čo svedčí o majstrovstve pôvodných staviteľov. Dvojposchodovú budovu vytvorili okolo prírodnej nádrže, ktorú zásobovala dažďová voda rafinovane zvedená zo strechy. V ďalšom príbytku dodnes vidno farebnú mozaikovú dlažbu, na ktorej možno pán domu pri poháriku viedol debaty s členmi obchodníckej komunity. Napriek gréckym prvkom zostalo Glanum prevažne galské. Analýza riadu preukázala, že obyvatelia zeleninu varili (ako to severania robia dodnes), nie smažili na olivovom oleji (ako to robili a dodnes robia príslušníci stredomorských národov).

Posvätný prameň zostal poznávacím znamením mesta, ktoré dostalo meno práve podľa jeho ochranného božstva Glanisa a troch pridružených bohýň matiek (Glanicae). Postupne vznikali špeciálne kúpele, kde sa mohli pútnici umyť. Prominentný oltár pre Glanisa stál za múrom obkolesujúcim posvätné miesto. Z jedného chrámu viedlo 37 schodov k studni s posvätnou vodou širokej dva metre.

V chráme sa pravdepodobné zhromažďovali obetné dary tých, ktorých vyliečila Glanisova zázračná moc. V 2. storočí pred n. l. sa Glanum vyšvihlo natoľko, že razilo svoje mince – strieborniaky s obrazom býka a jednej zo spomínaných božských matiek.

Približne dvadsať hektárov mesta chránil obvodový múr, za ktorý sa už nezmestilo ďalšie kultové miesto – svätyňa zo staršej železnej doby na juhu. Hradby pozostávali z vápenca, hojne dostupného v okolí. Kameň predstavoval základnú stavebnú surovinu aj na ostatné budovy.

Prosperitu mesta ohrozovali dve skupiny. Prvou boli Massaliania, ktorí zrejme žiarlili na rastúce bohatstvo svojich susedov. Druhú skupinu tvorili bojoví a ctižiadostiví Rimania, ktorí v čase vzniku Glanumu sotva existovali, ale medzitým rýchlo zmocneli. Tieto dve skupiny sa spolčili a na konci 2. storočia uštedrili Salluviom drvivú porážku. Popritom dobyli Glanum a mnohé z jeho monumentálnych stavieb zničili.

Rímske Glanum

V roku 90 pred n. l. sa Rím rozkmotril s italskými spojencami (*socii*) a počas takzvanej spojeneckej vojny mu hrozila porážka. Salluviovia využili príležitosť a pokúsili sa oslobodiť spod cudzieho jarma. Ich povstanie však potlačila rímska armáda, ktorá sa chystala zrovnať Glanum so zemou, ale vzhľadom na výhodnú lokalitu, dostatok vody a posvätný prameň ho napokon ušetrila. V oblasti neskôr opäť rozkvitol obchod, keďže cez mesto viedla rímska cesta do galského vnútrozemia (Via Domitia).

Na začiatku cisárstva v 1. storočí n. l. sa Glanum znova zaradilo medzi úspešné mestečká. Ako zvyčajne, Rimania sa neusilovali miestne božstvá potlačiť, len zjednotiť ich s podobnými postavami svojho panteónu. Takto sa z Glanisa stala Valetudo, ktorá sama bola ekvivalentom gréckej Hygieie (od nej odvodzujeme súčasné ponímanie hygieny). Očistný areál vedľa posvätného prameňa doplnili termálne kúpele a plavecký bazén.

Potreby rastúcej populácie naplnili dva malé akvadukty a klenbová (oblúkovitá) priehrada, ktorá pomáhala zásobovať nespočetné fontány v meste. Odpadové vody odvádzal efektívny systém kanálov a drenáží. V centre mesta vyrástlo nové fórum (v starom Ríme námestie a centrum spoločenského života, *pozn. prekl.*), ktoré z veľkej časti prekrylo pozostatky helenistických stavieb a monumentov predošlého obdobia.

Domy s bohatými freskami a mozaikami svedčia o vysokej životnej úrovni miestnych obyvateľov. Centrum s trhom, kde sa čulo

obchodovalo, poskytovalo mestu finančné prostriedky. Glanum, podobne ako iné rímske mestá, predstavovalo správne centrum (*civitas*) pre ľudí z okolitého vidieka. Nové a ešte pôsobivejšie stavby vznikli v ríšskom období. Niektoré z nich mali pripomínať rímskych cisárov a upevňovať kult ich uctievania. Posvätný prameň tentoraz obkolesovala impozantná kolonáda v tvare písmena U.

Zostup a pád

Šťastena opustila Glanum, keď sa v Rímskej ríši rozšírilo kresťanstvo. Posvätný prameň sa zrejme začal využívať ako smetisko. Možno vinou tohto znesvätenia stihol mesto v roku 275 n. l. boží trest. Glanum napadla horda lúpežných barbarov germánskeho pôvodu Alamanov a takmer celkom ho zničila.

Keďže mesto prišlo o svoje postavenia náboženského centra, neexistoval už dôvod ostať v ňom. Preto sa jeho obyvatelia nanovo usadili asi o kilometer ďalej na území dnešného Saint-Rémy-de-
-Provence. Na miesto, ktoré bolo prvýkrát osídlené už pred takmer tisíc rokmi, sa z okolitých svahov nepretržite zosúvalo bahno a usadeniny. Keďže ich nemal kto odstraňovať, opustené antické mesto sa v priebehu storočí postupne stratilo pod nánosmi a prakticky zmizlo z ľudského povedomia.

Glanum dnes

Záujem o antické dedičstvo Francúzska sa obnovil v renesancii. V Glanume prebiehali vykopávky, pričom sa hľadali najmä zaujímavé sochy a mince. Seriózny archeologický výskum sa začal až v polovici 19. storočia a odvtedy ho prerušili len raz – počas ďalšieho germánskeho vpádu v roku 1941.

Návštevníci sa môžu po starobylom meste prejsť a uvidieť niekoľko pozoruhodných pamiatok. Patrí medzi ne Mauzóleum Iuliovcov, dokonale zachovaný kenotaf (symbolický hrob alebo pamätník na uctenie zomrelého, *pozn. prekl.*) vysoký osemnásť metrov. Postavila ho romanizovaná rodina muža, ktorému udelil občianstvo a meno cisár Augustus. Basreliéf v spodnej časti náhrobku zobrazuje bitky a scény z mytológie. Víťazný oblúk stojí pri severnej mestskej bráne, cez ktorú sa dá prejsť k ostatným pamiatkam pri starobylom fóre.

Tí, čo si spravia výlet do Saint-Rémy, môžu sa ako bonus ubytovať v hoteli postavenom na rímskych kúpeľoch zo 4. storočia. V hoteli kedysi žila rodina najznámejšieho obyvateľa mesta – zlopovestného markíza de Sade.

241 pred n. l. – pribl. 550 n. l.
Falerii Novi
Archeológia bez vykopávok

Pri vykopávkach vo Falerii Novi sa uplatňujú
najmodernejšie metódy archeologického výskumu.

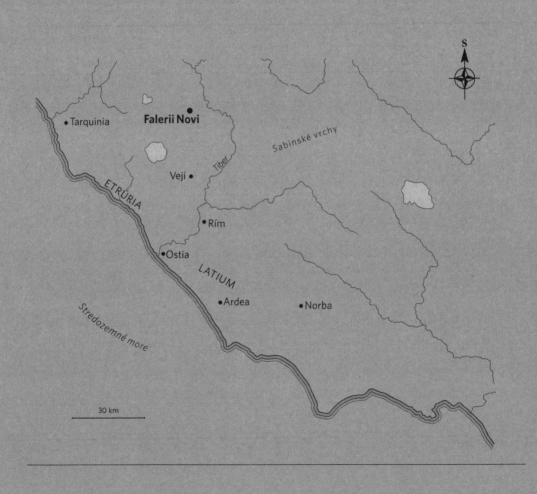

Pôvod mnohých miest zostáva zahalený rúškom tajomstva, ale v prípade Falerii Novi poznáme dokonca presný dátum jeho vzniku. Mesto založili Rimania a tí zvyčajne o podobných udalostiach uvádzajú až prekvapujúco podrobné údaje. (Ak máme veriť ich verzii – ktorú zatiaľ nikto nespochybnil –, Rím založili 21. apríla v roku 753 pred n. l. krátko pred 11. hodinou.)

Falerii Novi (Nové Falerii) sa zrodilo v lete roku 241 pred n. l. v rovnakom čase, keď Falerii Veteres (Staré Falerii) spustlo. Tieto dve udalosti spája krátka, ale krvavá vojna medzi Faliskami a rozpínavými Rimanmi. Latinský kmeň Faliskov žil priamo na hranici Etrúrie a mal blízke väzby s mnohými etruskými spojencami.

Historici Titus Lívius a Polybios zaznamenali, že vo vojne došlo k dvom bitkám a jednému obliehaniu. Prvá bitka sa skončila remízou nevýhodnou pre Rimanov, v druhej už jednoznačne zvíťazili a napokon po trojdňovom obliehaní prinútili svojho protivníka

Jupiterova brána s hlavou božstva vytesanou nad svorníkom klenby. V antike sa za bránou nachádzalo rušné mesto, ktoré dnes pokojne odpočíva pod nánosmi pôdy.

vzdať sa. Rimania zabrali polovicu územia Faliskov, ale ako náhradu im postavili celkom nové mesto. To ležalo na rovine niekoľko kilometrov od nepohodlného skalnatého horského výbežku, na ktorom sa týčilo Falerii Veteres.

Nové mesto

Keď Rimania stavali pre podrobený národ nový domov, nerobili to celkom nezištne. Faliskovia totiž žili len päťdesiat kilometrov severne od samotného Ríma. Keby kmeň nebol býval po zdrvujúcej porážke na bojisku taký demoralizovaný, obliehanie Falerii Veteres by nebolo prebehlo tak hladko. Falerii Novi teda muselo byť oveľa prístupnejšie. Rimania jeho obyvateľov nepochybne chlácholili tým, že za ich obranu zodpovedajú légie, preto nepotrebujú žiadnu pevnosť.

Na prípad, že by sa mesto predsa len muselo brániť, než stihnú doraziť légie, vybudovali Rimania pevné dvojkilometrové hradby vystužené päťdesiatimi vežami. Tento múr bol taký kvalitný, že s minimálnou údržbou prežil vyše 2 000 rokov.

Územie Falerii Novi nebolo celkom neobývané: nachádzal sa na ňom už pomerne významný chrám. Je možné, že v ňom uctievali boha Dionýza (Bakcha), keďže jeden z predmetov objavených na mieste (dnes v parížskom Louvri) súvisí s jeho kultom. Rimania začali metodickou výstavbou ciest a vodovodov. Potom vybudovali tržnicový areál s priľahlým divadlom a za hradbami vyrástol ešte jeden väčší amfiteáter. Len čo všetko pripravili, obyvatelia Falerii Veteres sa presťahovali do svojho nového domova.

Koniec

Falerii Novi sa stalo úplne typickým italským mestom, ktorému sa veľké dejinné udalosti vyhýbali ďalších tisíc rokov. Obyvateľstvo obrábalo okolité polia, obchodovalo v tržnici a užívalo si voľný čas v divadle či v kúpeľoch. Pokým bol Rím na vrchole, prosperovalo aj Falerii Novi a jeho obyvatelia mohli byť viac-menej spokojní. Mesto však celkom záviselo od ríše a s jej úpadkom nadišla aj jeho skaza.

Už sme spomínali, že Falerii Novi náročky postavili na nevýhodnej obrannej pozícii. Keď sa teda priblížili barbarské hordy, obyvateľstvo z mesta radšej odišlo. Vlastne sa presunulo do Falerri Veteres, kde jeho potomkovia žijú dodnes v obci Civita Castellana. Falerri Novi nechali napospas osudu a jeho ruiny sa postupne stratili pod vrstvami zeminy. Vedľa západnej brány vznikol v 11. storočí benediktínsky kláštor a na jeho výstavbu sa použili aj kamene zo zrúcanín mesta. Mocné hradby zase poslúžili ako kvalitný plot pre hospodárstvo, na ktorom sa dnes pestujú figy a obilie.

Znovuobjavenie Falerii Novi

Keďže hradby prežili, ľudia sa poľahky dovtípili, že za nimi kedysi existovalo mesto. V roku 1820 tak prišla na miesto prvá várka amatérskych archeológov a nasledovali ďalšie. To prinútilo Vatikán ako vlastníka časti pozemku vydať nariadenie, ktorým zakázal predmety objavené vo Falerii Novi vyvážať a vystavovať v iných častiach Európy. Šlo o vôbec prvý zákon o kultúrnom majetku, ktorým sa odvtedy inšpirovali mnohé iné krajiny.

V nedávnej minulosti sa vo Falerii Novi začali aplikovať najmodernejšie archeologické postupy. Jeden z problémov starovekých ruín vyplýva z toho, že si po odhalení vyžadujú náročnú údržbu, ináč sa ich stav zhoršuje. Vzhľadom na to, že konzervácia často nepatrí medzi hlavné priority, pretože správcovia spravidla čelia iným

Busta ženy (azda Bakchovej manželky Ariadny) v šľachtickom odeve. Sochu, ktorá sa našla v roku 1829 vo Falerii Novi, dnes vystavujú vo francúzskom Louvri.

urgentným finančným požiadavkám, mnohým starobylým ruinám by bolo viac prospelo, keby ich vôbec neboli odkryli.

Nálezisko Falerii Novi je rovné a nestoja na ňom žiadne moderné budovy, čím sa bádateľom naskytla výborná príležitosť vyskúšať neinvazívne archeologické metódy. Najstaršou z nich je letecká fotografia. Pozorovanie lokality zhora za priaznivých svetelných podmienok môže odhaliť hrbole a priehlbiny, teda obrysy zasypaných ciest či budov.

Britská škola v Ríme (The British School at Rome) doplnila počiatočný letecký prieskum skenmi celého náleziska lidarom (laserovým rádiolokátorom) a o niekoľko rokov nato aj magnetometrom (táto technológia sa pri vykopávkach na talianskej pôde použila vôbec prvý raz). Dnes je miesto dôkladne zmapované a polohu ciest či hlavných budov sa podarilo určiť aj bez narušenia spomínaného obilného poľa.

Nedávno lokalitu nanovo nasnímali výskumníci z Cambridgeskej a Gentskej univerzity, tentoraz pomocou georadaru. Táto metóda umožnila archeológom zmapovať rozličné hĺbky a preskúmať tak jednotlivé vrstvy dejín mesta. Priekopnícke technológie využité vo Falerri Novi majú pre archeológiu veľký význam. Umožňujú skúmať zrúcaniny bez fyzických zásahov, a to dokonca aj

v prípadoch, keď sa nad nimi týčia moderné mestá (plné obyvateľov, ktorí nechápu, prečo im chcú archeológovia rozkopať pivnicu).

Falerii Novi dnes

Väčšina turistov, ktorí chcú vidieť kus histórie, si nevyberie relax pri obilnom poli. Taliansko skutočne ponúka mnoho iných archeologických lokalít, ktoré človeku vyrazia dych už na prvý pohľad. Netreba však zabúdať, že vo Falerii Novi stoja za preskúmanie hradby a predovšetkým dve pozoruhodne zachované brány. Jedna sa dnes volá Volia a druhá Jupiterova – podľa basreliéfov nad nimi. (Plastika Jupitera je kópia originálu, ktorý je dnes bezpečne uložený v múzeu.)

Váza zo 4. storočia pred n. l., produkt malého výrobného odvetvia vo Falerii Veteres, ktoré zásobovalo vázami domácnosti v údolí rieky Tiber. Na keramike je zobrazená populárna scéna italských sviatočných osláv: bakchantky (menády) sa zabávajú so satyrmi.

630 pred n. l. – 643 n. l.
Kyréna
Grécke mesto na egyptských hraniciach

*Vládla mu Kleopatra Selena, dcéra Marca Antonia
a egyptskej vládkyne Kleopatry VII.*

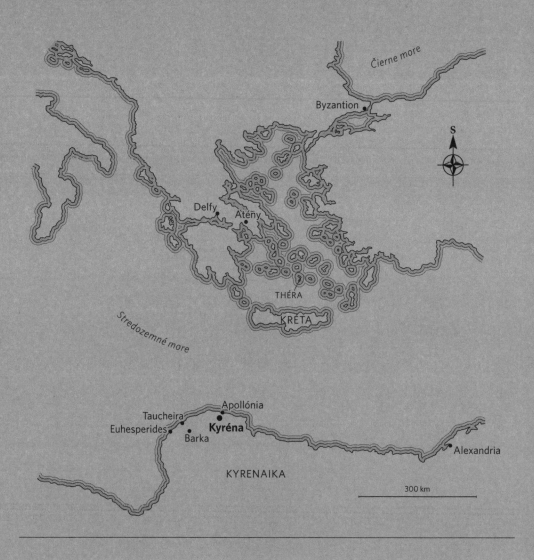

Okolo roku 700 pred n. l. sa rodák z gréckeho ostrova Théra radil s delfskou vešticou. Slávna Pýtia – jasnozrivá Apolónova kňažka – mu odporúčala urýchlene „založiť mesto v Líbyi". Jej žiadosť však nepadla na úrodnú pôdu, informuje nás dejepisec Hérodotos (*Dejiny* 4, 150n), a to najmä preto, že na Thére nikto netušil, kde sa Líbya nachádza.

Sedemročné sucho však prinútilo Grékov vziať rozum do hrsti a skupina kolonistov vyrazila v pravom čase preskúmať krajinu na juh. Pôvodná helenistická osada v Líbyi sčasti pre napäté vzťahy s domácimi neprinášala očakávané ovocie, a tak sa napokon (tradične sa uvádza, že v roku 630 pred n. l.) Gréci po dohode s pôvodnými obyvateľmi usadili v bujnom údolí hornatej oblasti, ktorú dnes poznáme ako Džabal Achdar (Zelené hory). Osada ležala približne štrnásť kilometrov od mora, čo bol v období, keď veľké pirátske flotily plienili mestá na pobreží, vcelku bežný jav.

Tak ako mal Rím (založený vo vnútrozemí čiastočne z rovnakého dôvodu) Ostiu a Atény Pireus, aj nové sídlo v Afrike disponovalo svojím prístavom. Volal sa Apollónia na počesť boha, ktorý doviedol osadníkov do cieľa. Vnútrozemské mesto sa pravdepodobne nazývalo po prameni Keres, ktorý Gréci okamžite zasvätili Apolónovi a využívali ho ako hlavný zdroj vody pre obec. Neskorší mytológovia obohatili Apolónov príbeh o milenku Kyrénu a rozhodli, že mesto sa volá po nej.

Bronzová plastika odliata približne pred 2 300 rokmi stvárňuje zrejme mladého Kyrénčana. Črty tváre, fúzy a briadka naznačujú berberský pôvod.

Úspešné mesto

„Mesto prekvitalo vďaka úrodnej pôde a vyberaným plodinám. Oblasť je navyše vhodná na chov koní," vysvetľoval rímsky zemepisec Strabón (*Geografia* 17, 3, 21) prudký rozmach Kyrény. Za kráľa Batta III. (Šťastného) Gréci jej okolie opäť osídľovali, zväčša na úkor pôvodných obyvateľov. Ku Kyréne sa pridali tri ďalšie kolónie z pobrežia: Euhesperides (dnes Bengázi), Taucheira a Barka. Spolu s prístavnou Apollóniou sa skupine v staroveku hovorilo „kyrénska Pentapolitana" (Pentapolis) – päť miest z kyrénskej oblasti (Kyrenaiky).

Medzi dôvody rýchleho rozvoja regiónu patrilo aj objavenie a pestovanie rastliny silfium (po grécky *silfion, pozn. prekl.*). Predstavovala prírodný a pomerne bezpečný prostriedok na vyvolanie potratu, po čom bol v starovekom svete dostatočný

Mozaiková dlažba domu Jasona Magna, kyrénskeho kňaza Apolónovho chrámu. Ženské postavy v pozadí majú na sebe peplos, tradičné rúcho z ťažkej ľanovej tkaniny.

dopyt, ale rastlina mala aj priaznivé zdravotné účinky a ako chutnú zeleninu ju vyhľadávali tiež gurmáni. Napriek snahám o pestovanie na iných miestach silfium tvrdohlavo odmietalo rásť mimo svojej domácej pôdy. Vývoz rastliny dopomohol k úspechu mesta tak výrazne, že obrázok silfia v tvare srdca sa stal typickým znakom kyrénskych mincí, podobne ako sova charakterizovala aténske platidlá.

O úspechu Kyrény svedčia aj pozostatky obrovského Diovho chrámu, ktorý stál na severe mesta neďaleko inej grandióznej svätyne venovanej ochrancovi mesta bohovi Apolónovi.

Od 3. storočia pred n. l. mala Kyréna povesť centra učenosti a filozofie. Miestnu filozofickú školu založil Sokratov študent Aristippos. Kyrénski mudrci učili, že hľadať pôžitok spoločensky prijateľnými spôsobmi sa považuje za najvyššie dobro. Iní, praktickejšie zameraní vzdelanci založili architektonické či lekárske školy.

Helenistická Kyréna

Rastúcu moc a vplyv Kyrenaiky si, prirodzene, všimol susedný Egypt. Našťastie pre mestá Pentapolitany mali Egypťania dostatok svojich problémov s Peržanmi, národom, s ktorým opatrní Kyrénčania chceli radšej zostať zadobre. Mesto si tak udržalo vratkú nezávislosť až do príchodu vojsk Alexandra Veľkého.

Velenia v Kyréne sa ujal generál Ofelas, oficiálne v mene svojich macedónskych pánov. Ofelas si však rýchlo uvedomil, že chaotická povaha Alexandrovho ťaženia mu umožňuje takmer úplnú autonómiu, ktorú jeho nástupcovia povýšili na nezávislosť. V roku 276 pred n. l. sa istý Magas vyhlásil za kráľa Kyrenaiky a trúfol si dokonca na (neúspešnú) inváziu do Egypta. Po nej Kyréna udržiavala s Ptolemaiovcami neľahký a nestabilný mier, pričom egyptskí panovníci mesto postupne ovládli.

Medzi pestré postavy helenistického obdobia Kyrény patrí aj Berenika II. Vydala sa za macedónskeho šľachtica Démétria Pekného, ktorý bol taký príťažlivý, že Berenikina matka si s ním začala (Démétrios bol jej strýko, *pozn. odb. red.*). Berenika, ktorá sa napríklad nebála tiahnuť do boja so svojím otcom (vyššie spomenutým Magasom, *pozn. odb. red.*), ľúbostnú aféru rázne ukončila. Manžela dala zavraždiť v matkinej komnate, zatiaľ čo ona sama sa od dverí prizerala práci zabijakov a kritizovala ju. Berenika sa okrem iného stala súčasťou víťaznej družiny v pretekoch vozov na olympijských hrách (podľa jednej pochybnej správy dokonca sama jazdila) a neskôr sa vydala za egyptského vládcu Ptolemaia III. Euergetésa.

V období rozkvetu mesta medzi kyrénskymi učencami vynikal matematik a Archimedov priateľ Eratosthenés, ktorý pracoval aj v Alexandrijskej knižnici. Dnes je najznámejší svojím výpočtom obvodu zeme, ktorý odhadol na 250 000 stadií. V závislosti od toho, ktorú veľkosť stadia aplikujeme (v staroveku sa používali rôzne), Eratosthenés sa pomýlil o päť až pätnásť percent. Nepresný výsledok spôsobilo aj to, že Zem nevyzerá ako dokonalá guľa, lebo na rovníku je vypuklá.

Rímska Kyréna

V roku 96 pred n. l. posledný kyrénsky kráľ Ptolemaios Apion zomrel bez dediča a svoje kráľovstvo odkázal Rímu. (Takýto postup sa využíval na ochranu neistého kráľa pred vraždou samozvanými nástupcami.) Počas rímskych občianskych vojen, ktoré nasledovali po vzbure a zavraždení Iulia Caesara, sa Kyréna opäť tešila krátkej nezávislosti za vlády Kleopatry Seleny (tá však bola v tom čase len maloleté dieťa, *pozn. odb. red.*), dcéry Marca Antonia a egyptskej panovníčky Kleopatry VII.

Za včasného cisárstva už Kyréna strácala lesk, keďže v dôsledku zmien podnebia a nadmernej poľnohospodárskej činnosti silfium vyhynulo. (Jednu z posledných rastlín dostal Nero ako kuriozitu.) Veľká židovská komunita z mesta sa zapojila do väčších protirímskych povstaní v rokoch 70 a 117 n. l. Nepokoje v Kyréne, ktoré Rimania neľútostne potlačili, si vyžiadali množstvo ľudských životov. Z Biblie sa zase dozvedáme o Židovi Šimonovi z Kyrény (z Cyrény v katolíckom preklade, *pozn. prekl.),* ktorého počas Veľkej noci v Jeruzaleme prinútili pomôcť Ježišovi niesť kríž na Golgotu.

Bez výhody v podobe silfia nedokázala Kyréna konkurovať iným obchodným prístavom ako Kartágo či Alexandria a začala ekonomicky upadať. V 3. storočí ju zasiahla séria drvivých zemetrasení, po ktorých demoralizované obyvateľstvo nemalo motiváciu opravovať mesto. V čase neskorej Rímskej ríše opisuje historik Ammianus Marcellinus Kyrénu ako opustenú.

Zvyšky kedysi prekvitajúceho mesta prežili do roku 643 n. l., keď na ne počas chaotického obdobia arabských výbojov zaútočili púštni nomádi. Potom Kyréna definitívne spustla.

Apolón z Kyrény. Sochu s typickou citarovou lýrou a hadom zrekonštruovali približne zo 120 kusov roztrúsených okolo pôvodného piedestálu. Jedna ruka stále chýba.

Kyréna dnes

Ruiny starovekého mesta dnes čiastočne zakrýva súčasná obec Šahhát. Väčšina z toho, čo prežilo, sa nachádza v zlom stave v dôsledku opakovaných návštev zlodejov a archeológov v 19. storočí (ak sa v tom čase vôbec niečím líšili). Zachovanosti starobylej Kyrény nepomohla ani občianska vojna v Líbyi, ktorá v čase písania tejto knihy ešte stále nepovedala posledné slovo.

Tak či onak, medzi zrúcaninami sa podarilo objaviť niekoľko nádherných antických sôch a s výnimkou posledných desaťročí pokročili aj vykopávky. UNESCO pridalo značne ohrozenú lokalitu na Zoznam svetového dedičstva. Len čo to situácia dovolí, do Kyrény sa bezpochyby vrátia bádatelia a mesto, ktoré kedysi patrilo medzi najbohatšie v Stredomorí, nám prezradí ďalšie svoje tajomstvá.

pribl. 850 pred n. l. – 700 n. l.
Tipasa
Kozmopolitná obchodná križovatka

*Na mólach sa vŕšili náklady olív a slonoviny
či klietky s exotickými zvieratami.*

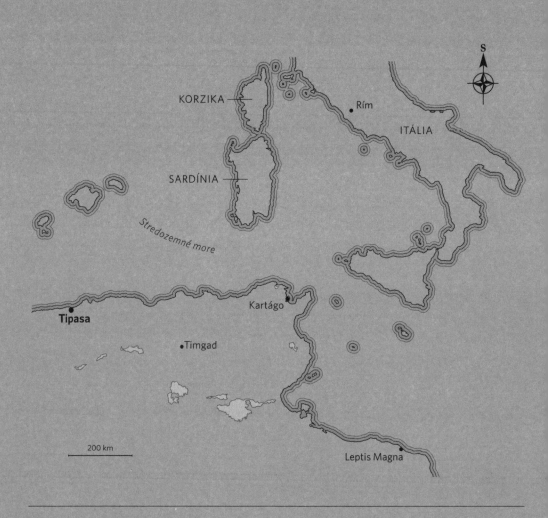

KORZIKA

Rím

ITÁLIA

SARDÍNIA

Stredozemné more

Kartágo

Tipasa

Timgad

Leptis Magna

200 km

Krása, ktorá pred 3 000 rokmi pritiahla osadníkov na miesto budúcej Tipasy, človeku vyrazí dych aj dnes. Medzi azúrovým morom a zvlnenými kopcami pokrytými borovicami leží zátoka so zlatistými plážami. Prví obyvatelia tam rýchlo vysadili olivové sady, ktoré odvtedy patria medzi poznávacie znamenia oblasti.

Tipasa pôvodne slúžila ako obchodná stanica. Jej výhodná poloha na pobreží dnešného Alžírska priala kupeckým lodiam, ktoré hnali prevládajúce vetry do prístavov na Sicílii, v Hispánii a v Itálii. Tipasa predstavovala pohodlný východiskový bod aj pre tých, čo cestovali do bohatého vnútrozemského kráľovstva Mauretánie. Poloha na starobylom obchodnom uzle Stredomoria dala mestu meno, ktoré znamená „križovatka".

Fenická a helenistická Tipasa

Ako prví pokladali Tipasu za svoj domov Feničania – ten istý národ, ktorý východnejšie na pobreží založil Kartágo. (Relatívne nedávne založenie Kartága sa odzrkadľuje aj v jeho mene, ktoré znamená

Výhľad na more z Baziliky svätej Salsy. Salsa (meno svätice aj názov tanca pochádzajú z latinského slova pre omáčku) bolo mladé dievča, ktoré umrelo mučeníckou smrťou za to, že zničilo jeden z mestských pohanských pomníkov.

Príťažlivá lokalita na pobreží patrila medzi hlavné devízy Tipasy, ale vysoké prílivy a búrky dnes môžu jej osud nadobro spečatiť.

„Nové mesto".) Len čo na útese s výhľadom na kryté kotvisko zátoky vyrástli domy z miestneho kameňa vo farbe medu, Tipasa začala prekvitať. Slúžila nielen ako zastávka pre cestovateľov z celého Stredomoria, ale rýchlo si ju obľúbili aj miestni kupci, ktorí hľadali možnosti na ponúknutie lokálnych výrobkov širšiemu okruhu zákazníkov.

Keďže Tipasa má jedno z najstarších a najrozľahlejších fenických pohrebísk v západnom Stredomorí, o jej prvých obyvateľoch sa dozvedáme z ich hrobiek. Námorníci a obchodníci, pochovaní v mnohotvárnych hroboch, absolvovali pestré pohrebné rituály, čo dokazuje vplyvy z Grécka, Itálie, Ibérie a dokonca aj veľkých civilizácií Mezopotámie či miestnej severoafrickej kultúry.

Keď v 30. rokoch 4. storočia pred n. l. ríša Alexandra Veľkého pohltila fenické mestá Levanty, Tipasa sa dostala pod vplyv helenistických osadníkov. Tí vniesli do pôvodne semitského obchodného sídla grécke prvky. Silný multikultúrny nádych mesta vidno napríklad aj na veľmi pôsobivej hrobke jednej z posledných ptolemaiovských kráľovien Kleopatry Seleny, dcéry Kleopatry VII. a rímskeho triumvira Marca Antonia.

V roku 20 pred n. l. sa Kleopatra Selena vydala za numídskeho kráľa Jubu II., aby spečatila diplomatické puto medzi Egyptom a predmetnou časťou severnej Afriky (už však nie Numídie, ktorá sa medzičasom stala súčasťou Rímskej ríše, ale západnejšie ležia-cej Mauretánie, ktorej ako vazalskému štátu Ríma kráľovský pár úspešne vládol na prelome letopočtov, *pozn. odb. red.*). Z toho, že kráľovský pár sa dal pochovať v Tipase, sa dá usudzovať, že v meste strávil veľa času. Je zaujímavé, že mauzóleum sa nepo-dobá len na ostatné pohrebné stavby v starovekej Numídii, ale aj na mauzóleum, ktoré pre seba navrhol cisár Augustus v Ríme. Keďže vieme, že Juba v Ríme Augusta – ktorý po dobytí Egypta vzal so sebou Kleopatru Selenu ako zajatkyňu – navštívil, nie je celkom vylúčené, že dvojica panovníkov spoločne rozoberala svoje osobné posmrtné plány.

Tipaská hrobka je výnimočná aj preto, že táto 30-metrová kuželovitá stavba stojí na vrchole kopca približne 250 metrov nad plážou. Budova už 2 000 rokov zvetráva, ale zodpovednosť za jej súčasný chatrný stav nesú predovšetkým ľudia. Drancovatelia s vidinou rýchleho zbohatnutia vnikli dnu, a keď odniesli všetko cenné (vrátane mramorových stĺpov, ktoré obkolesovali podlahu), stavba zrejme začala slúžiť ako obytný dom. Ak tam niekedy odpočívali Juba s Kleopatrou, ich pozostatky už odstránili, aby uvoľnili priestor živým. Hrobka dnes zíva prázdnotou.

Nasledujúca dvojstrana
Pôsobivé zvyšky kráľovského mauzólea v Tipase, ktoré postavili pre kráľa Jubu, priateľa cisára Augusta, a Kleopatru Selenu, dcéru slávnej egyptskej vládkyne. Nie je zrejmé, či mala stavba slúžiť ako hrobka, alebo ako pamätník.

Rímska Tipasa

Keď rozpínavá Rímska ríša zabrala severoafrické pobrežie, Tipasa získala ďalší kamienok do svojej kozmopolitnej mozaiky. V meste vyrástli typické rímske stavby ako kúpele, bazilika či amfiteáter na verejné pobavenie obyvateľov, ktorých počet dosahoval približne 20 000. Mesto zostalo dôležitou stanicou na medzinárodných námorných obchodných cestách, ale Rimania z neho spravili aj strategický uzol cestnej siete, ktorú budovali v danej časti severnej Afriky.

Cesty uľahčovali presun miestneho tovaru na trhy. Za Rimanov sa v okolí mesta vo veľkom obrábala pôda a stavali vily. Kým prosperovala Rímska ríša, prosperovalo aj mesto a svoj vrchol dosiahlo v 2. a 3. storočí n. l. Na ochranu dôležitého obchodného centra pred berberskými nájazdmi vznikli dvojkilometrové hradby.

V tomto období bola Tipasa oficiálne rímskou kolóniou. Obyvatelia Colonia Aelia Augusta Tipasensium – ako znel celý názov mesta, ktorý sa ujal v strednom antoninovskom období (117 – 161 n. l.) – boli rímskymi občanmi s plnými právami. V tom čase nástupca cisára Hadriána Antoninus Pius nariadil tipaské hradby ešte zveľadiť.

V prístavisku na pláži sa to hemžilo obchodníkmi. Na mólach sa vŕšili náklady olív a slonoviny či klietky s exotickými zvieratami. Aj trhovisko vo fóre praskalo vo švoch pod náporom tiav, oslov a poľnohospodárskych zvierat. Na mnohé z kôz či kureniec si brúsili zuby hladní námorníci. Tí pochádzali zo severnej Afriky, z Grécka, zo Sýrie, z Galie či z Itálie. Domové a vilové komplexy sa tiahli pozdĺž brehov zátoky až k svahom hory Chenoua, ktorá dominovala terénu na západnej strane. Mesto obohnané hradbami ležalo prevažne na centrálnom útese a jeho plocha zaberala viac než sedemdesiat hektárov.

Neskoršia Tipasa

Novšia vrstva stavieb signalizuje rozširovanie kresťanstva v Rímskej ríši (prvý kresťanský nápis pochádza z roku 238 n. l.). Našla sa veľká bazilika s mozaikovými dlažbami. Z budovy okrem nich neprežilo takmer nič iné, pretože ako sa pri rímskych stavbách stalo zvykom, jej zvyšky neskôr využívali miestni obyvatelia ako stavebný materiál. Kresťanská Tipasa sa pýšila svätou Salsou, ktorá umrela mučeníckou smrťou. Mešťania ju zahubili, pretože protestovala proti obradom na počesť miestneho boha a jeho sochu zvrhla do mora.

Len čo sa Pax Romana začal rúcať, hradby Tipasy preverili vzbúrenci, ktorých sily dobyli niekoľko susedných miest vrátane Icosia (dnešného Alžíra), vzdialeného sedemdesiat kilometrov. Rimania využívali Tipasu ako svoju základňu pri potlačovaní povstania, ale o pol storočia neskôr, v roku 430 n. l., barbarský kmeň Vandalov mesto obsadil a jeho zlatý vek rázne ukončil.

Byzantínci dobyli väčšinu severnej Afriky späť, Tipase však nevenovali prílišnú pozornosť. Niekoľko osamotených byzantských stavieb onedlho postihol rovnaký osud ako zvyšok mesta – premenili sa na spustnuté ruiny, ktoré postupne pochoval piesok a trosky. V čase moslimských výbojov v stredoveku si už na Tipasu sotvakto spomenul.

Bazilika v Tipase sa využívala na obchodné, administratívne a súdne účely. Práve súdnictvo možno inšpirovalo dlažobnú „Mozaiku zajatcov" z 2. storočia n. l. Identita deviatich postáv rozmiestnených okolo ústredného obrazu zostáva záhadou.

Tipasa dnes

V roku 1850 Tipasa znova ožila ako dedina, ktorá sa postupne pretransformovala na veľké mesto. Mnohé zo starovekých ruín chránila celé stáročia vrstva trosiek, ktorá dosahovala miestami až štyri metre, ale zmeny morskej hladiny niektoré pamiatky v blízkosti pôvodných brehov poškodili. Zrúcaninám neprospievajú ani prudké búrky, ktoré patria medzi prejavy čoraz neprajnejšieho podnebia.

V prvých rokoch opätovného osídlenia Tipasy zasiahli nové stavby neželaným spôsobom do starovekých ruín. Situáciu ešte zhoršili prví západní turisti, ktorí zneužili neobmedzený prístup do lokality a brali všetko, čo im prišlo pod ruky.

Ako mnohé znovuobjavené mestá, aj Tipasa dnes patrí na Zoznam svetového dedičstva UNESCO. To, čo prežilo, dnes chránia dva archeologické parky. Bohužiaľ, bude nesmierne náročné zadržať čoraz deštruktívnejšie morské vlny. Atraktívna poloha na pobreží, ktorá pred 3 000 rokmi viedla k založeniu Tipasy, sa napokon môže stať mestu osudnou.

pribl. 500 pred n. l. – 500 n. l.
Baiae
Mesto hriechu

Skazené Báje... kde na čisté devy len osídla číhajú všade.
Propertius, *Ľúbostné elégie* 1,11

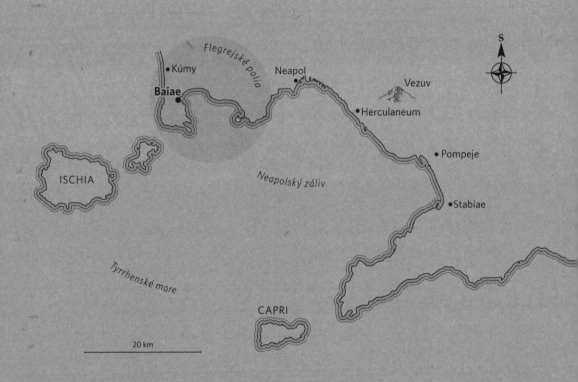

Básnik Propertius na rozdiel od mnohých Rimanov zrejme Baiae príliš neobľuboval. Rezidenciu v meste mali Caesar, Pompeius, Marius a takmer každý, kto v neskorej republike niečo znamenal. Ako podotkol rímsky satirik Martialis vo svojich *Epigramoch* (1, 62), bolo to jedno z tých miest, kam žena príde ako Penelopa (povestne cnostná Odyseova manželka) a odíde ako Helena (cudzoložná Menelaova manželka, ktorá utiekla so svojím trójskym milencom).

Baiae sa údajne volalo po kormidelníkovi Odyseovej lode Baiovi, ktorý sa utopil v neďalekom zálive. Lokalita má však ešte hlbšie

Nad návštevníkmi Sosandriných kúpeľov bdel Merkúr. Komplex podstúpil počas niekoľkých storočí prevádzky viacero renovácií. Väčšina starostlivo zhotovených sôch a mozaík pochádza z 2. storočia n. l., teda z obdobia približne 250 rokov po založení kúpeľov.

mytologické korene. Leží totiž navrchu supervulkánu Campi Flegrei, ktorý stále buble a ohrozuje obyvateľov Neapola. V staroveku sa táto oblasť volala Flegrejské polia a sopečné dunenie sa pokladalo za zvuky prastarých oblúd, ktoré zostali uväznené v podzemí po veľkolepej bitke olympských bohov.

Začiatky

Sopečnou aktivitou vzniklo v zálive viacero termálnych prameňov. Prírodnú sírnatú vodu nasmerovali miestni obyvatelia do kúpeľov a bazénov, aby ju mohli využívať návštevníci. V tom okamihu sa mesto, ktoré začalo v roku 500 pred n. l. ako skromná rybárska osada a neskôr fungovalo ako prístav neďalekého mesta Kúmy, stalo jedným z prvých rekreačných stredísk na svete. (Prvenstvo zrejme patrí ostrovu Kanóbos v ptolemaiovskom Egypte.)

V 70. rokoch 2. storočia pred n. l. poznali centrum pod menom Aquae Cumanae (Kúmske vody) a nikdy nezískalo štatút plnohodnotného mesta. Baiae sa vždy pokladalo za administratívnu súčasť Kúm. Spočiatku sa pri jeho návšteve vyzdvihovala skôr prospešnosť pre telo než škodlivosť pre dušu. Dokonca aj známy kronikár rímskej dekadencie básnik Ovídius ospevoval tamojšie vody vo svojom sprievodcovi zvádzaním *Ars Amatoria* (*Umenie milovať* 1, 8): „Chceš poznať prírodný kúpeľ, čo skrytý je pod dvoma brehmi, pramene síry, čo večne klokocú v oblaku pár?"

K zvádzaniu dochádzalo v Baiae na dennom poriadku, preto aj básnik Propertius naliehavo písal svojej milej:

> *Zanechaj, drahá, čo najskôr, jak môžeš, tie skazené Báje,*
> *rozlúčkou boli tie brehy pre mnohý milencov pár,*
> *brehy, kde na čisté devy len osídla číhajú všade.*
> *Prekliate buďte, ó, Báje, vernej vy lúbosti zmar.*
> (*Ľúbostné elégie* 1, 11)

Baiae, vzdialené približne 150 kilometrov od Ríma, predstavovalo vhodné miesto pre tých, ktorí z toho či z oného dôvodu potrebovali načas odísť z veľkého mesta. Je známe, že niektoré mladé Rimanky strávili v kúpeľoch deväť mesiacov, po ktorých sa vrátili domov o niečo chudšie, ale zato s nepoškvrnenou povesťou.

Do Baiae chodili najmä boháči. Mnohí si tam postavili prepychové domy, ktoré čneli nad vodami zálivu alebo na kopcoch s výhľadom na mesto. (V jednej takej vyvýšenej rezidencii sa zdržiaval aj Iulius Caesar a o približne dvesto rokov neskôr tam naposledy vydýchol cisár Hadrián.) Dnešní archeológovia, ktorí skúmajú zvyšky stavieb na brehu, si všimli, že rezidencie boli navrhnuté tak, aby ich z mora videli návštevníci plaviaci sa na výletných lodiach.

Ríšske Baiae

V ríšskom období reputácia Baiae ešte stúpla (alebo klesla, v závislosti od uhla pohľadu). Odpor Nerónovho poradcu Senecu proti mestečku neodradil cisára od zámeru zriadiť si tam luxusný palác. Práve v ňom Nero zabával matku na slávnostnej večeri, po ktorej ju poslal domov v člne. Ten sa mal potopiť a matka mala umrieť. Matka síce doplávala na breh, ale na ňom aj tak zahynula mečom. Šlo o politiku.

Astrológ Thrasyllos raz poznamenal, že Caligula „sa vraj práve tak nestane cisárom, ako neprejde na koni cez Bájsky záliv". Keď sa Caligula naozaj stal cisárom, zhromaždil výletné člny, vytvoril z nich päťkilometrový pontónový most, vyložil ho doskami a skutočne prešiel vozom naprieč zálivom (Suetonius, *Životopisy rímskych cisárov* 4, 19).

V 2. storočí vznikli v stredisku najpôsobivejšie stavby vrátane „chrámov" Venuše a Diany. Zrúcaniny týchto budov dnes môžu navštíviť turisti. Ich dôkladnejšie štúdium však preukázalo, že v skutočnosti šlo o prepracované kúpeľné komplexy. Zdá sa, že v jednej z budov sa dokonca nachádzalo predpotopné kasíno.

Ako sa ríša pokresťančovala a vládla v nej čoraz prísnejšia morálka, popularita Baiae klesala a mesto začalo upadať. Medzi jeho posledných návštevníkov patrili Vizigóti a Vandali, ktorí ešte naposledy zakúsili slasti civilizácie, než sami zničili jej základy. Čo nezdevastovali barbari, zostalo moslimským nájazdníkom v 8. storočí, no posledný klinec do rakvy Baiae nezatĺkli ľudia, ale komáre roznášajúce maláriu. Tí ľuďom v oblasti strpčovali život natoľko, že sa v roku 1500 celkom vyprázdnila.

Baiae dnes

Nie všetko v Baiae podľahlo skaze. Vyše polovice mesta sa zachovalo vďaka tým istým sopečným procesom, ktoré pôvodne vytvorili obľúbené termálne pramene. V neskorom ríšskom období aj v ranom stredoveku podzemná vulkanická činnosť spôsobila posuny pobrežia o šesť až desať metrov, v dôsledku ktorých sa ruiny zabalzamovali v podvodných usadeninách.

Mesto dnes navštevuje špecifický okruh turistov. Profesionálni aj amatérski podvodní archeológovia prichádzajú do Baiae pokochať sa

Iróniou osudu dlážku, ktorá dnes leží pod vodou, zdobí mozaika s rybami.

sochami, výtvormi z mramoru a mozaikami, ktoré prežili na morskom dne. Po odstránení ochranných nánosov je však časovo aj technicky veľmi náročné zabrániť morským živočíchom, aby sa v kamenných ruinách nezabývali a definitívne ich nezničili.

Niektoré diela, napríklad sochu Claudia z nymfea (zo svätyne nýmf), z podvodného archeologického parku radšej presunuli. Tieto aj iné artefakty z „rímskeho Las Vegas" môžete vidieť v neďalekom Parco Archeologico delle Terme di Baia bez toho, aby ste si zamokrili šaty.

asi 300 pred n. l. – 1100 n. l.
Volubilis
Na okraji ríše

Napriek svojej odľahlej polohe v pohraničí oplýval Volubilis bohatstvom a nápaditosťou.

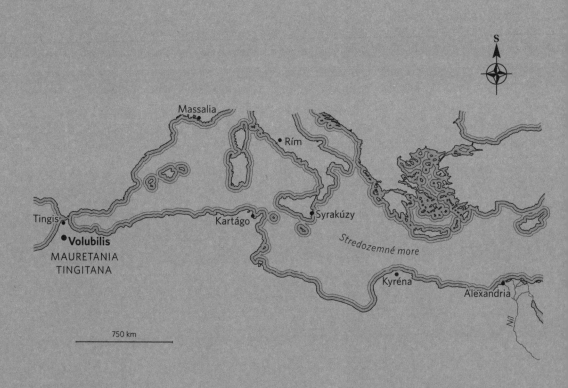

Rímska civilizácia sa nešírila len v rímskych provinciách, ale aj v priľahlých oblastiach. Niektoré miesta existovali v hraničnom priestore, kde patrili a zároveň nepatrili Rímu, inými slovami – tvorili súčasť ríše a zároveň zostávali súčasťou krajín za jej hranicami. Medzi tieto mestá sa zaradil aj Volubilis v severnej Afrike.

Ležal na úpätí pohoria Ríf v severovýchodnej Mauretánii a mal oveľa bližšie k berberským národom žijúcim za pohorím Atlas než k Latinom na Apeninskom polostrove. Hoci úrodné roviny pod horou Džabal Zerhoun predstavovali určité lákadlo, Rimania by sa zrejme neboli rozhodli vybudovať veľké mesto tak ďaleko od svojho zázemia, keby tam už predtým nebolo existovalo nejaké sídlo.

Rím v Afrike. Hoci z baziliky vo Volubilise zostali už len ruiny, svedčia o bohatstve strateného mesta a nesmiernom kultúrnom dosahu Rímskej ríše.

Začiatky

V lokalite sa vyskytovali rozličné druhy osídlenia odnepamäti (nálezy siahajú až do neolitu), ale Volubilis sa formálne stal mestom až v 3. storočí pred n. l. Predtým slúžil ako kartáginská obchodná stanica na kontakt s nepoddajnými berberskými kmeňmi z vnútrozemia. Medzi neveľký počet zachovaných pamiatok z tohto ranného obdobia patrí chrám zasvätený kartáginskému bohovi Bálovi (Baalovi).

Ako súčasť Kartáginskej ríše Volubilis nepriamo ovplyvnili púnske vojny, hoci dobyvačné légie Scipia Africana nikdy neprenikli tak ďaleko na juh. Keď sa v roku 146 pred n. l. stala Mauretánia vazalom Ríma, Volubilis automaticky prešiel pod rímsku nadvládu. Napriek tomu život mesta formovala prevažne rímska, nie grécka kultúra.

Filhelén (milovník gréckej kultúry, *pozn. prekl.*) a mauretánsky kráľ Juba II. (umrel pravdepodobne v roku 23 n. l.) mal od „barbarského" panovníka tak ďaleko, ako sa len dalo. Priatelil sa s Iuliom Caesarom a jeho dedičom Oktaviánom, hovoril plynule po latinsky aj po grécky a oženil sa s Kleopatrou Selenou, dcérou Marca Antonia a egyptskej panovníčky Kleopatry VII. Vo svojom kráľovstve podporoval umenie a vedu. Sám bol v podstate učencom, keďže vydal rozpravu o rímskej archeológii. Za kráľa Jubu prekvital Volubilis do tej miery, že podľa niektorých historikov slúžil ako druhé hlavné mesto kráľovstva. V rezidenciách z tohto obdobia sa našli bohaté mozaiky, ktoré zvyčajne zachytávali výjavy z gréckej mytológie.

Rímsky Volubilis

Po Jubovej smrti Rimania jeho kráľovstvo formálne anektovali a spravili z neho rímsku provinciu Mauretaniu Tingitanu (nie hneď, po Jubovi ešte vládol jeho syn Ptolemaios, až kým ho dal pri návšteve Ríma v roku 40 n. l. popraviť Caligula, *pozn. odb. red.*). Hoci ochranu rímskych légií mnohí obyvatelia Volubilisu určite privítali, zmena zriadenia ich životy pravdepodobne výrazne neovplyvnila. Berberské kmene totiž ostro vystupovali proti rímskym snahám posúvať hranice ríše ďalej na juh. Napriek svojmu bohatstvu a pokrokovosti zostal Volubilis vždy pohraničným mestom.

Z rozličných nápisov môžeme usudzovať, že jeho populáciu tvorili prevažne latinizovaní Berberi, zvyšky kartáginského etnika a malá židovská komunita. Mesto sa však okamžite stalo súčasťou všadeprítomného rímskeho ekonomického systému. Rovina pri meste sa ideálne hodila na pestovanie pšenice a olív – plodín, ktorých sa mesto Rím nevedelo nasýtiť. Dôkazy o hojnom spracúvaní

Sošky akrobatov z Volubilisu. Tieto pôvabné výtvory sa dnes nachádzajú v archeologickom múzeu v Rabate.

olív sa nachádzajú po celom Volubilise a pozostatky olejových lisov predstavujú najbežnejší priemyselný artefakt v tamojších ruinách.

Medzi úspešné obchodné odvetvia patrilo aj chytanie a vývoz exotickej zveri do rímskych arén. Tieto aktivity na jednej strane nesmierne prospievali volubiliskej ekonomike, na druhej strane ohrozovali ekológiu a priamo prispeli k vyhynutiu medveďa atlaského či leva berberského (vo voľnej prírode – v zoologických záhradách stále žije okolo sto jedincov leva berberského, *pozn. prekl.*). Aby sa získalo miesto na pšenicu a olivy, klčovali sa miestne lesy. Tento proces prispieval k rastúcej dezertifikácii a odlesňovanie oblasti tak naberalo čoraz väčšiu intenzitu.

Volubilis na vrchole

Napriek tomu Volubilis prvé dve storočia cisárskeho obdobia stále prosperoval. Väčšina starších budov sa zbúrala a na ich mieste vyrástli nové a väčšie. Mesto zaberalo plochu približne 43 hektárov. Hlavná ulica, takzvaný *decumanus*, mala široké chodníky lemované dielňami (zatiaľ sa podarilo identifikovať okolo dvesto) a domami boháčov. Na jednom konci ulice stál impozantný Caracallov oblúk (čiastočne ho prerobili počas francúzskej koloniálnej okupácie) a na druhej takzvaná Tingiská brána.

Životodarnú tekutinu do mesta privádzal akvadukt. Voda ďalej tiekla podzemným kanálom pod ulicou, ktorá viedla rovnobežne s *decumanom*. Chudobnejší občania žili v skupinách menších domov z nepálených tehál. Prevažne šlo o iba dvojizbové príbytky, ale desiatky nájdených pekární dokazujú, že obyvateľstvo trávilo väčšinu dňa vonku, napríklad vo fóre a na trhovisku s rozlohou vyše tisíc štvorcových metrov. Celkovo žilo vo Volubilise okolo 20 000 ľudí.

Úpadok

Aj počas rozkvetu ohrozovali Volubilis berberské kmene. Okolo roku 168 n. l. aparát cisára Marca Aurelia nariadil vybudovať 2,6-kilometrový okruh hradieb, ktorý mal posilniť dovtedajšie nie príliš koncepčné obranné prvky. Tieto opatrenia sa stali o to naliehavejšími, že Rímska ríša sa v 3. storočí ocitla v kríze. Počas obdobia celoštátnej politickej ekonomickej nestability sa Volubilis napokon vymanil spod ríšskej kontroly.

Hoci neskôr sled schopných cisárov obnovil poriadok v spoločnosti, Volubilis zostal za scvrknutými rímskymi hranicami v Afrike. Pod kontrolou miestnych kmeňov si však zrejme udržal postavenie dôležitého mestského centra. Z archeologického výskumu vyplýva,

že duálna povaha Volubilisu mu umožnila fungovať ako maurské mesto aj v časoch, keď nad ním Rím stratil kontrolu. V tomto neskoršom období v ňom pravdepodobne žila aj veľká kresťanská komunita, čo určite pomohlo, keď sa v 6. a 7. storočí dostal pod krátku nadvládu Východorímskej ríše.

Volubilis však už nebol tým, čím býval. Ochabnutá ekonomika Itálie neposkytovala dopyt po výrobkoch mesta, ktoré navyše v 5. storočí poškodilo rozsiahle zemetrasenie. V roku 788 Volubilis padol do rúk moslimov a nakrátko zažil renesanciu ako hlavné mesto mohamedánskej dynastie Idrísovcov. Ekologické škody z minulosti ho však dobehli a v 11. storočí v ňom už takmer nikto nežil.

V 17. storočí Volubilis ešte raz vyplienil mekneský sultán (Meknes – mesto v dnešnom Maroku, *pozn. prekl.*), ktorý zatúžil skrášliť svoje mesto tamojšími mramorovými stĺpmi a opracovanými kameňmi. K celkovej skaze Volubilisu prispelo ďalšie zemetrasenie v 18. storočí.

Volubilis dnes

Napriek dlhým storočiam chátrania patria zvyšky Volubilisu medzi najzachovanejšie rímske mestá v Afrike. Suché podnebie pomohlo uchovať jeho poklady – mozaiky, sochy a nápisy. Napríklad v jednej opustenej miestnosti objavili archeológovia dokonale zachovanú bustu Catóna Mladšieho, stále na pôvodnom podstavci. Niektorí obyvatelia, ktorí utiekli z mesta v roku 285 n. l. po skončení rímskej nadvlády, sa nikdy nevrátili a pod svojimi domami zanechali mnoho mincí a kvalitných bronzových sôch. Približne o 1 700 rokov neskôr ich vďačne vykopali archeológovia.

Vo Volubilise dnes pracuje malá skupina vedcov (od roku 2000 vedie vykopávky londýnska University College a marocký Institut National des Sciences de l'Archéologie et du Patrimoine), na ktorých ešte stále čaká takmer polovica ukrytých pokladov. Ako mnohé stratené a znovuobjavené mestá, aj Volubilis je zapísaný na Zozname svetového dedičstva UNESCO.

pribl. 700 pred n. l. – 79 n. l.
Stabiae
Zabudnutá obeť Vezuvu

Sopka pochovala Stabiae
pod pätnástimi metrami popola a lávy.

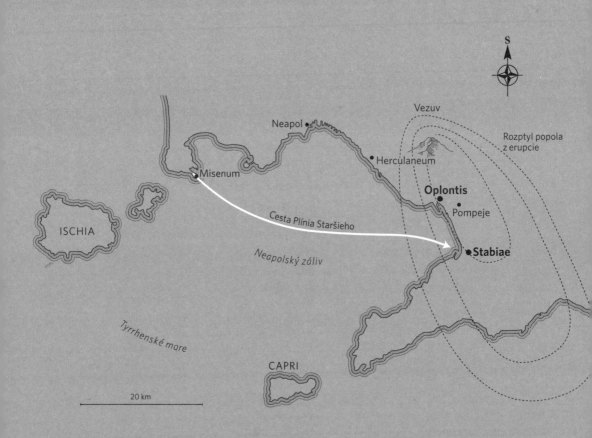

V roku 79 n. l. vybuchla hora Vezuv s katastrofickou silou. Sopka sa správala v predchádzajúcich storočiach pomerne pokojne a miestni obyvatelia ju nepovažovali za existenčnú hrozbu. Dokonca aj vzbúrený gladiátor Spartakus si založil vojenský tábor vysoko na jej svahoch. Keď však potom Vezuv vybuchol, vynahradil si roky mlčania. Stĺpec prehriateho vzduchu vytlačil mrak popola do atmosféry do výšky tridsiatich kilometrov, zatiaľ čo pyroklastický prúd lávy a popola sa valil dole svahmi rýchlosťou expresného vlaku.

Vezuv vyprodukoval v erupcii, ktorá trvala takmer celý deň, stámilióny ton popola a pemzy. Je všeobecne známe, že padajúci popol celkom pochoval mestá Pompeje a Herculaneum, ale nie každý vie, že rovnaký osud stihol aj prístavné mesto Stabiae a malú rybársku osadu Oplontis.

Villa del Pastore je pomenovaná podľa tejto mramorovej sochy, ktorá sa v nej našla. Pastier v stredných rokoch nesie na pleciach baránka. Cez rameno má prehodený košík s ovocím a obilím, v druhej ruke drží zajaca.

Demografické zmeny

Stabiae ležalo na pobreží približne štyri a pol kilometra od Pompejí na východnom okraji Neapolského zálivu. Prvé stopy osídlenia lokality pochádzajú spred zhruba 3 000 rokov, pričom v 8. storočí pred n. l. sa už na mieste určite nachádzalo funkčné mesto. V tom období ho obývali Etruskovia, ale súveké nálezy predmetov z Atén, Korintu a Fenície svedčia o kozmopolitnej povahe raného sídla, ktoré zrejme plnilo úlohu obchodného prístavu.

Výskum zostatkov rozľahlej mestskej nekropoly navyše naznačuje, že celkom prvými osadníkmi boli zrejme grécki kupci, ktorých napokon vytlačili domáci Etruskovia. Veľké pohrebisko nekropoly sa využívalo niekoľko storočí a stovky hrobov umožňujú dnešným bádateľom zmapovať dávne zmeny v zložení obyvateľstva.

Po Etruskoch v Stabiae pravdepodobne dominoval vnútrozemský italský kmeň Oskov. Ten sa nezaujímal ani tak o prístav ako o bohaté roľnícke zázemie rastúceho mesta, takzvané Ager Stabianus. Preto sa obchodníci presťahovali do neďalekých Pompejí, ktorých význam postupne zatienil Stabiae. Neskôr Oskov nahradili bojovnejší Samniti.

Samniti boli zarytými nepriateľmi Ríma a Stabiae sa pripojilo k protirímskemu Nucerskému spolku tamojších samnitských miest. Keď však Stabiae zistilo, že odpor je márny, v roku 308 pred n. l. sa vzdalo a pripojilo k ríši. Vieme, že mesto zostalo Rímu verné počas púnskych vojen (264 – 201 pred n. l.). Hrdinské činy triérmy s posádkou mladých Stabiaečanov sú zaznamenané v historických análoch. V takzvanej spojeneckej vojne v roku 90 pred n. l. sa však

Doslovný obraz
v podobe okna. Aj
Rimania v Oplontise
mali radi nástenné
maľby, ktoré imitovali
výhľady na veľkolepé
stavby.

mesto pripojilo k ostatným Italom, ktorí chceli vojensky prinútiť
Rím, aby im udelil rovnaké občianske práva. Namiesto toho rímske
légie pod vedením neľútostného generála Cornelia Sullu zrovnali
Stabiae so zemou. Podľa textu Plínia Staršieho zostala z mesta len
živoriaca osada (*História prírody* 3, 5).

Rímske Stabiae

Stabiae viackrát preukázalo pozoruhodnú schopnosť regenerácie
a aj v tomto prípade sa počas niekoľkých desaťročí znova postavilo
na nohy. Mesto si pod rímskou správou počínalo úspešne, najmä
ako stredisko pre bohatých, ktorým vyhovoval morský vzduch,
ale stránili sa výstredností, ktoré vládli v konkurenčnom Baiae.
Napríklad aj Cicero napísal priateľovi, že mu závidí, ako trávi ranné
hodiny príjemným čítaním pri veľkom okne v izbe s nádherným
výhľadom na záliv (*Listy* 7, 1, 1).

Miestnosť, ktorú Cicero spomína, sa zrejme nachádzala v jednej
z luxusných rezidencií, ktoré lemovali pobrežie v dĺžke takmer
dvoch kilometrov. Tieto budovy stáli na kraji strmého zrázu takmer
päťdesiat metrov nad morom, takže poskytovali vskutku úchvatné
výhľady. Dokonca aj *villae rusticae* – statky v úrodnom zázemí ďalej
od mora – mali bohatých majiteľov. Tamojšie budovy nevypĺňali
len holohumnice a lisovne olív, ale aj luxusné termálne kúpele
a miestnosti zdobené drahými mozaikami a freskami.

Vezuv a následky

Plínius Starší poznal Stabiae dobre, lebo ležalo na opačnom konci
zálivu oproti námornej základni Misenum, ktorej velil (okrem toho
sa venoval prírodovede a písaniu). Keď Vezuv vybuchol, Plínius bol
doma so svojím mladým synovcom a práve ten neskôr v listoch
opísal tragické udalosti. Plíniovci, ktorých určite poháňala aj túžba
po poznaní, vyrazili k sopke, ale keď si uvedomili, koľko ľudí sa
zúfalo usiluje uniknúť pred katastrofou, ich výskumná výprava
sa zmenila na záchrannú akciu.

Nasledujúca dvojstrana
Villa San Marco
v Stabiae. Od objavenia
v 18. storočí jednu
z najväčších víl v lokalite
často opravovali –
najmä po zemetrasení
v roku 1980, ktoré
starobylú budovu
značne poškodilo.

Plínius (Starší) prikázal svojim mužom zamieriť do Stabiae
a zachrániť z brehu čo najviac utečencov. Počas velenia operácii
Plínius skolaboval a umrel – nevieme, či zo stresu, alebo vinou
jedovatých splodín z výbuchu. Vulkán v konečnom dôsledku
vyvrhol do vzduchu toľko materiálu, že pochoval Stabiae pod päť-
násťmetrovou vrstvou trosiek. Tá uchovala vily aj s ich sochami
a freskami celé tisícročia takmer nedotknuté a v rovnakom stave
ako v čase katastrofy.

To však neznamenalo koniec Stabiae, ktoré sa opäť pozviechalo. Rímsky básnik 1. storočia Statius vo svojich *Silvae* (3, 6) spomína medzi atrakciami Kampánie „parotvorné Baiae" a „znovuzrodené Stabiae". Skutočne, podobne ako ostatné oddychové strediská v Kampánii, Stabiae upadlo až so zánikom Rímskej ríše. Keď sa v 5. storočí v Stabiae usadili benediktínski mnísi, bol už zvyšok mesta prakticky opustený a v stredoveku sa vyľudnil úplne.

Jedna z mnohých rímskych imitácií *Doryfora* (Nosiča oštepu) od gréckeho sochára Polykleita. Jej ľavá ruka a kopia sa stratili podobne ako pôvodná socha, ktorá bola na rozdiel od svojej mramorovej napodobeniny zo Stabiae odliata z bronzu.

Stabiae dnes

Ku škodám, ktoré Stabiae spôsobil Vezuv, sa pridali ďalšie. Mesto
totiž patrilo medzi prvé archeologické náleziská v Taliansku,
v ktorých prebiehali vykopávky, a tento „ výskum" sa robil natoľko
nevedecky, že sa dal len ťažko odlíšiť od rabovania. Jeho hlavným
cieľom bolo získať rímske predmety, ktoré by neapolský kráľ Karol
VII. mohol podarovať cudzím vladárom.

Stabiae malo azda šťastie v tom, že zakrátko sa objavilo ešte
úchvatnejšie nálezisko v Pompejach, a v neskorších storočiach
sa stabiaeských ruín ujali serióznejší archeológovia. Aj šetrnejšie
vykopávky však vystavili budovy prírodným živlom a krehké
pamiatky ešte väčšmi poškodilo zemetrasenie v roku 1980.
Našťastie v tom čase sa už mnohé cenné predmety a maľby
nachádzali bezpečne uložené v múzeu v Neapole.

Neďaleko náleziska vyrástla malá dedina, ktorá sa dnes živí
turistickým ruchom. Stará sa o dobre informovaných návštevníkov,
ktorí vedia, že veľkolepé ruiny v Stabiae ponúkajú v podstate
rovnaký zážitok ako neďaleké Pompeje a navyše bez davov.

600 pred n. l. – 43? n. l.
Maiden Castle
Smrť mýtu

Dôkazy o nepokojoch v spoločnosti vychádzajú z neprimerane veľkého počtu kostier mladých mužov, ktoré vykazujú známky násilnej smrti.

Veľa ľudí si myslí, že pred rímskou inváziou do Británie vládla na ostrovoch zväčša mierumilovná matriarchálna spoločnosť, uprostred ktorej viera druidov nabádala ľudí na harmonické spolunažívanie s prírodou. Briti však bojovali zo všetkých síl, aby militaristických Rimanov odrazili. Medzi miesta ich odporu patrilo aj hradisko Maiden Castle (názov „Panenský hrad" mal symbolizovať nedobytnosť). Napriek hrdinskej snahe miestnych obyvateľov napokon rozhodla prevaha nepriateľa v palebnej sile aj vo vojenskej technike. Víťazní Rimania pobili mužov, ženy aj deti a jednu z posledných bášt keltskej Británie zrovnali so zemou.

Žiaľ, na tomto strhujúcom a dojímavom príbehu nie je okrem faktu, že Maiden Castle bol hradisko, nič pravdivé. Tvorí ho zmes nesprávne interpretovaných faktov a zbožných prianí, ktoré zahmlili skutočný – a fascinujúci – príbeh jedného z najúchvatnejších britských sídel železnej doby.

Pôvod

Na úlomku bronzovej plakety z rímskeho obdobia Maiden Castlu je zobrazená bohyňa Minerva s charakteristickou kopijou a prilbicou.

Miesto budúceho Maiden Castlu ležalo tesne pod hrebeňom kopca vo výške približne 130 metrov nad morom v dnešnom grófstve Dorset. Z vrchu je dobrý výhľad na rovinu obývanú ľuďmi prinajmenšom posledných 6 000 rokov. Prví osadníci, ktorí zanechali na kopci stopy, rozhodne nepatrili medzi trochárov. Do svahu totiž vykopali jamy, aby odhalili bielu kriedu pod povrchom. Tento znak vlastníctva a osídlenia, ktorý všetci videli z veľkej diaľky, dokazuje, že Maiden Castle od začiatku plnil aj symbolickú úlohu. Kontrola kopca totiž znamenala kontrolu polí pod ním, čo chceli tamojší osadníci dať jasne najavo.

Nech už však k jeho osídleniu viedli akékoľvek dôvody, zdá sa, že šlo len o prechodnú záležitosť a približne pred 5 500 rokmi ľudia z vrchu odišli. V bronzovej dobe, okolo roku 1800 pred n. l., sa niektorí pokúsili relatívne rovný vrchol kopca obrábať, ale plytká pôda sa rýchlo vyčerpala. Preto sa lokalita využívala skôr na rituálne účely a pochovávanie.

Hradisko

Začiatkom železnej doby, okolo roku 600 pred n. l., vzniklo na vrchu prvé hradisko. Je možné, že slúžilo ako správne centrum a v čoraz nebezpečnejších časoch aj ako útočisko pre miestnych roľníkov. Opevnenie sa postupne rozrastalo aj naberalo na dôležitosti. Dominantná poloha (*mai dun* alebo „veľký kopec" je pravdepodobnejší

základ súčasnej podoby názvu) a masívne obranné prvky z neho robili významnú metropolu vtedajších čias.

Za spoľahlivým opevnením mohli bezpečne prebiehať činnosti ako tavenie železa a obchodovanie. Väčšina keramiky, ktorá sa našla na mieste, bola dovezená odinakiaľ a archeologický výskum preukázal, že Maiden Castle patril medzi najdôležitejších producentov železa v súvekej Británii. Sídlo dokonca vyrábalo viac železa, než mu umožňovali miestne zdroje, preto sa ruda pravdepodobne dovážala z Walesu a južného Wealdu (oblasť juhovýchodného Anglicka, *pozn. prekl.*). Obrovské sýpky ukazujú, že obilie z rovín sa skladovalo v bezpečí hradiska.

V určitom bode rast populácie viedol k zmene usporiadania budov. Predošlé pomerne náhodné rozmiestnenie sa stalo pravidelnejším, okrúhle domy so stenami z prútia omazaného hlinou, typické pre Britániu tých čias, však zostali populárnymi.

Opevnenie

Medzi hlavné dôvody, prečo sa Maiden Castle zaradil medzi najdôležitejšie európske hradiská železnej doby, patrilo jeho pôsobivé opevnenie. To ohradzovalo približne devätnásť hektárov vrcholu kopca. Nechýbali viaceré priekopy či hlinené a kriedové valy vystužené drevom. Hoci Maiden Castle sa radil medzi hlavné centrá produkcie železa, tento materiál bol stále príliš vzácny, preto sa brány mesta vyhotovili bez použitia klincov.

Slabšie brány aspoň čiastočne chránili vysunuté bašty, v ktorých sa nachádzali priehlbiny s pôsobivou zásobou prakových kameňov. Tieto obranné prvky sa očividne zišli, keďže súveké hradiská inde v Británii vykazujú stopy požiarov a škôd po násilných útokoch.

Ďalšie dôkazy o nepokojoch v spoločnosti vychádzajú z neprimerane vysokého počtu pozostatkov mladých mužov na miestnom pohrebisku. Mnohé kostry nesú známky násilnej smrti a čiastočne zahojené rany, ktoré zasiahli kosti, ale neboli smrteľné, svedčia o neutíchajúcich vojenských konfliktoch.

Príchod Rimanov

Bežne sa hovorí, že Rimania pri svojom vpáde na ostrovy v roku 43 n. l. Britániu „civilizovali", ale Briti sa vydali na cestu skultúrnenia už predtým. Mnohé kmene vrátane Durotrigov, dominantného etnika v oblasti Maiden Castlu, začali raziť svoje mince. S (rímskou aj nerímskou) pevninskou Európou sa čulo obchodovalo. Aj urbanizmus sa nachádzal na vzostupe. Ak to bolo bezpečné, ľudia sa sťahovali z uzavretých, preplnených a nepohodlných hradísk do útulnejší sídlisk na rovine.

Pod velením budúceho cisára Vespaziána obsadila rímska II. légia oblasť okolo Maiden Castlu a v tom okamihu malo dôjsť k spomínanej hrdinskej obrane. Našlo sa tridsaťosem tiel bojovníkov, ktorí bez výnimky zomreli násilnou smrťou. Jestvujú aj dôkazy o vypálení budov v tom období.

Lenže... tridsaťosem obetí je príliš málo na násilné obliehanie a masaker hradiska, v ktorom žilo tisíc ľudí. Aj po podrobnejšej analýze úlomku v jednej z obetí, ktorý niektorí silou-mocou vydávali za „katapultový projektil", vysvitlo, že ide o štandardný hrot oštepu. Treba tiež podotknúť, že padlých bojovníkov pochovali formálne a s pohrebnými predmetmi, čo by víťazní Rimania určite neboli urobili.

Z týchto dôvodov sa nám vynára nový obraz udalostí. Podľa menej dramatického scenára Maiden Castle v čase príchodu Rimanov prakticky nefungoval a bol obývaný len čiastočne. Jeho niekdajší obyvatelia sa už dávnejšie presťahovali do pohodlnejšieho neďalekého mesta Durnovaria (Dorchester). Maiden Castle sa prevažne využíval už len ako formálne pohrebisko pre durotrigských bojovníkov, ktorí hrdinsky umreli niekde inde.

Po ustanovení Pax Romana v oblasti zostala obývaná len východná časť opevnenia, aj to riedko a iba niekoľko desaťročí. Potom sa už Maiden Castle nadobro vyľudnil. Zostávajúce budovy vypálili, zrejme aby uvoľnili miesto pasienkom. Koncom 1. storočia n. l. zasypali priekopy – akiste na príkaz nejakého nervózneho rímskeho miestodržiteľa, ktorý videl v hradisku ďalšiu potenciálnu pevnosť vzbúrencov.

Vo 4. storočí vznikol na kopci rímsko-keltský chrám, ale postupne schátral. Potom už Maiden Castle obývali takmer výlučne ovce a občas kravy.

Maiden Castle dnes

Maiden Castle, v čase svojho rozkvetu popredné hradisko na Britských ostrovoch, sa dnes určite oplatí navštíviť. Od 30. rokov 20. storočia, keď v lokalite prebehol seriózny archeologický výskum, zavítalo do oblasti také množstvo turistov, že ju pod svoje ochranné krídla vzala English Heritage (kultúrna nezisková organizácia, ktorá sa stará o historické budovy a pamiatky v Anglicku, *pozn. prekl.*). Návštevy sú teraz lepšie organizované, je kde zaparkovať a na kľúčových miestach sa nachádzajú informačné tabule. Areál je otvorený celoročne.

100 – pribl. 600 n. l.
Timgad
Trajánovo mesto

Keď istý bádateľ tvrdil, že v Alžírsku objavil celé rímske mesto, takmer nikto mu neveril.

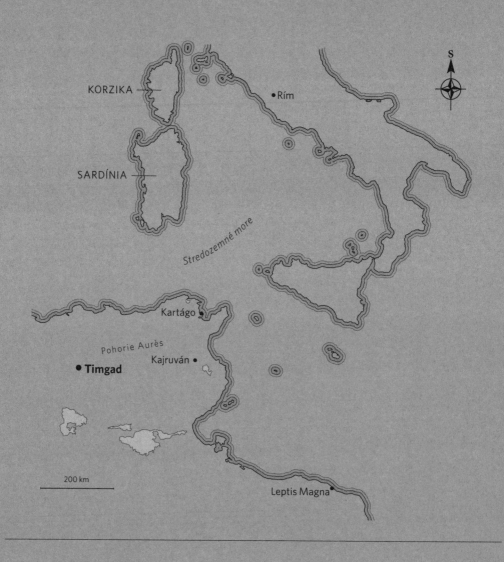

KORZIKA

SARDÍNIA

• Rím

Stredozemné more

Kartágo •

Pohorie Aurès

Kajruván •

• **Timgad**

200 km

Leptis Magna •

Postaviť mesto od podlahy je riskantná a veľmi drahá záležitosť aj pre veľkého a mocného panovníka. Zo všetkých dôležitých miest, ktoré založil Alexander Veľký, si do dnešných dní zachovala svoju monumentálnosť len jeho eponymná metropola v Egypte. Stránky tejto knihy sú plné zabudnutých sídel vybudovaných ambicióznymi panovníkmi (ako napríklad Tigranokerta arménskeho vládcu Tigrana II. či márnivé projekty perzských alebo egyptských vladárov). Prečo sa teda Traján, jeden z najrozvážnejších cisárov v dejinách Ríma, rozhodol postaviť mesto v dnešnej alžírskej púšti, stovky kilometrov od civilizácie?

Mesto z ničoho

Treba poznamenať, že v čase založenia Timgadu, teda v roku 100 n. l., Sahara ešte nesiahala tam, kam dnes. Trajánovo nové mesto teda nestálo na vyprahnutej náhornej plošine, ale na úrodnej pôde, približne 770 kilometrov juhovýchodne od dnešného Alžíru. Jedným z dôvodov výberu lokality bola práve absencia veľkých miest v okolí. Traján sa domnieval, že mohutné sídlo ohúri a zastraší nepriateľské berberské kmene v blízkom pohorí Aurès (súčasť Atlasu) a tie sa budú musieť skloniť pred pokrokovejšou rímskou civilizáciou. Ak by aj mesto bolo zlyhalo ako kultúrny symbol, stále by bolo mohlo

Pohľad na ruiny Timgadu s Trajánovým oblúkom. V pozadí pohorie Aurès.

Detailný záber
na timgadskú mozaiku
s Titankou Téthys,
Ókeanovou manželkou.
Mozaika patrí
do úchvatnej zbierky
archeologického
Múzea Timgadu
v Alžírsku.

vojensky podporovať III. légiu Augusta, ktorá slúžila v Lambaesise, vzdialenom sedemnásť kilometrov.

Pôvodne jadro mesta možno skutočne tvoril tábor III. légie. Ani civilná zložka populácie sa neskladala len z „čistých" civilov, keďže Traján chcel v meste ubytovať predovšetkým vyslúžených legionárov s rodinami, ktorí mali plniť funkciu vojenských záloh (smeli ich povolať v prípade ohrozenia).

Starostlivé plánovanie

Nové mesto dostalo krkolomný názov Colonia Marciana Traiana Thamugadi. „Colonia", pretože v ňom žili rímski občania, „Marciana", lebo meno Marcia sa bežne používalo v Trajánovej rodine, a „Traiana", keďže aj cisár mal v sebe kus márnivosti. „Thamugadi" je zrejme slovo berberského pôvodu s nejasným významom.

Obyvateľom mesta s kvetnatým názvom pripadal vzhľad ich nového domova okamžite povedomý. Architekti mali tú výhodu, že mohli začať od nuly, a ich plán nápadne pripomínal pôdorys rímskeho vojenského tábora. Hlavné cesty viedli pozdĺž dvoch

osí – severojužného *carda* a východozápadného *decumanu maxima.*
Tieto aj ostatné ulice boli vydláždené plochými vápen-
covými kameňmi, ktoré chránia tamojší povrch ešte aj dnes,
po 2 000 rokoch.

Všetky ostatné ulice sa tiahnu rovnobežne s hlavnými tep-
nami a vytvárajú mriežku pravouhlých križovatiek. Na rozdiel
od vojenského tábora *cardo* neviedlo cez celé mesto, ale končilo
sa na priesečníku s *decumanom.* Tam, v srdci mesta, ustúpili domy
veľkému fóru. V ňom prednášali svoje reči volební kandidáti a pri
súdnych pojednávaniach zasadali cisárski úradníci. Občania tam
navštevovali úrady a riešili správne záležitosti mesta. Fórum slúžilo
aj na socializáciu a nakupovanie, lebo tamojšie stánky tvorili hlavné
timgadské trhovisko.

Mesto na vzostupe

Skutočnosť, že Timgad sa budoval od základov, umožňovala aj
vhodnejšie rozmiestnenie vodovodov a kanálov. Vtedajší dostatok
vody znamenal, že mesto sa tešilo z nezvyčajne vysokého počtu
term – verejných kúpeľov. Nachádzali sa v ňom štyri hlavné
a množstvo menších. Všetky vznikli podľa vysokých štandardov
rímskeho staviteľstva. Je zaujímavé, že podobná sústava rímskych
kúpeľov v neďalekom Hammam Essalihine funguje dodnes.

Plánovači chceli, aby mesto otvorene propagovalo rímsku kultúru,
preto navrhli stavby čo najväčšie. V istom zmysle to bolo na škodu,
pretože stavitelia museli často namiesto pôsobivejšieho mramoru,
ktorý sa dovážal z veľkej diaľky, využívať obyčajný miestny
kameň. Stredu mesta dominoval víťazný oblúk a chrám Jupitera
Kapitolského. Nechýbala ani bohatá knižnica. V roku 160 n. l.
kultúrny život osviežilo divadlo s hľadiskom pre 3 500 divákov,
ktoré vytesali do svahu hneď za mestom.

V tom čase už populácia Timgadu prekročila pôvodne pláno-
vaných 10 000 obyvateľov, preto niektorí z nových osadníkov našli
domov za mestskými múrmi. (Hoci Timgad mal hradby, nikdy nebol
silne opevnený.) Z archeologických nálezov sa dozvedáme, že okrem
pôvodnej rímskej populácie žila v meste už aj početná numídska
a najmä berberská komunita.

Zostup a pád

Timgad fungoval ako úspešné centrum rímskej civilizácie takmer
250 rokov, ale vo 4. storočí sa už nachádzal v miernom úpadku.
Čiastočne za to mohla klimatická zmena, čiastočne celkovo zlý

stav Rímskej ríše. Koncom storočia mestu – vtedy už kresťanskému – uškodil náboženský spor. Ako vysvitlo, tamojšia diecéza sa postavila na nesprávnu stranu kontroverzie, ktorú dnes nazývame donatistickou schizmou (nekompromisní donatisti vyznávali cirkev dokonalých a odmietali platnosť sviatostí, ktoré vysluhovali odpadlíci od viery pri prenasledovaní, *pozn. prekl.*).

O storočie neskôr putujúci kmeň Vandalov – ariánskych kresťanov (arianizmus – heretický prúd, ktorý hlásal podriadenosť Krista Bohu Otcovi, *pozn. prekl.*) – raz a navždy vyriešil vieroučnú debatu tým, že Timgad obsadil, neľútostne vyplienil a spôsobil jeho prudký úpadok. Dielo Vandalov potom dokončili spurní Berberi z pohoria Aurès. Keď v 6. storočí prišli do mesta vojaci Východorímskej ríše, našli ho opustené a vedľa postavili veľkú pevnosť. V Timgade žila skromná populácia až do arabských výbojov, počas ktorých sa mesto definitívne vyprázdnilo.

Timgad dnes

Timgad sa stratil tak dôkladne, že keď v 18. storočí istý škótsky bádateľ tvrdil, že v pustej divočine objavil celé rímske mesto, takmer nikto mu neveril.

Systematický archeologický výskum sa začal až po skončení francúzskej okupácie Alžírska. (Niektoré škody, ktoré spôsobili včasné neuvážené pokusy, sa naprávajú dodnes.) Keďže Timgad nebol po svojom páde obývaný, vykopávkam nebránili žiadne neskoršie budovy a z lokality sa vykľula učebnicová ukážka rímskeho mestského plánovania.

Okrem raných archeologických experimentov (ktoré našťastie nezničili všetky nádherné mozaiky v domoch bohatých rodín) Timgadu – paradoxne – uškodil aj kultúrno-hudobný festival. Masové medzinárodné podujatie sa koná v Timgade od 60. rokov minulého storočia. Návštevníci zahltili lokalitu grafitmi či odpadkami a zvukoví technici spotvorili divadlo rúrami a káblami.

Timgad sa od roku 1982 nachádza na Zozname svetového dedičstva UNESCO. Miestne úrady si napokon uvedomili škody napáchané na starovekom meste aj na kultúrnej povesti národa, preto festival premiestnili do moderného kvázirímskeho divadla, ktoré sa nachádza v bezpečnej vzdialenosti od starobylých ruín.

Trajánov oblúk v Timgade (na obrázku) je väčší než jeho známejší náprotivok v Benevente a patrí medzi viacero monumentálnych stavieb, ktoré Traján zanechal po celej ríši.

130 – pribl. 950 n. l.
Antinoupolis
Mesto utopeného boha

Mesto vzniklo na počesť zbožšteného milenca cisára Hadriána.

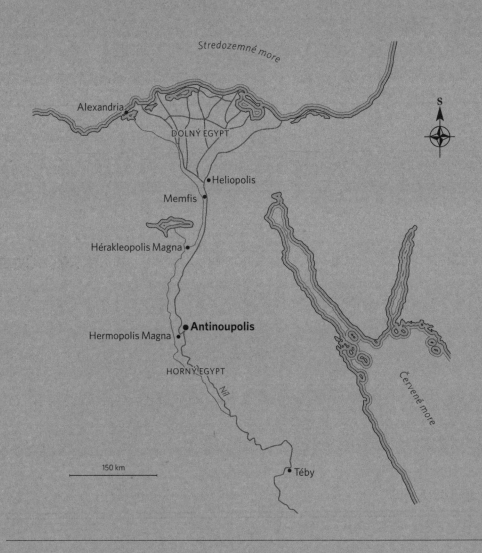

V roku v 123 n. l. sa cisár Hadrián zoznámil s pekným mladíkom z provincie Bitýnia v Malej Ázii. Všeobecne sa predpokladá, že panovník s dvanásťročným Antinoom okamžite nadviazal sexuálny vzťah. Podľa vtedajších mravov to bolo prijateľné a dvorania si na Antinoovu prítomnosť po boku cisára, ktorého sprevádzal aj na cestách po rímskych provinciách, zvykli.

Dvojica zostala nerozlučná približne šesť rokov, po ktorých sa veci skomplikovali. V protiklade s dnešnou morálkou rímska verejnosť tolerovala Hadriánov vzťah s neplnoletým mladíkom, ale k homosexuálnemu pomeru s dospelým mužom sa už stavala zdržanlivejšie.

Problém sa „vyriešil" sám počas Hadriánovej cesty po Egypte v roku 130 n. l. Keď sa cisárska družina plavila po Níle, Antinoos sa za záhadných okolností utopil. Zavraždili ho dvorania v zúfalej snahe odvrátiť škandál? Zahubil ho vari sám cisár v zápale mileneckej hádky? Alebo – čo je najpravdepodobnejšie – Antinoos, ktorý sa ocitol medzi mlynskými kameňmi, spáchal z lásky k svojmu pánovi samovraždu?

Nech už to bolo akokoľvek, dôležitú úlohu zohrala skutočnosť, že Antinoos zomrel v jednom z nábožensky a symbolicky najvýznam-nejších miest na Níle – v meste Hermopolis Magna zasvätenom Thovtovi, bohovi kúzel, liečenia a tajomnej múdrosti. Kňazi

Portrétna busta Antinoa, ktorá vznikla po jeho deifikácii. Socha má na hlave šatku *nemes*, typickú pokrývku hlavy egypt-ských vládcov.

zdrvenému Hadriánovi vysvetlili, že ak sa niekto utopil za takých okolností, určite sa v božskosti pripodobnil Osirisovi (Usirovi).

Založenie Antinoupolisu

Hadrián vyhlásil, že ak je to tak, hneď na mieste postaví mesto, aby si uctil nové božské postavenie svojho milenca. Na jeho počesť ho pomenoval Antinoupolis a navrhol ho ako jeden veľký pamätník. Usilovný študent mestského plánovania a architektúry Hadrián premietol svoj smútok do pôdorysu grandiózneho projektu na druhom brehu Nílu oproti Hermopolisu.

Na mieste budúceho mesta prinajmenšom od čias egyptskej Novej ríše (pribl. 1550 – 1069 pred n. l.) stála dedina Hir-we. Hadrián ju zrovnal so zemou, pričom ušetril iba chrám Ramesseho II. a stredisko uctievania dobrotivého boha Besa. (Bes bol ochrancom domácnosti, medzi ktorého zázračné schopnosti patrilo zabíjanie hadov, odrážanie zlých vplyvov či ochrana detí.)

Cynici namietajú, že Antinoova smrť poskytla Rimanom veľmi vhodnú zámienku na založenie bašty rímskej kultúry blízko hraníc cisárstva. V skutočnosti však mesto nieslo skôr grécke ako rímske prvky, lebo Hadrián bol známy filhelén a sídla vo východnej časti ríše všeobecne inklinovali skôr ku gréckej než k rímskej kultúre.

Grékov povzbudzovali, aby sa do nového mesta presťahovali, udeľovaním špeciálnych privilégií. Všetci osadníci dostali rímske občianstvo, a ak si vzali za manželku egyptskú ženu, ich potomstvo automaticky získalo rovnaké výsady. Skutočne, aj útržky papyrusov, ktoré sa v oblasti našli, často spomínajú špeciálne „občanov Antinoupolisu", ktorí vďaka svojmu postaveniu požívali zvláštne výhody.

Grécke mesto v srdci Egypta

Medzi kľúčové prvky mesta (prirodzene) patrilo Antinoovo mauzóleum a sochy božského chlapca na uliciach. Široké vydláždené cesty lemovali obchody a elegantné kolonády. Mesto obkolesovali provizórne hradby s dĺžkou 5,5 kilometra. Múry však slúžili skôr na správne účely než na obranu a zo strany Nílu zostalo mesto dokonca otvorené. Hlavná kolonáda viedla naprieč celým Antinoupolisom, pričom spájala divadlo na jednom konci s mauzóleom na druhom.

Mesto malo zrejme rušný prístav, pretože výhodná poloha mu umožňovala prijímať tovar z Indie a Číny. Výrobky doň prúdili

Detail z takzvaného „Sabrininho plédu" z antinoupoliskej hrobky. Šatka v pestrých farbách zachytáva viacero scén z mytológie, napríklad Bellerofontovo víťazstvo nad Chimérou.

z prístavu Berenice v Červenom mori po novej ceste Via Hadriana a pokračovali ďalej po Níle. Za hradbami stál obrovský hipodróm (športová dráha na preteky v jazde na koňoch a na vozoch, *pozn. prekl.*) a v samotnom meste početné chrámy, divadlo či víťazný oblúk.

Aby sa Hadrián poistil, že sa na jeho milovaného Antinoa nikdy nezabudne, zriadil na jeho počesť výročný festival známy ako Antinoeia. Konali sa na ňom rozličné športové turnaje, podujatia s koňmi či kultúrne slávnosti ako hudobné súťaže a divadelné predstavenia. Keďže štedré odmeny priťahovali najnadanejších ľudí nielen z Egypta, Antinoeia sa na niekoľko nasledujúcich storočí zaradila medzi najvýznamnejšie udalosti v strednom Egypte.

„Múmiové portréty" z 2. storočia n. l. sa realizmom približujú fotografiám. Podľa tohto obrazu namaľovaného na lipové drevo si človek hravo predstaví, ako daný mešťan vyzeral za života.

Pomaľovaná hlava ženy s náhrdelníkmi, ktorá sa našla v Antinoupolise.

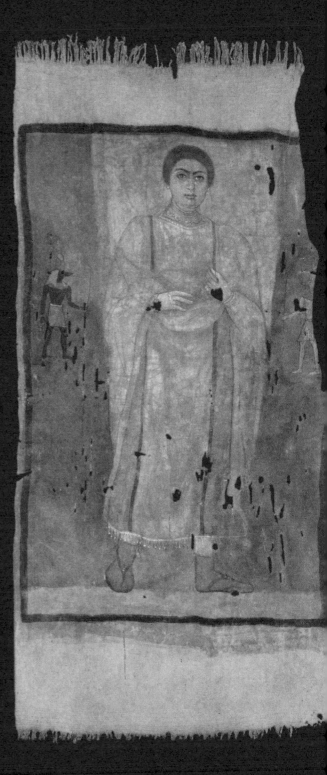

Na tomto plátne z Antinoupolisu sa žena v strapcovej tunike chystá vystúpiť z dverí, ktoré strážia egyptskí bohovia.

Neskorší Antinoupolis

Medzi najznámejších obyvateľov neskoršieho Antinoupolisu patril matematik 4. storočia Serenos, ktorý opísal geometriu rezu valca. Koptský svätec Colluthus sa zase preslávil mučeníckou smrťou v roku 304 alebo 308. Za cisára Diokleciána totiž kresťanov v meste prenasledovali obzvlášť tvrdo. Napriek panovníkovej snahe sa však kresťanstvo v Antinoupolise nepodarilo vykoreniť. Jeden cestovateľ z 5. storočia uvádza, že v meste sa nachádzalo najmenej dvanásť „kláštorov pre ženy" a za hradbami žili pustovníci a svätí muži. V Antinoupolise navyše nesídlil jeden, ale hneď dvaja biskupi.

V tom čase privádzal pôvod mesta jeho obyvateľov do rozpakov a niektoré texty sa o ňom zmieňovali ako o Antinoe. V byzantskom období sa meno mesta oficiálne zmenilo na Ansena.

Či už ako Ansena, Antinoe, alebo Antinoupolis, toto sídlo prežilo aj dobytie Egypta moslimami v roku 641 a v písomných záznamoch sa objavuje do 10. storočia. Vtedy sa však už nachádzalo v úpadku a napokon sa celkom vytratilo z historických análov.

Antinoupolis dnes

Stratenému mestu sa začala venovať pozornosť až začiatkom 19. storočia počas Napoleonovho ťaženia do Egypta. Francúzsky vojvodca so sebou priviedol učencov a bádateľov, ktorí lokalitu Antinoupolisu preskúmali a objavili zvyšky chrámov a kolonád. Všimli si aj to, že väčšina muriva chýba a stala sa súčasťou stien domov a mešít v neďalekých obciach ako Aš-Šajch Ibada, ktorá dodnes stojí vedľa náleziska.

Súčasní návštevníci Antinoupolisu nenájdu takmer nič z toho, čo opísali Napoleonovi výskumníci. Lokalitu bezmála celkom zničili raní priemyselníci. Niektorí ulúpili vápencové bloky, aby z nich vypálili vápno, iní rozložili starobylé budovy a získané kamene použili na stavbu priehrady či cukrovaru. Až na zopár zanedbaných ruín starovekého hipodrómu Antinoupolis existuje už len v našich predstavách.

ŠTVRTÁ ČASŤ

Na hraniciach ríše

V posledných rokoch Rímskej ríše si stredomorský svet znova uvedomil dôležitosť hradieb. Dokonca aj mocný Rím, ktorý sa celé stáročia bezstarostne rozrastal do okolitej krajiny, sa musel narýchlo opásať hradbami cisára Aureliana. 5. storočie n. l. patrí do obdobia sťahovania národov, pričom mnohé z barbarských hôrd, ktoré dorazili do západnej Európy, priniesli so sebou iba meč a pohŕdanie vlastníckym právom.

Viaceré z kedysi prekvitajúcich miest nedokázali tejto násilnej vlne čeliť a neprežili do stredoveku, pretože mali len slabé alebo dokonca žiadne opevnenie. Iné mestá upadli, lebo obchodné cesty, od ktorých záviseli, prestali existovať. Nových miest vzniklo len málo a tie staršie sa dramaticky scvrkli. V období medzi rokmi 350 až 650 n. l. klesla populácia Ríma z odhadovaných 1 100 000 na 30 000. Iné mestá sa vyľudnili úplne.

V niektorých častiach cisárstva sa mestá zmenšovali ešte skôr, než barbarský vpád spôsobil náhly pokles populácie. Demografická krivka západu klesala už predtým, a ak sa vyskytoval nejaký ekonomický rast, došlo k nemu na vidieku. Takzvané „vilové hospodárstvo" vytvorilo sebestačné jednotky sústredené okolo vily miestneho vlastníka pôdy. (Tento systém prežil Rímsku ríšu, pričom hranice takýchto ekonomických jednotiek sa dodnes odrážajú napríklad v územnom členení anglických farností. Navyše úlohy ľudí v týchto pôvodných komunitách odzrkadľujú súčasné priezviská ako „Schumacher" [Švec], „Molinaro" [Mlynár] či „Smith" [Kováč].)

Od fóra ku katedrále

V mestách, ktoré prežili, sa život prispôsobil novým spoločenským a ekonomickým podmienkam. Divadlá a kúpele nezodpovedali novému kresťanskému étosu a väčšina z nich schradla. Oveľa väčší dôraz sa kládol na duchovno. Niekdajšie stredobody miest fóra nahradili katedrály. V týchto budovách, ktoré sa často stavali aj niekoľko storočí, sa odrážala najúžasnejšia urbánna architektúra doby. Novú a oveľa dôležitejšiu pozíciu zaujali pevnosti či hrady.

V tomto neskoršom období nevznikali nové sídla typicky úradným nariadením, vyrastali skôr organicky, niekedy okolo vojenských táborov (napríklad Lancaster alebo Frankfurt). Niektoré názvy miest odzrkadľujú pôvod ich vzniku (napríklad Oxford či Innsbruck signalizujú polohu na brode). Opustené mestá sa všade využívali ako lomy, z ktorých sa získaval opracovaný kameň na nové stavby. (Ak chcete vidieť budovy rímskeho fóra, choďte do Vatikánu, kde na stavbu Baziliky svätého Petra použili materiál zo starovekých budov.) Zvyšky zdevastovaných miest sa stali zdrojom melancholického dumania neskorších generácií, ako dokazuje úryvok zo staroanglickej básne *Ruina* od neznámeho autora.

Podivuhodné sú múry zlomené osudom,

rozbité mestské domy, rozpadajúce sa diela obrov,

zrútené strechy, rozvaliny veží,

zamrznutá brána, inovať na vápne,

deravé strechy padajú

oslabené starobou,

mŕtvi sú, navždy odišli mocní stavitelia,

zem ich pohltila.

Sto pokolení prešlo

a stena s hrdzavými škvrnami

a so sivými lišajmi odolala

vláde za vládou, všetkým búrkam.

Vysoká a široká brána je v troskách,

no kamene zostávajú.

Smrť rímskeho mesta však neznamenala smrť mesta ako takého. S postupným nárastom populácie v Európe sa mestá vzchopili. Na východe, kde vládli moslimskí kalifovia, dokonca mestá nikdy nezanikli. Približne v rovnakom čase, keď vznikla *Ruina*, založili Bagdad, ktorý sa v neskorších storočiach stal jednou z najvýznamnejších metropol na svete.

Na iných miestach ako Beta Samati vo východnej Afrike či Derınkuyu v Malej Ázii zase vyrástli mestá, na ktoré sa neskôr zabudlo.

Impulz, ktorý pôvodne priviedol ľudí do miest, nikdy nevyhasol a európske mestá neskoršieho stredoveku sa stali rušnými a vitálnymi (i hrdo nehygienickými) centrami života. Práve v nich vyklíčilo semienko renesancie a novoveku, ktoré sa prinajmenšom čiastočne inšpirovali tajuplnými pozostatkami starovekých stavieb roztrúsených po krajine.

pred 1000 pred n. l. – 1400 n. l.
Palmýra
Mesto kráľovnej púšte

Mesto Palmýra je preslávené svojou polohou,
bohatstvom v pôde a zurčiacimi vodami.
Plínius Starší

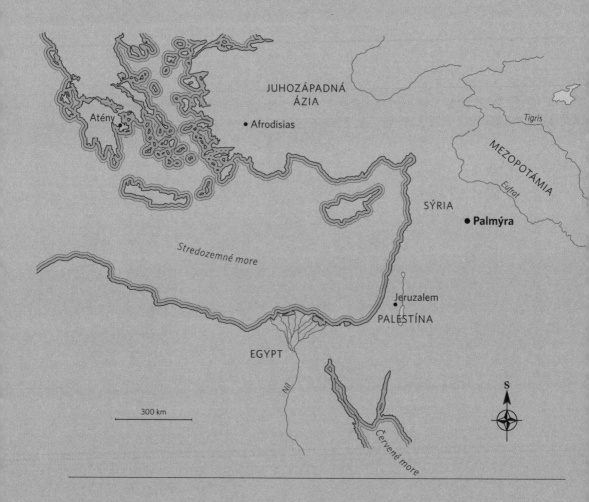

JUHOZÁPADNÁ
ÁZIA

Atény

• Afrodisias

Tigris

MEZOPOTÁMIA

Eufrat

SÝRIA

• **Palmýra**

Stredozemné more

Jeruzalem
•
PALESTÍNA

EGYPT

Níl

300 km

S

Červené more

Mestský život v oblasti okolo starovekej Palmýry má dlhú tradíciu. Damask, ktorý leží 215 kilometrov juhozápadne, je pravdepodobne najstarším nepretržite obývaným miestom na zemi. Prví osadníci tam prišli pred 10 000 rokmi. Hoci dnes je Palmýra opustená, za Damaskom príliš nezaostáva, keďže prvé stopy ľudského osídlenia pri prameni Efka pochádzajú približne z roku 7000 pred n. l.

Osídlenie oázy

Nie je jasné, kedy sa ľudia natrvalo usadili v sústave vzájomne prepojených oáz, ktorá neskôr dostala meno Palmýra (alebo Tadmor v jazyku miestnych obyvateľov). Väčšinu z oáz zásoboval prameň vyvierajúci vo vádí Al-Kubur a práve okolo neho sa sústreďovalo osídlenie. (Al-Kubur znamená jednoducho „riečne koryto".) V roku 1000 pred n. l. už Palmýra či Tadmor predstavovala zabehnuté mesto a k jeho aramejským obyvateľom sa postupne pridávali noví osadníci.

Keď sa mesto v roku 950 pred n. l. dostalo pod vplyv kráľa Šalamúna, k multikultúrnemu zloženiu Palmýry prispeli Hebreji. Podľa Biblie židovský panovník „opevnil Tadmor na púšti" (2 Krn 8, 4).

Pohrebná hlava ženy z Palmýry. Štýl vápencovej sochy z 3. storočia n. l. vykazuje rímske vplyvy, zatiaľ čo pokrývka hlavy nesie zreteľné lokálne črty.

Pohľad z výšky na divadlo v Palmýre, ktoré sa stalo svedkom hromadných popráv organizovaných fanatikmi Islamského štátu. Po oslobodení mesta sa tam konal koncert klasickej hudby.

Hlinené tabuľky z mezopotámskeho mesta Mari zase spomínajú Palmýru ako obchodnú križovatku, pričom táto úloha mestu prischla aj v ďalších tisícročiach.

Jeho srdce tvoril chrám boha Béla (odvodenina od Bála/Baala, ktorého v oblasti hojne uctievali). Vykopávky spod chrámu a z jeho okolia prehľadne dokumentujú rozličné etapy osídlenia oblasti.

Premeny mesta

Vrstvy nás vedú späť v čase od provizórnych stavieb raného novoveku cez budovy Arabského kalifátu až k nálezom z obdobia Byzantskej ríše. Našli sa i neskororímske predmety, mnohé z 3. storočia n. l., teda z vrcholného obdobia mesta. Samotný Bélov chrám vznikol o čosi skôr, v roku 32 n. l. za vlády cisára Tiberia.

Potom nasleduje vrstva obdobia helénskej kultúry, ktorá sa spája so Seleukovskou ríšou dedičov Alexandra Veľkého. Artefakty ukazujú, že v istom momente sa mesto ocitlo pod okupáciou Asýrčanov alebo s nimi prinajmenšom rozsiahlo obchodovalo. Iné nástroje nájdené v lokalite pochádzajú z včasnej bronzovej doby a najstaršie z kamennej doby okolo roku 7000 pred n. l.

Väčšinu svojej existencie pôsobila Palmýra ako zastávka pre karavány, ktoré putovali Sýrskou púšťou. Hoci sa v priebehu storočí dostala pod vplyv rozličných ríš, bola natoľko izolovaná, že si udržala vysoký stupeň autonómie. Zdá sa, že mesto až do 1. storočia pred n. l. nemalo hradby. Aby sa vedelo úspešnejšie brániť, opevnilo predovšetkým body, ktoré automaticky nechránili okolité kopce. Ani nové hradby však nedokázali zastaviť rozpínavú Rímsku ríšu a v roku 64 pred n. l. sa Palmýra dostala pod cudziu nadvládu.

Rímska Palmýra

Približne v tom období sa Tadmor stal pre západniarov Palmýrou. Oba názvy (latinský aj domáci palmýrsko-aramejský) sa odvodzujú od jedného z hlavných vývozných artiklov mesta – datlí. V Palmýre totiž rástli desiatky rozličných odrôd paliem. Či už pod jedným, alebo druhým názvom, mesto pod rímskou správou prekvitalo a vyrástlo z prechodnej zastávky púštnych karaván na dôležité obchodné stredisko, ktoré sa dokázalo samo uživiť. Palmýra za tento úspech vďačí sčasti prosperite, ktorú do oblasti vniesol Pax Romana, a sčasti výhodnej polohe medzi Rímskou ríšou na západe a Partskou ríšou na východe.

Rímsky spisovateľ Plínius Starší vo svojej *Histórii prírody* na začiatku 1. storočia n. l. píše (5, 21):

Mesto Palmýra je preslávené svojou polohou, bohatstvom v pôde a zurčiacimi vodami. Samo mesto a jeho okolie je zo všetkých strán obklúčené pieskami, akoby ho príroda vyňala z ostatných krajín, patrí iba sebe. Nachádza sa medzi dvoma najmocnejšími ríšami, Rímskou a Partskou, a pri prvom spore je predmetom snahy oboch strán zmocniť sa jej.

V Palmýre si obchodníci vymieňali tovar oboch civilizácií. Na hlavnom námestí sa predávali otroci, plnokrvníky, olivový olej a exotické korenie, ale aj hodváb, drahokamy či korytnačina dovezené po Hodvábnej ceste z Číny. Miestnemu trhu sa hovorilo agora podľa helenistického vzoru, ale archeológia preukázala, že pripomínal skôr orientálny bazár.

E pluribus unum

V skutočnosti sa Palmýra nikdy nestala vyslovene gréckou, rímskou ani perzskou, ale miešali sa v nej všetky tieto kultúry vrátane silnej domorodej tradície. Na obchodné účely sa využívala skôr gréčtina než latinčina a ľudia medzi sebou bežne komunikovali špecifickým aramejským dialektom. Bohovia mesta (podobne ako obyvateľstvo, ktoré ich uctievalo) boli prevažne semitského pôvodu, pričom časť z nich pochádzala z Mezopotámie a z juhu.

Okrem Bélovo chrámu sa v meste našli stavby zasvätené Nabúovi, Allatu a Baalovi Hamonovi. Kňazi sa vyberali najmä spomedzi vedúcich rodov, ktoré Palmýre dedične vládli. Nie je známe, koľko klanov v meste skutočne pôsobilo, ale moderný výskum ich identifikoval najmenej tridsať. Niektorých zosnulých aristokratov podľa egyptského vzoru mumifikovali a pochovávali v typických vežovitých rodinných hrobkách vo veľkej mestskej nekropole.

Odbojný štát

Zatiaľ čo Rímska ríša v 3. storočí upadala, Palmýre sa darilo. Okolo roku 250 sa vládcom mesta stal muž menom Odainathos (po lat. Odaenathus). Najprv sa usiloval zaistiť obchodnú pozíciu Palmýry u Peržanov diplomaticky, a keď zlyhal, skúsil to vojensky. Palmýra sa tak zmenila z obchodného uzla na vojenskú veľmoc. Palmýrčania porazili nielen Peržanov, ale podrobili si aj väčšinu rímskych území na východe.

V roku 267 Odainathos náhle umrel a z jeho smrti trochu podozrivo profitovala najmä vdova Zenobia. Počas regentskej vlády za neplnoletého syna zosnulého kráľa rozšírila moc Palmýry do Malej Ázie a Egypta. Tým sa dostala do sporu s Rimanmi, ktorí obidve územia dlhodobo pokladali za svoje. Nanešťastie pre Palmýru viedol Rimanov kompetentný cisár Aurelianus, a tak rímske légie ľahko porazili palmýrskych lukostrelcov a jazdcov na ťavách.

Spočiatku sa Aurelianus usiloval Palmýru zachovať, pretože si ju cenil ako hospodárske centrum, ale pri neskoršej vzbure mu došla trpezlivosť (cisár bol známy svojou prchkosťou). Druhá rímska okupácia Palmýry sa tak skončila vyrabovaním mesta a jeho zrovnaním so zemou, z čoho sa už nikdy celkom nespamätalo. Jeho populácia klesla z odhadovaných 200 000 na desatinu.

Neskoršia Palmýra

Jestvujú náznaky, že z Palmýry sa stala rímska vojenská základňa, pričom hospodárska aktivita mesta sa zamerala na udržanie tamojšej posádky. Neskorší cisár Dioklecián sa pokúsil mesto obnoviť, ale bez výraznejšieho úspechu. V byzantskom období zohrávalo nanajvýš úlohu regionálneho správneho centra, hoci za umajjovského Arabského kalifátu zažilo istú renesanciu.

Začiatkom 15. storočia prehrmeli Palmýrou bojovníci mongolského vojvodcu Timúra (Tamerlána) a zmasakrovali jej obyvateľov. V rozvalinách Bélovho chrámu neskôr vznikla dedina. V 30. rokoch 20. storočia francúzska koloniálna vláda presunula jej

Palmýrsky basreliéf v rímskom štýle pravdepodobne zobrazuje aristokratov v partských odevoch, ktorí idú pred jazdcami na ťavách.

posledných obyvateľov do novopostavenej obce mimo lokality, aby ju mohli adekvátne preskúmať archeológovia.

Palmýra dnes

V prvej štvrtine 21. storočia sa Palmýra dostala do správ ako obeť ďalšieho nepriateľského vpádu. Podnikli ho fanatici takzvaného Islamského štátu, ktorí v roku 2015 vyhodil do vzduchu niektoré zo zachovaných chrámov (a po dlhom mučení tiež popravili sťatím dlhoročného miestneho vedúceho, v tom čase už 83-ročného sýrskeho archeológa Chalída al-Asaada, *pozn. odb. red.*). Po definitívnom oslobodení lokality v roku 2017 sa podarilo niektoré škody napraviť. Vďaka plodnej medzinárodnej spolupráci na základe existujúcich filmov, fotografií a archeologických záznamov vznikol trojrozmerný model časti zničeného mesta.

Od roku 1980 patrí Palmýra na Zoznam svetového dedičstva UNESCO, ale v čase písania tejto knihy jej návšteva stále nie je pre turistov bezpečná. Napriek tomu sa azda blýska na lepšie časy. Naznačil to napríklad koncert petrohradského orchestra Mariinského divadla, ktorý sa pred očami zahraničných hodnostárov uskutočnil v Palmýre v roku 2016.

Palmýrska vápencová socha z 3. storočia n. l. stvárňuje ženu v regionálnom odeve s náhrdelníkmi a inými šperkmi.

4 pred n. l. – 9 n. l.
Waldgirmes
Ako mohla vyzerať rímska Germánia

*Po niekoľkých rokoch mesto zmizlo tak dôkladne,
že dnes už nikto nepozná ani jeho pôvodný názov.*

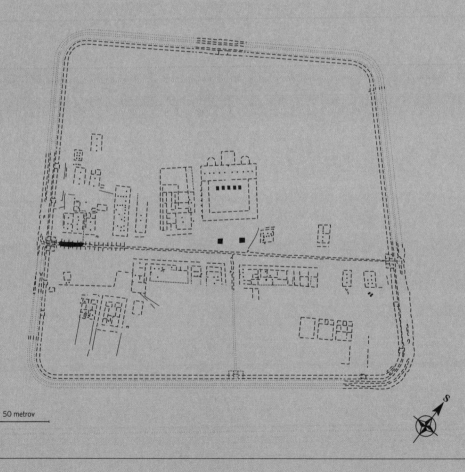

50 metrov

Strieborná trojcentimetrová brošňa, ktorú ktosi stratil v priekope okolo mesta, patrí medzi zriedkavé nálezy z obdobia prvého osídlenia Waldgirmes.

Začiatkom 1. storočia n. l. sa zdalo, že rímske dobývanie Germánie prebieha hladko. Légie dosiahli v strednej Európe rieku Labe, ktorá sa javila ako prirodzená východná hranica novej provincie, vysnívanej cisárom Augustom.

Legionári dorazili do údolia rieky Lahn, husto zalesnenej oblasti zvlnených kopcov, približne sto kilometrov od Rýna. Zaujali výhodné obranné postavenie na rieke a vybudovali provizórne baraky. Namiesto toho, aby dobyli cudzie mesto, rozhodli sa ho sami postaviť.

Možno to pôvodne mala byť *colonia* (vojenská základňa na kontrolu územia) či osada pre vojakov vo výslužbe. Alebo hádam – ako naznačuje ambiciózny pôdorys mesta – centrum provinčnej správy, kde by boli spolupracovali príslušníci miestnych kmeňov s rímskymi osadníkmi a obchodníkmi. Dejepisec Dio Cassius o tomto období poznamenal: „Barbari nasledovali rímske spôsoby, učili sa usporadúvať trhy a stretávať sa v mieri." (*Dejiny Ríma* 56, 18)

Dnes vieme odlíšiť stále sídlo od dočasného pracovného tábora. Včasné mestské budovy majú kamenné základy, riadnu kanalizáciu a funkčné vodovodné potrubie. Pracovný tábor má menej stálych základov, latríny a poloprázdne odpadkové jamy.

Civitas ab initio (mesto od základov)

Keďže mesto vznikalo celkom od piky, legionári sa mohli pustiť do práce so svojou povestnou vojenskou precíznosťou. Novú osadu chránil drevený múr vysoký 3,5 metra, ktorý mal zadržať nepriateľa do príchodu pomoci z legionárskej základne v Dorlare. Opevnenie obkolesovalo osem hektárov hlavnej časti mesta a malo tri brány – východnú, západnú a južnú. Z východu na západ mesta viedla cesta. Všetko bolo tak precízne usporiadané, že prví moderní archeológovia, ktorí lokalitu navštívili, okamžite dospeli k záveru, že ide o vojenský tábor.

V skutočnosti sa však mýlili. V meste nestáli žiadne baraky a našlo sa len málo vojenského vybavenia. Šlo teda o jadro, okolo ktorého malo vyrásť plnohodnotné mesto. Uprostred stálo veľké fórum a vedľa štandardná rímska bazilika. Medzi prvé veci, ktoré osadníci vztýčili, patrila pôsobivá socha jazdca na koni v strede fóra.

Plastika pravdepodobne stvárňovala samotného cisára Augusta, jeho silu a odhodlanosť. Vápenec na frontón (priečelný štít v tvare trojuholníka alebo oblúka, *pozn. prekl.*), v ktorom sa socha vynímala, doviezli z Galie, pravdepodobne po rieke Lahn (tá umožňovala pohodlné spojenie s rímskym svetom vrátane významnej základne Castra Vetera na dolnom Rýne). Samotná socha vážila stovky

kilogramov a bola pozlátená, čo bezpochyby robilo hlboký dojem na domorodcov, ktorí sa pridali k Rimanom a usadili sa v ich novom sídle.

Etnické zloženie mesta tvorila fascinujúca rímsko-germánska zmes. Občianske budovy vykazovali zreteľné rímske črty. Čiastočne drevená konštrukcia naznačuje, že neskôr ich mali nahradiť ešte impozantnejšie stavby. Tak či onak, kamennou zložkou sa tieto budovy zaraďujú medzi najstaršie rímske murované stavby v Germánii. Popri tomto „protomeste", ktoré nesie všetky typické znaky rímskeho sídla – vrátane obytných domov –, ľudia žili aj v germánskych dlhých domoch. To naznačuje, že populácia mesta bola od začiatku zmiešaná.

Niektorí Rimania si zriadili dielne a pece, v ktorých vyrábali svoju typickú keramiku, ale časť riadu nájdeného v lokalite jasne pochádza z rúk Germánov. Zdá sa, že miestni radšej používali svoju tradičnú keramiku než importovaný tovar z Galie alebo z iných rímskych miest severne od Álp. Okolo dvadsiatich percent riadu použitého vo Waldgirmes predstavuje ručne vyrobená keramika pôvodného obyvateľstva.

Koniec

Kováčske, keramické a iné dielne, administratívne centrum a trhovisko vo fóre, kde mohli farmári predať výrobky z okolitých úrodných polí – to všetko spravilo z Waldgirmes v priebehu jedného-dvoch rokov plne funkčné mesto. Potom, ani nie desať rokov od položenia základného kameňa legionármi, sa však situácia rapídne zmenila.

Pohroma, ktorá zasiahla Waldgirmes, takmer určite súvisela s ešte väčšou tragédiou rímskych légií ďalej na juhu v Teutoburskom lese pri (dnešnej) dedine Kalkriese. V roku 9 n. l. prepadli a zničili miestne kmene tri rímske légie, teda celú rímsku vojenskú posádku, ktorá sa práve presúvala na zimné stanovištia. Šlo o súčasť povstania viacerých germánskych kmeňov, ktoré v konečnom dôsledku ukončilo rímsku okupáciu Germánie. Krátko nato postihol násilný koniec aj rímske osídlenie vo Waldgirmes. Nevieme, či sa Rimania z mesta stiahli a zničili ho pri odchode, alebo to za nich spravili Germáni.

Obranný múr celkom spálili a impozantnú sochu jazdca rozbili na tisíc kusov. Najväčší zachovaný úlomok, konskú hlavu, hodili do studne, kde ho 2 000 rokov chránili dva mlynské kamene, ktoré tam hodili za ním. Tieto mlynské kamene boli takmer nové a do Waldgirmes ich priviezli zo severozápadu len krátko predtým.

Ako prísť o provinciu. Obraz nemeckého historického maliara Petra Janssena z roku 1873 zachytáva okamih prekvapujúceho útoku Germánov na rímske légie. Po tejto udalosti sa rímska okupácia Germánie (vrátane Waldgirmes) prakticky skončila.

V studni sa našli aj iné trosky vrátane rozličných nástrojov a nádob. Vďaka vysokému stupňu zachovanosti sa dá presne určiť ich vek – najnovší je rebrík, ktorý pochádza z dreva stromu zoťatého na jeseň roku 9 n. l.

Nič nenasvedčuje tomu, že Rimania po tomto dátume zotrvali v oblasti ešte dlhšie. Jediným dôkazom ich prítomnosti vo Waldgirmes je dočasný pochodový tábor, ktorý armáda postavila pravdepodobne počas krutého odvetného ťaženia, keď sa Rimania chceli pomstiť za stratu provincie. Ich plánované regionálne centrum už však neexistovalo a zmizlo tak dôkladne, že dnes si už nikto nepamätá ani jeho meno.

Waldgirmes dnes

Staroveké rímske mesto sa dnes nazýva Waldgirmes podľa neďalekej dediny. Keď tamojší obyvatelia upozornili, že na poliach opakovane nachádzajú úlomky rímskej keramiky, v roku 1993 prišli oblasť preskúmať archeológovia.

Georadar odhalil pravidelné rozloženie ulíc, preto sa nálezisko považovalo za vojenský tábor. Až neskôr sa ukázalo, že ide o niečo oveľa vzrušujúcejšie. Dovtedy si všetci mysleli, že Diovo tvrdenie o zakladaní nových miest v Germánii (56, 18) nebolo myslené doslovne, ale obrazne a autor chcel len vyjadriť, že v oblasti zavládol mier.

Skutočnosť, že mesto mohlo vzniknúť bez vojenskej základne v bezprostrednej blízkosti, prinútilo historikov prehodnotiť politickú situáciu v Germánii pred veľkým povstaním. Romanizácia oblasti očividne pokročila ďalej, než sa predpokladalo. A tak sa vynára dráždivá otázka, čo by sa bolo stalo, keby rímske vojsko nebolo zahynulo po jedinom zničujúcom útoku pri Kalkriese. Mohla sa Germánia napokon skutočne stať rímskou provinciou spolu s Galiou?

Legionári sa do Waldgirmes vrátili. Pre návštevníkov prichystali viaceré atrakcie, ktoré zahŕňajú gladiátorov, zrekonštruované hypokaustum (staroveký systém podlahového vykurovania, *pozn. prekl.*) či turistické centrum. Mnohé z nálezov sa vystavujú v miestnom Heimatmuseum, zvyšok si môžu turisti pozrieť v Archeologickom múzeu vo Frankfurte nad Mohanom.

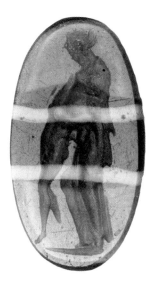

Sklenené intaglio z Waldgirmes zobrazuje pravdepodobne Niobu, tragickú postavu gréckej mytológie.

50 – 106 n. l.
Sarmizegetusa Regia
Dácka pevnosť

*Moderné mesto navrhnuté ako náboženské,
politické a ekonomické centrum nového národa.*

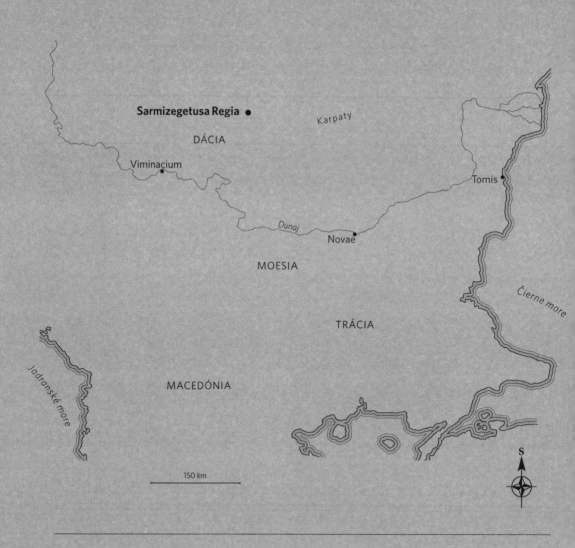

Sarmizegetusa Regia •

Karpaty

DÁCIA

Viminacium •

Tomis •

Dunaj

Novae •

MOESIA

Čierne more

TRÁCIA

Jadranské more

MACEDÓNIA

150 km

S

Dáci patrili k Trákom (o Dákoch viac v predchádzajúcej autorovej knihe *Zabudnuté národy starovekého sveta* [Ikar, 2022], *pozn. odb. red.*), ktorých vysokí červenovlasí a modrookí bojovníci terorizovali obyvateľov severného Grécka celé stáročia. Dnes máme tendenciu rozdeľovať staroveký svet na „civilizovaný" (do ktorého patria Gréci, Egypťania či Rimania) a „barbarský". Predpokladáme, že civilizované národy už usilovne stavali divadlá a kúpele, zatiaľ čo barbari ešte stále chodili so zavšivenými bradami.

Takáto predstava je však mylná. Vedomostná explózia, ktorá v Stredomorí nastala po roku 800 pred n. l., ovplyvnila všetky národy v regióne, ale nie všetky prijímali aspekty pokroku v rovnakej miere a rovnakým tempom. Napríklad Tráci sa zaradili medzi svetovú špičku v spracovaní kovov, pričom zároveň pohŕdali mestským spôsobom života. Mesto Sarmizegetusa Regia však dokazuje, že ak „barbarské" národy chceli, dokázali sa svojim „civilizovaným" náprotivkom vyrovnať.

Pôvod

Staroveký štát Dácia vďačí za svoj vznik prevažne úsiliu jedného panovníka – Burebistu. Začiatok jeho vlády je neistý, ale trvala niekoľko desaťročí až do monarchovej smrti v roku 44 pred n. l. Medzi Burebistove veľké úspechy patrilo zjednotenie súperiacich dáckych kmeňov do jedného národa, ktorý obýval väčšinu dnešnej Transylvánie a stredného Rumunska (Burebista pri svojich výbojoch zničil aj panstvo keltských Bójov na strednom Dunaji, čím zasiahol aj do dejín územia dnešného Slovenska, *pozn. odb. red.*).

Hlava Medúzy z Asklépiovho chrámu v meste Ulpia Traiana Sarmizegetusa (2. – 3. storočie n. l.).

Nový národ potreboval nové hlavné mesto, keďže to predošlé –
najpravdepodobnejšie sa volalo Argedava – sa príliš úzko spájalo
s Burebistovou getsko-dáckou kmeňovou skupinou. Voľba padla
na Karpaty. Stavitelia sa zamerali na obranu: prístup do mesta
kontrolovala sústava šiestich pevností (každá z nich je dnes sama
osebe cenným archeologický náleziskom). Samotná Sarmizegetusa
Regia vznikla na južnom hrebeni neďaleko vrcholu hory Muncelu
v nadmorskej výške približne 1 200 metrov.

Sarmizegetusa Regia mala od začiatku plniť úlohu nedobytnej
pevnosti a zároveň náboženského, politického a ekonomického
centra nového národa. Jej dizajn a výstavba nijako nezaostávali
za modernými mestami v Rímskej ríši, a to aj vďaka tomu, že ju sčasti
stavali bývalí rímski poddaní. Dácki bojovníci totiž uniesli grécko-
-rímskych remeselníkov zo severného Grécka a z miest na Dunaji.
Časť pracovníkov pravdepodobne aj najali. Vzniklo tak mesto, ktoré
sa mohlo pochváliť najnovšími výdobytkami občianskej a vojenskej
architektúry vrátane vodovodných a kanalizačných systémov.

Starostlivo naplánované mesto

Sarmizegetusa Regia sa pravdepodobne delila na dve lokality a štyri
samostatné časti podľa funkcií, ktoré plnili. Správna štvrť sa úzko
spájala s chrámovým komplexom (takzvaným posvätným priestorom)
neďaleko východnej brány. Vedľa sa nachádzala hlavná pevnosť, ktorá
zaberala plochu troch hektárov. Ďalej dolu kopcom (na sérii umelých
terás) ležala všeobecnejšia obytná štvrť, ktorá sa sčasti prekrývala
s výrobnou oblasťou (starovekí remeselníci zvyčajne bývali nad svoji-
mi dielňami). V tejto štvrti viedla voda potrubím priamo do domov
niektorých bohatších mešťanov. Vo všeobecnosti sa zdá, že priemerný
občan Sarmizegetusy Regia žil rovnako pohodlne ako akýkoľvek
Aténčan či Riman a v podstate sa tešil z rovnakých výdobytkov.

Najvyšším dáckym bohom bol Zalmoxis. Úrad hlavného kňaza
zastávala vysoko postavená osoba mestskej hierarchie. Našli sa
pozostatky siedmich dáckych chrámov a jedného veľkého oltára.
Napriek tomu, že podrobnosti náboženstva Dákov stále zahaľuje
rúško tajomstva, zjavne sa v ňom vyskytovali synkretické prepojenia
s grécko-rímskymi bohmi Merkúrom, Venušou a (prirodzene)
Marsom. Medzi najzáhadnejšie stavby posvätného priestoru patrí
takzvané Andezitové slnko – sedemmetrový kruh pomenovaný podľa
kameňa, z ktorého je skonštruovaný. Nie je jasné, čo táto tajomná
dlažba predstavuje, ale lúče, ktoré vychádzajú z jej stredu, ukazujú
na hlavné budovy mesta a jeden smeruje na sever (slnečný kotúč
patril medzi bežné dácke symboly).

Tajomné drevené koly takzvanej kruhovej svätyne v posvätnom priestore Sarmizegetusy Regia. Účel zvláštnej stavby zostáva záhadou.

Medzi hlavné faktory, ktoré rozhodli o umiestnení Sarmizegetusy Regia, patrili husté karpatské lesy a bohaté zásoby železnej rudy v okolí. Nerastné bohatstvo robilo z horskej pevnosti ideálne miesto na metalurgiu – remeslo, v ktorom Dáci vynikali. V priemyselnej oblasti sa našli stovky kovových predmetov: špecializované nástroje pre remeselníkov a roľníkov či široká paleta zbraní od nožov až po typickú dácku žrďovú zbraň falx. (Falxu sa rímski legionári obávali natoľko, že si na obranu pred ním špeciálne upravovali brnenie.)

Vojna s Rímom

Zjednotená Dácia sa určite nevyznačovala mierumilovnosťou. V spoločenskej štruktúre Dákov hrala prím vojna a ich bojová kultúra sa prejavila na farmách aj v osadách Rímskej ríše, ktorá siahala až k dáckym hraniciam. V 1. storočí n. l. ničivými nájazdmi opakovane trpela najmä nová rímska provincia Panónia. Cisár Domicián sa usiloval útoky zmierňovať, ale vzhľadom na svoje vratké politické postavenie nechcel opustiť Rím ani zveriť veľké vojsko niekomu inému. V záujme zachovania mieru Dákov napokon podplatil.

Na ráznejšie riešenie problému si museli Rimania počkať do stabilizovania politickej situácie za cisára Trajána (vládol v rokoch

98 – 117 n. l.). Po rokovaniach s kráľom Decebalom sa Traján rozhodol pre priamu vojenskú konfrontáciu. Typická rímska stratégia velila udrieť légiami na to, čo si nepriateľ najviac cenil – v tomto prípade na Sarmizegetusu Regia –, a cestou ničiť každý odpor.

Hoci o Trajánovej vojne s Dákmi sa nám nezachovali žiadne texty (respektíve len v podobe stredovekých výpiskov z diela rímskeho historika Dia Cassia a nápisu z náhrobku Tiberia Claudia Maxima, veliteľa jazdeckej jednotky, ktorá dostihla utekajúceho Decebala, *pozn. odb. red.*), máme k dispozícii obrázky, ktoré špirálovito stúpajú na takzvanom Trajánovom pamätnom stĺpe v Ríme. Tieto basreliéfy zachytávajú vojnu od jej začiatku (vstupu Rimanov do Dácie) až po koniec (pád Sarmizegetusy Regia). Rimania strhli vonkajšie hradby, ale zvyšok mesta po uzavretí mieru ušetrili.

Koniec

Traján ani Decebal však mier nebrali príliš vážne. Keď dácky kráľ uniesol rímskeho generála, ktorý bol blízkym Trajánovým priateľom, konflikt vzplanul nanovo. Generál nechcel, aby ho v zajatí využívali ako zbraň proti cisárovi, preto spáchal samovraždu. Rozzúrený Traján vytiahol na Sarmizegetusu Regia a začal ju obliehať. Rimania vztýčili okolo mesta vlastné hradby (cirkumvalácia), aby odrezali obyvateľstvo od vody a prinútili ho vzdať sa.

Decebalovi sa podarilo utiecť, ale dobehli ho a zabili. Sarmizegetusu Regia zrovnali so zemou – až na úsek, kde zostala rímska posádka, ktorá dohliadala na to, aby Dáci pevnosť neobnovili. Traján neskôr založil hlavné mesto novo dobytej provincie o približne štyridsať kilometrov ďalej a rímska armáda pri odchode zo Sarmizegetusy Regia strhla aj jej posledné múry.

Sarmizegetusa Regia dnes

Dlhé roky si vedci zamieňali Sarmizegetusu Regia s Trajánovým rímskym mestom Ulpia Traiana Sarmizegetusa. Ulpiu objavili koncom 19. storočia, ale pôvodná Sarmizegetusa Regia, ktorá bola ťažšie dostupná a aj dôkladnejšie zničená, musela na odhalenie počkať ešte niekoľko desaťročí.

Pravá Sarmizegetusa Regia patrí medzi ozajstné archeologické skvosty Rumunska. Navyše leží v nádhernom prostredí prírodného parku Grădiştea Muncelului Cioclovina. Vykopávky pokračujú, ale už teraz je odkrytá veľká časť lokality.

pribl. 170 pred n. l. – 750 n. l.
Gerasa
Pády a vzostupy

Jedno z najzachovanejších antických miest mimo územia Talianska.

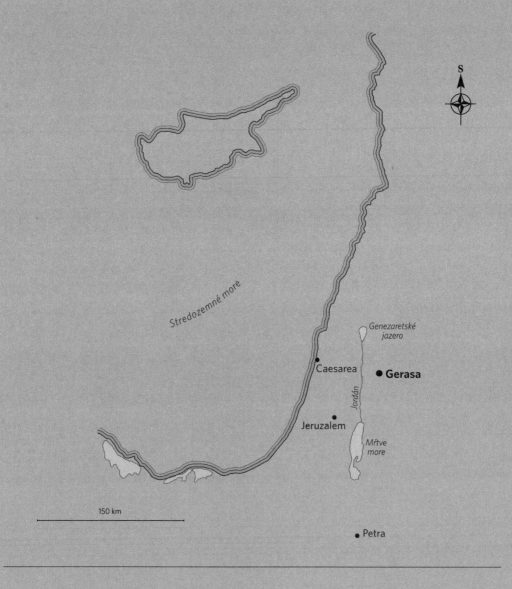

Dnešný Džeraš (v staroveku Gerasa) dokazuje, že ani prírodné pohromy a škody napáchané človekom nemusia mesto definitívne zraziť na kolená. Napriek tomu, že Gerasu postihli zemetrasenia a opakovane ju vyplienili cudzie vojská, vždy sa vedela znova postaviť na nohy. Po niekoľkých storočiach, keď zostala stratená a opustená, sa vrátila vo veľkom štýle ako významné mesto Jordánskeho kráľovstva. Obdobie izolácie navyše znamenalo, že na rozdiel od mnohých ostatných starovekých miest sa murivo Gerasy prakticky nevyužívalo na stavbu nových budov. Preto sa Gerasa zaraďuje medzi najzachovanejšie antické mestá mimo územia Talianska.

Južná brána predstavovala hlavný vchod do Gerasy zo strany Ammánu, jordánskeho hlavného mesta. Bránu kedysi zdobili bohaté reliéfy a sochy, ktorými mesto ohurovalo návštevníkov.

Výhodná poloha

Gerasa leží asi päťdesiat kilometrov severne od jordánskeho hlavného mesta Ammán, ale je v nej o dosť chladnejšie, pretože sa nachádza na jednom z najvyšších kopcov zvlnenej krajiny, ktorá

dominuje regiónu. V nadmorskej výške približne 500 metrov Gerasu aspoň čiastočne obchádza nepríjemná horúčava, čo panuje v Ammáne, a miestnym obyvateľom sa tam už tisíce rokov naskytajú nádherné výhľady na okolitú krajinu.

Dnes, tak ako aj v minulých storočiach, sú svahy posiate cédrami a slivkovými, figovými či olivovými sadmi. Relatívne mierne podnebie poskytuje dobré podmienky na chov zvierat, čo bol pravdepodobne rozhodujúci faktor, prečo do oblasti pred 7 500 rokmi zavítali prví osadníci.

Založenie a rast

Nie je jasné, kedy sa z Gerasy oficiálne stalo mesto. Niektorí odborníci sa domnievajú, že na rozkaz Alexandra Veľkého po jeho úspešnom ťažení do Egypta macedónsky generál Perdikkas vybral lokalitu ako sídlo pre macedónskych žoldnierov. K formálnemu osídleniu mesta však došlo pravdepodobne až okolo roku 170 pred n. l. pod taktovkou jedného z Alexandrových nástupcov, seleukovského kráľa Antiocha IV. Epifana.

Gerasa ležala neďaleko starobylej vodnej zásobárne. Pitnú vodu mestu dodával prameň Kerwan, ktorý cezeň pretekal. K vojenským

Mozaika z vápencových kamienkov, odhalená v byzantskom kostole v Gerase, zobrazuje egyptskú Alexandriu a Memfis.

kolonistom sa rýchlo pridali obchodníci, ktorí si uvedomili, že Gerasa leží na výhodnej obchodnej križovatke medzi prístavom Joppa (dnes Jaffa), Damaskom, Petrou a judskými mestami.

Keď Seleukovská ríša začala upadať, spojenie s Judskom sa ukázalo ako kľúčové. Židovský kráľ Alexander Jannaios (vládol v rokoch 103 – 76 pred n. l.) nechcel, aby životne dôležitý obchodný uzol padol do rúk nepriateľov, preto Gerasu obľahol a dobyl. Mesto tým získalo značnú židovskú komunitu, ktorá potom s Macedónčanmi pomerne pokojne nažívala v kráľovstve Hasmoneovcov.

Úskalia rímskej Gerasy

Toto bola prvá zo série zmien vlastníkov mesta. Keď sa rímsky generál Pompeius (Magnus) ocitol vo vážnom spore s Hasmoneovcami, v roku 63 pred n. l. vyriešili záležitosť rímske légie. Gerasa sa stala rímskym mestom a neskôr sa začlenila do novej provincie Sýria. Ako mali Rimania vo zvyku, mestu ponechali pomerne vysokú mieru autonómie, čo Gerasa využila a pridala sa do voľného spolku lokálnych miest, takzvanej Dekapolitany (Dekapolis).

Politika na Strednom východe bola v minulosti rovnako turbulentná ako dnes, čo dosvedčuje aj komentár židovského historika Jozefa Flavia. Masaker Židov v pobrežnom meste Caesarea viedol k odvete, v ktorej sa Židia „rozdelili do viacerých skupín a zničili sýrske dediny a neďaleké mestá Filadelfia, Hesebon a Gerasa" (*Židovská vojna* 2, 18, 1).

Napriek – alebo vďaka – tomu sa Gerasa znova ocitla v židovských rukách. Stalo sa to krátko pred vypuknutím protirímskeho povstania v roku 66 n. l. Rímsky generál Annius sa po opätovnom získaní Gerasy držal taktiky, ktorú spomína historik Tacitus: „Kde [Rimania] všetkých vyvraždia, to nazvú mierom." (*Agricola* 30)

Gerasa prežila aj túto tvrdú ranu a opäť sa pozviechala. V roku 106 n. l. sa administratívne začlenila pod rímsku provinciu Arábia.

Vrcholná Gerasa

Arábia zahŕňala niekdajšie Nabatejské kráľovstvo a karavánové mesto Petra. Nabatejský vplyv vidno v jadre Gerasy dodnes. Na terasovitej vyvýšenine, kde stojí Artemidin chrám, sa nachádzajú aj ruiny svätyne nabatejského boha Pakidasa. Artemidin chrám bol najveľkolepejší, ale mesto sa mohlo pochváliť aj honosným chrámom Dia Olympského či inými svätyňami, venovanými Hére, Apolónovi, Poseidónovi alebo Nemesis.

Gerasa vstúpila do obdobia bezprecedentnej prosperity. Väčšina mesta stála na úrovni terénu terasy naľavo od prameňa Kerwan, kde obyvateľov chránili takmer trojkilometrové hradby. *Cardo maximus*, hlavná ulica mesta, viedlo týmto husto zastavaným priestorom k južnej bráne. Gerasa však prerástla svoje pôvodné hranice natoľko, že ak chcel niekto do nej vojsť z juhu, musel sa najskôr predrať 1,5-kilometrovou spleťou domov a dielní pred mestskou bránou.

Vedľa brány sa nachádzal hipodróm, v ktorom mohlo preteky vozov sledovať vyše 15 000 divákov. Pri hipodróme stál oblúk na pamiatku návštevy rímskeho cisára Hadriána v rokoch 129 až 130. To svedčí o dôležitosti Gerasy, ktorú poctil svojou prítomnosťou aj Hadriánov predchodca Traján (hoci preňho šlo skôr o služobnú cestu počas vojenského ťaženia v Mezopotámii). Hadriánov oblúk síce pôsobil impozantne, ale Traján postavil cesty, aby uľahčil pohyb svojich vojsk, čím nepriamo pomohol aj obchodu. Preto mala jeho stavebná aktivita pre mesto väčší prínos než honosný výtvor jeho nástupcu.

Pocestný, ktorý vošiel do mesta južnou bránou, mohol pokračovať na sever po *carde maxime* až k fóru. Vzhľadom na významné obchodné postavenie mesta neprekvapí, že fórum dosahovalo veľkosť 7 200 štvorcových metrov. Skrášľovali ho pôsobivé stĺpy a vápencová dlažba. Cesta pokračovala ďalej hore kopcom až do Diovho chrámu, z ktorého sa núkal dobrý výhľad na mesto a okolitú krajinu.

Neskoršia Gerasa

Na sklonku cisárstva viedol vzostup kresťanstva v ríši k vybudovaniu veľkej geraskej katedrály. Ako časť stavebného materiálu na ňu poslúžil Artemidin chrám, ktorý v zmenenej náboženskej situácii už nehral prvé husle. Napriek tomuto vandalstvu chrám dodnes zostáva jednou z najpôsobivejších pamiatok mesta a v katedrále sa zachovalo niekoľko nádherných podlahových mozaík.

Keď sa z Východorímskej ríše stala Byzantská, Gerasa si udržala status dôležitého mesta – natoľko dôležitého, že ho v roku 614 zdevastovali sásánovskí Peržania. Hoci Gerasa dokázala príkoria spôsobené ľuďmi vždy nejako prekonať, proti masívnemu zemetraseniu, ktoré v roku 749 zničilo väčšinu mesta, bola bezmocná. Pokusy o rekonštrukciu prekazili ďalšie otrasy a mesto sa pravdepodobne na nejaký čas vyľudnilo.

Za moslimského kalifátu došlo k istému oživeniu. Niektoré časti mesta sa obnovili, tamojšia mincovňa začala raziť mince a v meste súčasne fungovali kostoly aj mešity. Bohužiaľ, túto náboženskú

Predchádzajúca dvojstrana Hlavnú fontánu Gerasy tvorilo nymfeum. Voda tiekla do kamennej nádrže z rúrok v tvare levích hláv. V nymfeách sa uctievali vodné víly.

Terakotová socha z Gerasy nesie antické aj orientálne črty.

toleranciu zničil fanatizmus. Keď v roku 1121 prišli do Gerasy križiaci, zdevastovali ju a potom rýchlo odtiahli.

Gerasa dnes

Hoci sa Gerasa na niekoľko storočí stratila a vyľudnila, opäť sa postupne pozviechala a nový Džeraš – ktorý vznikol skôr vedľa než navrchu starobylej pamiatky – je dnes hlavným mestom oblasti. Pomerne dobrý stav antických zrúcanín priťahuje každoročne desaťtisíce turistov. Na mieste chýbajú smerové tabuľky, ale návštevníci sa môžu spoľahnúť na pomoc odborných sprievodcov.

K dispozícii majú aj dve múzeá. V tom staršom sa vystavujú mnohé predmety, ktoré sa podarilo v starovekom meste vykopať. Modernejšie Archeologické múzeum dokumentuje pútavý príbeh Gerasy za posledných 7 000 rokov.

Už štyridsať rokov hostí Džeraš výročný festival kultúry a umenia, na ktorý prichádzajú výnimoční umelci nielen z arabského sveta.

Venta Silurum

Život v rímsko-britskom meste

Najpôsobivejšie rímske hradby spomedzi miest severnej Európy.

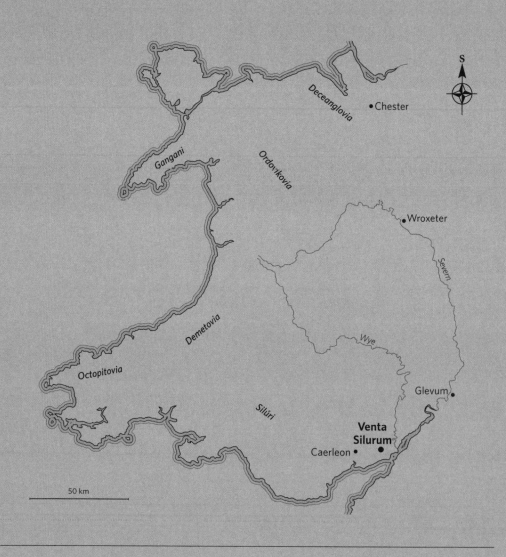

Kamenná hlava v keltskom štýle, nahrubo vytesaná zo žltého kremičitého pieskovca. Predmet zo 4. storočia n. l. zrejme zobrazuje domáceho bôžika.

Keď Rimania v roku 43 n. l. vpadli do Británie, zrejme nečakali, že tam budú o dve desaťročia stále bojovať. Zatiaľ čo juh sa poddal pomerne rýchlo (a nakrátko znova povstal pod velením Boudiccy), kmene na hornatom území dnešného Walesu sa nedali tak ľahko. Najtvrdší oriešok predstavovali Silúri. Pre ich tmavú pokožku a kučeravé vlasy si dejepisec Tacitus myslel, že ich predkovia pochádzajú z Hispánie (*Agricola* 11). Zúfalý Ostorius Scapula, v poradí druhý miestodržiteľ Británie, navrhol, že Silúrov treba do nohy vykynožiť alebo presídliť do inej časti ríše. Scapula, vyčerpaný ustavičnými bojmi, umrel v roku 52 n. l. a trvalo celé ďalšie pokolenie, než Rimania vojensky prinútili Silúrov uznať cudziu nadvládu.

Nové mesto

Rimania spacifikovaných Silúrov dotlačili k tomu, aby sa presťahovali na pomerne rovinaté (a teda oveľa horšie brániteľné) územie dnešného Glamorganského údolia. V roku 75 n. l. tam založili malé trhové mesto, ktoré malo slúžiť ako nové kmeňové centrum. Názov Venta Silurum doslova znamená „trh Silúrov" (podobne vznikli aj mestá Venta Belgarum pre Belgov a Venta Icenorum pre Icénov). Aby sa Rimania poistili, že Silúri budú ďalej poslúchať, v Caerleone (Isca Augusta), vzdialenom deň pochodu, zriadili tábor pre legionárov: nie príliš blízko, aby domácich nepopudili, ale dostatočne blízko, aby si Briti vyhodili z hlavy akékoľvek myšlienky na vzburu. Silúri spadali do kategórie *dediticii* – ľudí podriadených rímskej moci, ktorí neboli ani otrokmi, ani občanmi.

Mesto pôvodne stálo na oboch stranách hlavnej cesty medzi Caerleonom a Glevom (Gloucesterom), takže Rimania, ktorí sa cezeň presúvali, domácich obyvateľov neustále ohurovali vojenskou silou a hospodárskou výkonnosťou. Pôvodné sídlo nemalo žiadne hradby, pretože by sa to bolo priečilo prvotnému účelu mesta.

Bezstarostný rast

Keď v Británii zavládol Pax Romana, z Venty Silurum sa stalo etablované administratívne centrum alebo *civitas*. Na vrchole cisárstva za antoninovských panovníkov 2. storočia moc sídla ešte vzrástla. Nachádzalo sa v ňom fórum a bazilika, ktoré sa pokladali za základ funkčného mesta (fórum plnilo úlohu trhoviska a bazilika slúžia na administratívne a právne účely). Silúri postupne dostali väčšie právomoci v spravovaní svojich záležitostí. Baziliku zdobili osemmetrové korintské stĺpy a *civitas* sa mohla tešiť aj z typických rímskych vymožeností, akými boli amfiteáter či verejné kúpele.

Hoci sa obranné múry Venty Silurum na niektorých miestach preborili, stále sa zaraďujú medzi najúchvatnejšie zachované rímske hradby v celej Európe.

V tomto čase sa už výstavba pozdĺž cesty regulovala a pozemky sa delili na približne tridsať obytných parciel nazývaných *insula*. Mnohé z domov postavených na týchto pozemkoch plnili dvojaký účel. Ich prednú stranu tvorila dielňa či obchod a zadnú obytná časť. S postupom času sa niektoré domy zväčšili a prešli luxusnými úpravami v podobe mozaikových dlažieb či hypokáust (podlahové kúrenie prišlo vo waleskom podnebí veľmi vhod).

Existuje teória, že ekonomike Venty Silurum pomohla legionárska základňa v Caerleone nielen tým, že od mesta kupovala výrobky, ale aj tým, že vojaci v meste trávili dôchodok, aby zostali nablízku priateľom, s ktorými prežili väčšinu svojho života. Keďže koncom 2. storočia sa hodnota lokality zvýšila a Silúri skrotli, smeli si vybudovať hlinenú priekopu a val, ktoré mesto chránili pred nájazdníkmi. O priamych väzbách armády s Ventou Silurum sa dozvedáme zo zachovaného nápisu venovaného miestodržiteľovi Tiberiovi Claudiovi Paulinovi: „Pre Paulina, legáta II. légie Augusta, prokonzula provincie Narbonská Galia... výnosom výboru pre verejné práce kmeňovej rady Silúrov.“ Nápis podčiarkuje blízke vzťahy medzi légiou v Caerleone a mestom.

Zmienka o kmeňovej rade zase dokazuje, že Silúri dosiahli vysoký stupeň autonómie.

Ústup mocnosti

Idylka sa skončila na sklonku 3. storočia, keď sa Rímska ríša ocitla v politickej a ekonomickej kríze. Z Caerleonu stiahli II. légiu Augusta, čo zrejme urýchlilo stavbu masívnych kamenných hradieb, ktoré obkolesujú Ventu Silurum dodnes. Tieto múry stále stoja do veľkej miery neporušené a niekde sa týčia až do výšky siedmich metrov. Ako opatrenie proti rastúcej hrozbe írskych pirátov na rieke Severn vznikli štvorcové veže, ktoré chránili brány, a jestvujú náznaky, že mesto strážila rímska vojenská posádka.

Ventu Silurum však dobehli nedostatky, ktoré vyplývali z jej pôvodného dizajnu – ako sme už spomínali, poloha mesta sa úmyselne vybrala na zraniteľnom mieste. Po odchode legionárov z Británie stratila Venta Silurum životaschopnosť. Tento fakt museli napokon prijať aj mešťania, ktorí sa stiahli do väčšieho bezpečia v neďalekých kopcoch. Hoci na mieste neskôr vznikol kláštor, zdá sa, že v roku 450 n. l. už Venta Silurum ako obec prakticky nefungovala.

Venta Silurum dnes

Hoci Venta Silurum prestala navonok existovať, v povedomí miestnych obyvateľov žila ďalej. Názov „Venta" zmutoval na „Guenta", z čoho neskôr vzišlo označenie waleského kráľovstva Gwent. Keď sa situácia v Británii trochu upokojila, na pôde bývalého rímskeho sídla vznikla dedina, ktorá sa volala (a stále volá) Caerwent, pričom aj „-went" pochádza od slova „Venta".

Keďže sa dlho nikto nepokúsil znova osídliť rovinu, na ktorej kedysi stála Venta Silurum, kamene mestských hradieb zostali na mieste (na rozdiel od iných lokalít). Vďaka tomu sa tam nachádzajú jednoznačne najúchvatnejšie rímske mestské múry v severnej Európe.

Väčšinu Venty Silurum dnes tvorí múzeum pod holým nebom, hoci pomerne veľká časť lokality sa ešte musí vykopať. Návštevy sú možné celoročne a dá sa parkovať pri neďalekom kostole, v ktorom sú vystavené mnohé rímske predmety zo strateného mesta.

pribl. 300 pred n. l. – 256 n. l.
Dura-Europos
Nenápadné mesto plné pokladov

Archeologický výskum odhalil stopy
po zúfalom odpore rímskej posádky.

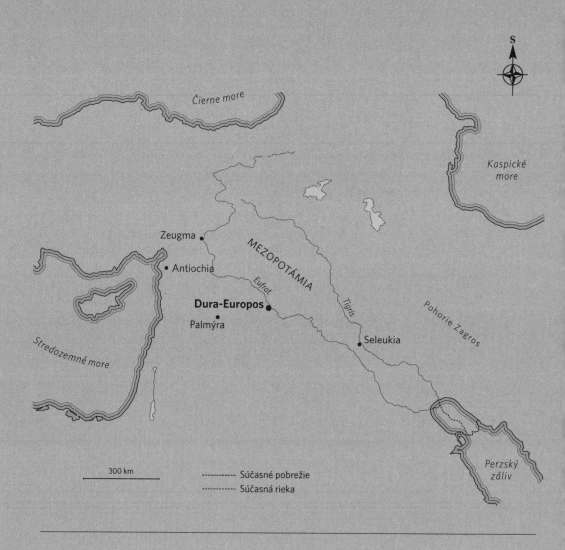

Čierne more

S

Kaspické more

Zeugma

MEZOPOTÁMIA

Antiochia

Eufrat

Dura-Europos

Tigris

Palmýra

Seleukia

Pohorie Zagros

Stredozemné more

Perzský záliv

300 km

----------- Súčasné pobrežie
----------- Súčasná rieka

M esto, ktoré dnes poznáme ako Dura-Europos, nemalo nikdy viac než 15 000 obyvateľov. Napriek tomu táto nenápadná pevnosť na brehoch Eufratu neprestajne mení náš pohľad na staroveký svet. Za jej hradbami žila pestrá zmes stredomorských kultúr a náboženských skupín. Dokazuje to aj jeden z najstarších dosiaľ objavených kresťanských kostolov. Mesto napokon padlo po zničujúcom obliehaní v neskorom staroveku, počas ktorého sa prvýkrát v dejinách použil bojový plyn.

Vznik

Pri založení dostalo mesto výstižný názov, ktorý vyjadroval jeho účel. Nazývalo sa „Dura", čo v miestnom aramejskom nárečí znamená „pevnosť". Mesto založil nástupca Alexandra Veľkého Seleukos I. Nikator. Ten zdedil sýrsku časť dobytých držav spolu s územiami, ktoré sa tiahli pozdĺž úpätí himalájskych hôr na východ až k Baktrii.

Seleukos len nedávno založil dve významné metropoly Antiochiu a Seleukiu nad Tigrisom, ktoré zamýšľal využiť ako regionálne

Zádumčivé rímske hradby v pozadí pozostatkov mesta Dura-Europos, o ktorom sa starobylé texty sotva zmieňujú a poznáme ho takmer výlučne z archeologického výskumu.

Nástenná maľba
malého Mojžiša
zo *šulu* (synagógy)
v Dure-Europose.
Toto opevnené
mesto poskytlo
domov až zarážajúco
vysokému počtu kultúr
a náboženstiev.

hlavné mestá. Opevnená Dura sa nachádzala na mieste, kde mohla
kontrolovať brod cez rieku Eufrat a tým pádom aj obchodné spoje-
nie medzi spomenutými mestami. Krátko nato sa jej názov zmenil
na Europos, pravdepodobne na počesť Seleukovho európskeho
pôvodu a jeho vojenskej posádky zloženej z macedónskych rodákov.
Názov so spojovníkom Dura-Europos je teda dnešný konštrukt
a obyvatelia mesto pravdepodobne označovali len jeho jednou alebo
druhou časťou.

Vývoj

Vďaka svojej strategickej funkcii vojenskej základne a polohe
na medzimestskej obchodnej ceste vyrástla Dura (Europos)
na malé, ale úspešné mesto, ktoré sa stalo správnym strediskom
priľahlej oblasti.

V roku 160 pred n. l. Duru poškodilo zemetrasenie. To zrejme
umožnilo vládcom ríše sídlo prestavať a spraviť z neho učebnicový
príklad moderného urbánneho centra.

Opevnená časť mesta ležala na východe na úzkom skalnatom
výbežku tesne nad riekou. Za ním sa nachádzala rovinatá oblasť

s rozlohou približne 45 hektárov, na ktorej sa mali uplatniť sofistikované metódy mestského plánovania.

Štruktúra mesta odzrkadľovala pravidelnú pravouhlú sústavu ulíc takzvaného hippodamovského plánu. (Starogrécky teoretik architektúry a urbanista Hippodamos z Miléta vyvinul tento koncept v 5. storočí pred n. l. Je zaujímavé, že inšpiráciu čerpal z oveľa starších miest, ktoré ležali v oblasti budúcej Dury-Europosu.) Vykopala sa kanalizácia a zefektívnilo sa zásobovanie vodou. Mestské parcely sa sústredili okolo agory, ktorá obyvateľom slúžila ako trhovisko a miesto verejných stretnutí.

Partská Dura

Zatiaľ čo Dura ďalej prosperovala, o Seleukovskej ríši sa to povedať nedalo. Obrovský a chaotický štátny celok prakticky od začiatku trhali na kusy odstredivé sily a séria slabých a neschopných vládcov situáciu len zhoršila. V roku 113 pred n. l. mesto obsadili Parti, iránsky národ, ktorému grécka nadvláda nikdy príliš nevoňala.

Pre obyvateľov Dury znamenali mocenské rošády predovšetkým to, že Antiochia a Seleukia nad Tigrisom sa ocitli v iných kráľovstvách, ktoré so sebou nevychádzali práve priateľsky. Tým vojenský aj hospodársky význam Dury značne oslabol a stalo sa z nej radové mesto Partskej ríše, ktoré vynikalo nanajvýš veľkou rozmanitosťou obyvateľstva.

Durania nám zanechali pestrú zbierku poznámok vyrytých alebo načmáraných na stenách vrátane receptov, mien, dôležitých dátumov či dokonca kresieb ťavích karaván alebo obrnených jazdcov. Podľa toho vedeli odborníci určiť, že v meste žili Gréci, Arabi, Italovia, Židia i Parti. Politický aj hospodársky osud mesta držali v rukách pravdepodobne Gréci z popredných rodov pôvodného macedónskeho osadenstva, ktoré sa udržalo pri moci aj počas búrlivých zmien.

Rím

Keď začala partskú nadvládu ohrozovať rastúca moc Rímskej ríše, musela nastúpiť obratná diplomacia. Za cisára Trajána v roku 114 n. l. sa Dura stala rímskym mestom, ale Trajánovi nasledovníci nevedeli územné zisky v Mezopotámii udržať a po niekoľkých rokoch sa Dura vrátila do partských rúk (vedúce rody prežili aj tieto turbulencie).

V 60. rokoch 2. storočia sa Rím vrátil ešte raz. Mesto sa stalo súčasťou provincie Syria Coele a získalo prestížny status *colonia*, ktorý zaručoval obyvateľom výhodné právne postavenie. Rimania

dali jasne najavo, že tentoraz mienia zostať natrvalo, a severnú časť mesta prestavali na vojenskú základňu s amfiteátrom na rozptýlenie posádky. Oficiálne rozvodové dokumenty ukazujú, že niektorí vojaci sa oženili z miestnymi ženami.

Dura však ostala priemerným mestom na hraniciach cisárstva. Súvekí dejepisci ju zmieňujú len zbežne a zameriavajú sa na (podľa nich) dôležitejšie udalosti, napríklad na pád Partskej ríše a vzostup lepšie organizovanej a vojensky efektívnejšej sásánovskej Perzie. Vývoj udalostí mal výrazný vplyv na budúcnosť Dury – respektíve na jej absenciu.

Smrť mesta

Dobytie Dury Sásánovcami nie je v historických záznamoch zdokumentované, ale podrobnosti o boji odhalil archeologický výskum. Hrdinská rímska posádka sa zo všetkých síl usilovala zabrániť nepriateľovi, aby získal riečny brod. Sásánovci však na rozdiel od svojich partských predchodcov boli majstrami v obliehaní. Medzi ich obľúbené techniky patrilo vykopanie tunelov pod kľúčovými múrmi či vežami, ktoré sa vzápätí zrútili.

Rimania si toto nebezpečenstvo uvedomovali a kopali „proti-tunely". O zúfalom boji za svetla pochodní v klaustrofobickom podzemí svedčia mŕtvoly, ktoré odhalili archeológovia. V jednom tuneli si Peržania uvedomili, že Rimania sa k nim prekopali. Preto ustúpili a na mieste nechali len jedného odvážlivca, ktorý zapálil zmes síry a bitúmenu, čím zaplnil tunel jedovatým plynom. Neskôr sa našli telá devätnástich Rimanov a jedného Peržana. Šlo pravdepodobne o vojaka, ktorý zmes zapálil, ale nestihol včas ujsť.

Hrdinský odpor obrancov však vyšiel navnivoč – Peržania sa napokon do mesta prekopali a zničili ho. Časť prežívších sa možno dlhodobejšie zabývala medzi troskami, ale osud Dury sa v roku 256 n. l. definitívne spečatil.

Dura-Europos dnes

Než začiatkom 21. storočia pohltila región vojna, vykopal rad archeologických tímov v spolupráci so sýrskou vládou úžasné množstvo dokumentov a artefaktov. Patrí medzi ne aj rímska vojenská dokumentácia 20. kohorty (Cohors XX Palmyrenorum), ktorej archívy sa našli v dobrom stave (medzi najvýznamnejšie nájdené artefakty patrí určite aj unikátny nález maľovaného rímskeho obdĺžnikovitého štítu z 3. storočia n. l. – ide o jediné

Vľavo
Sadrovec s úryvkom
latinského textu,
ktorý želá priaznivý
osud cisárovi, senátu
a rímskemu ľudu.

Vpravo
Terakotová amfora
z Dury-Europosu
(100 – 225 n. l.).

scutum, charakteristický rímsky štít, ktorý bol doteraz nájdený, *pozn. odb. red.*). Nechýba ani nápis z najstaršieho objaveného kresťanského domového kostola na svete. Celkovo sa v ruinách našli tisíce predmetov, ktoré vedcom pomohli vytvoriť podrobný obraz o živote v meste pred jeho tragickým koncom.

Prednedávnom Duru-Europos opäť vydrancovali a znivočili barbari. Členovia takzvaného Islamského štátu totiž v zúfalej snahe financovať svoju vojnu mesto nehanebne vyplienili a pri hľadaní cenností zničili odhadom sedemdesiat percent náleziska.

800 pred n. l. – 650 n. l.
Beta Samati
Zabudnuté mesto zabudnutej ríše

*Napriek obrovskej veľkosti Aksumskej ríše
sa na ňu prakticky zabudlo.*

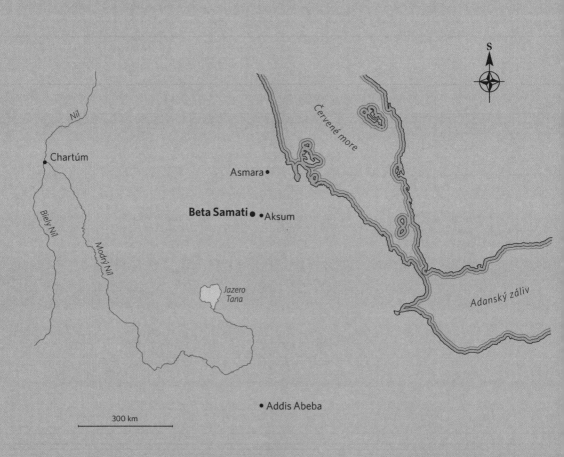

V 6. storočí n. l. si Peržania spočítali, že na svete jestvujú štyri mocnosti: oni (ako inak), Rimania (Byzantínci), Číňania a Aksumovia. Zatiaľ čo prvé tri veľmoci väčšina z nás pozná, Aksumská ríša neskorého staroveku patrí medzi najväčšie celky v dejinách, o ktorých ľudia vo všeobecnosti nevedia. Na svojom vrchole v 3. storočí n. l. Aksumovia kontrolovali rozľahlé územie, ktoré zahŕňalo väčšinu dnešnej Etiópie, Eritrey, severného Sudánu a západného Jemenu.

V tomto období vládol na suchozemských karavánových trasách medzi Európou a Áziou chaos, ktorý spôsobilo sťahovanie národov. Góti, Vandali, Huni a Slovania sa presúvali na západ. Keďže aksumská moc sa medzitým rozšírila na oba brehy Červeného mora, ovládla najvýnosnejšiu obchodnú cestu medzi Byzanciou a civilizáciami na východe.

Len čo sa mesto Meroé vo východnom Sudáne dostalo pod aksumský vplyv, ríša v podstate kontrolovala aj prúdenie tovaru zo subsaharskej Afriky do Stredomoria.

Keďže moderný svet o meste Beta Samati až donedávna vôbec nevedel, o tejto medzinárodnej obchodnej križovatke a správnom centre sa ešte stále len učíme.

Predaksumské obdobie, 775 – 360 pred n. l.

Pôvod mesta Beta Samati je stále nejasný, ale uhlíková metóda preukázala, že osídlenie oblasti sa začalo okolo roku 775 pred n. l., teda dve storočia pred tradičným dátumom založenia Ríma. (Hoci ľudská prítomnosť na palatínskom pahorku sa datuje o tisíce rokov skôr.) Názov pôvodnej dediny Beta Samati znamenal v miestnom jazyku tigriňa „dom prijatia". Mohlo ísť teda o miesto, kde tamojší vládcovia prijímali ľudí z okolia s ich žiadosťami.

V tom čase sa Beta Samati nachádzala pod kontrolou neďalekého mesta Jeha vzdialeného 6,5 kilometra. (Jeha dodnes prežila ako malé etiópske mesto na hranici s Eritreou a o jej starobylé ruiny sa intenzívne zaujímajú archeológovia.) Až donedávna sa predpokladalo, že sídlo neďaleko Jehy upadlo po tom, čo ju obsadili čoraz silnejší Aksumovia. Ako sa neskôr ukázalo, opak bol pravdou.

Klasické aksumské obdobie, 160 – 380 n. l.

Aksumská ríša sa nazýva podľa mesta Aksum, podobne ako Rímska ríša podľa Ríma. Aksum leží v strede etiópskeho regiónu Tigraj a dnes v ňom žije približne 60 000 ľudí. Králi, ktorí vládli Aksumu aj mestu Beta Samati, boli kultivovaní jedinci a prinajmenšom časť z nich hovorila plynule po grécky. Medzi charakteristické znaky ich architektúry patria obrovské obelisky s vytesanými falošnými dverami a oknami, ktoré pripomínajú moderné vežiaky.

Dnes sa už preukázalo, že Beta Samati bolo úspešné hospodárske, náboženské a správne centrum Aksumskej ríše. Predmety vykopané na mieste dokladujú bohaté medzikultúrne vplyvy. Obyvatelia prichádzali do styku s Grékmi, Rimanmi, Indmi a Arabmi, ktorí ich bezpochyby ovplyvňovali. Jestvujú teórie, že gréčtina hrala úlohu dorozumievacieho jazyka, v ktorom miestni komunikovali s cudzokrajnými obchodníkmi. Prítomnosť vínovej amfory z Levanty dokazuje, že mesto nielenže obchodovalo s cudzím tovarom, ale ho aj samo využívalo. Miestna keramika bola totiž oproti importovanej jednoduchšia a účelnejšia.

Artefakty spojené s ťažnými zvieratami demonštrujú dôležitosť obchodu pre mesto. Dielne naznačujú, že rozsiahly miestny priemysel dokázal zabezpečiť väčšinu potrieb domácej populácie. Mesto zaberalo prinajmenšom 14,5 hektára husto zastavaného územia.

Zručne spracovaný zlatý prsteň s karneolovým kameňom. Intaglio s motívom býka umožňovalo využívať šperk ako pečatidlo.

Kamenná dekorácia s krížom (naľavo), ktorá sa našla v miestnej bazilike. Nápis je v jazyku ge'ez, ktorý sa dodnes používa v liturgii Etiópskej ortodoxnej cirkvi.

Stredné až poaksumské obdobie, 380 – 900 n. l.

Keď v polovici 4. storočia n. l. prijala Aksumská ríša pod vedením kráľa Ezanu kresťanstvo, obyvatelia Beta Samati sa k nemu postavili rôzne. Viaceré „pohanské" symboly totiž pochádzajú z obdobia po oficiálnej konverzii mesta. Bazilika z tejto éry je však jednoznačne kresťanská, hoci sa pravdepodobne okrem náboženských využívala aj na administratívne účely.

Beta Samati prekvitala najmä ako centrum obchodu a regionálnej administratívy. Z toho vyplýva, že jej úspech závisel od stavu Aksumskej ríše ako celku.

So vzostupom moslimského kalifátu v 6. storočí Beta Samati prijala islam, ale to na jej záchranu nestačilo. Zmenená náboženská a politická situácia v regióne znamenala, že Aksumská ríša už nekontrolovala obchodné koridory, od ktorých záviselo jej hospodárstvo.

Aby toho nebolo málo, na región tvrdo dopadli dôsledky klimatickej zmeny a produktívne polia v okolí mesta sa zmenili na vysušené pláne, ktorými zostali dodnes.

Niekedy okolo roku 960 n. l. sa Aksumská ríša v tichosti definitívne rozpadla. V tom čase už bola Beta Samati dlho vyľudnená, pričom posledné stopy jej osídlenia siahajú približne do roku 650 n. l.

Beta Samati dnes

Väčšina z toho, čo sa o Bete Samati napísalo, má špekulatívny charakter, pretože lokalitu odhalili až v roku 2009 a situácia v ostatných rokoch neumožňovala dôkladnejší archeologický výskum.

Mesto objavili vďaka projektu Archeologických dejín južného Červeného mora, ktorý na prelome storočí skúmal územie okolo Jehy. Jeha bola známa tým, že ukrývala najstaršie zachované stavby a písomnosti subsaharskej Afriky. Výskumníkov teda zaujímalo, čo všetko sa dá v oblasti ešte objaviť.

Tamojší obyvatelia nasmerovali bádateľov na *tell* (pahorok), ktorý sa týčil vo výške približne 25 metrov nad okolitým údolím. Vedelo sa, že ide o významné miesto, hoci podrobnosti o ňom sa stratili. Rýchlo sa preukázalo, že *tell* sformovali obyvatelia mesta, ktorí 1 500 rokov vŕšili na kopu odpad a pozostatky predchádzajúcich sídel, čím vytvárali nové a nové vrstvy.

Prítomnosť veľkých blokov opracovaného kameňa jasne poukazovala na to, že šlo o významné mesto. Objavenie Bety Samati dokonca viedlo k radikálnemu prehodnoteniu predošlých teórií o politickej a ekonomickej situácii v oblasti. Kedysi panovalo presvedčenie, že po úpadku Jehy celý región stagnoval, ale teraz je už zrejmé, že obchod a s ním spojené aktivity pokračovali v nezmenenej intenzite ešte vyše tisíc rokov. Iniciatívu prebrala práve Beta Samati, ale keďže mesto sa stratilo, až donedávna o tom nikto nevedel.

Jedno z posledných objavených miest klasického obdobia ešte zďaleka neprezradilo všetky svoje tajomstvá. Odpovedí na ďalšie pálčivé otázky sa však dočkáme až vtedy, keď sa podarí vyriešiť všetky politické a vojenské spory v regióne.

Aksumský „obelisk" (pravdepodobne zo 4. storočia n. l.). Dole sa nachádzajú vytesané „dvere" a „okná" siahajú až po samotný vrch. Tieto stély mohli označovať hroby. Pomníkov sa v rozličných stupňoch zachovanosti našli stovky.

pred pribl. 750 pred n. l. – 1923 n. l.
Derınkuyu
Podzemné mesto

Nepriatelia Derınkuyu nikdy nenašli, nieto aby ho ešte dobyli.

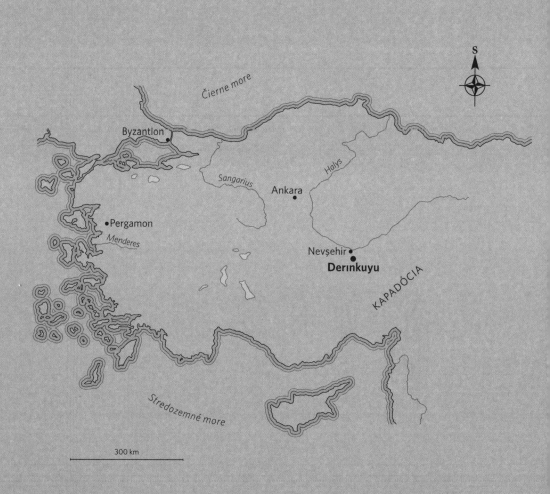

Určite poznáte niekoho, kto zveľadil svoj dom tak, že prebúral stenu, čím získal viac priestoru, ale len jeden človek na svete podobným postupom rozšíril svoje bývanie o miesto pre 20 000 ľudí, tovar a hospodárske zvieratá. Reč je o mužovi z kapadóckej provincie Nevşehir v Turecku. Keď v roku 1963 zbúral u seba doma stenu, objavil za ňou skrytú miestnosť. Viedla k schodisku, ktoré ústilo do série iných miestností. Tie sa vetvili na ďalšie priestory, sklady, tunely a tak ďalej. Slovom, bolo to celé podzemné mesto.

Archeológovia vykopávajú stratené mestá už celé stáročia – ako klasický príklad môžu poslúžiť Pompeje. Lenže mesto spomenuté v predošlom odseku neskončilo pod zemou postupným zanesením či v dôsledku prírodnej katastrofy. Nie, toto mesto ležalo pod povrchom od začiatku.

Podzemné miestnosti vytesané do tufu poskytovali obyvateľom bezpečný úkryt pred nepriateľmi, ktorí číhali na povrchu.

Začiatky

Už názov dediny, kde sa podzemné mesto našlo, mohol miestnym obyvateľom naznačovať, čo sa im ukrýva pod nohami. Derınkuyu totiž vo voľnom preklade znamená „hlboko ako studňa". Príbeh lokality sa začína pred niekoľkými miliónmi rokov, keď popol zo série sopečných erupcií pokryl krajinu a vytvoril usadeninu, ktorá sa volá tuf. Fascinujúcou vlastnosťou tufu je, že sa doň dá kopať ľahko ako do hliny, ale pri kontakte so vzduchom prejde procesom litifikácie, teda stvrdne na kameň. Preto doň možno hravo vyhĺbiť tunel, ktorý neskôr spevnie, akoby bol vykopaný do materskej horniny.

Predpokladá sa, že prví ľudia, čo túto výhodu v Derınkuyu využili, boli Frýgovia, ktorí v oblasti žili v 8. storočí pred n. l. Existuje však aj teória, že najstaršie miestnosti vytvorili už Chetiti o takmer tisíc rokov skôr. Isté je, že pôvodné podzemné priestory sa pridávali postupne, pokolenie za pokolením, až kým sa za Byzantskej ríše vo 4. storočí mesto nedokončilo.

Inde vo svete ľudia vyhĺbili do tufu útesové domy či dokonca kostoly a aj v okolí samotného Derınkuyu jestvujú ďalšie podzemné úkryty (na Slovensku máme takéto skalnaté obydlia vytesané do tufu v Brhlovciach, *pozn. odb. red.*). Žiadne miesto na zemeguli sa však hĺbkou či rozsahom nevyrovná podzemnému komplexu, ktorý dokázal poňať bezprecedentné množstvo ľudí, tovaru a zvierat.

Mesto ako útočisko

Medzi ďalšie sporné otázky patrí, či obyvatelia Derınkuyu skutočne žili ako jaskynní ľudia, alebo podzemnú pevnosť využívali len v krízových situáciách. Kým sa mesto celkom nepreskúma (je natoľko masívne, že archeológovia sú zatiaľ sotva v polovici práce), uspokojivej odpovede na túto otázku sa nedočkáme, hoci hypotéza „útočiska" zatiaľ v akademickom svete prevláda.

Niet pochýb, že pri výstavbe Derınkuyu sa myslelo predovšetkým na obranu. Za vchody do mesta by sa nemuseli hanbiť ani súčasné atómové kryty. Dvere v tvare obrovských kolies boli vyrobené z pevného kameňa hrubého jeden meter. V prípade potreby sa privalili do žľabu pred vchodom a tým pádom sa stali rovnako odolné ako okolité steny. Ak by ich boli útočníci predsa len prerazili, ďalej by sa boli museli plahočiť po úzkych nízkych chodbách husím pochodom.

Napokon by sa boli jeden po druhom vynorili v miestnosti s vyšším stropom, kde by ich už bol čakal po zuby ozbrojený

V kľukatých tuneloch (v niektorých sú pasce) sa turisti nesmú prechádzať sami. Keďže niektoré úseky komplexu nie sú ešte plne preskúmané, nájsť strateného návštevníka by mohla byť poriadna fuška.

uvítací výbor. (Našlo sa niekoľko komôr, ktoré sa identifikovali ako možné zbrojnice.) Aj keby sa útočníkom bolo podarilo zorientovať v (úmyselne?) mätúcom bludisku tunelov – z ktorých sú niektoré slepými uličkami – a obsadiť jedno poschodie, obrancovia by boli zostúpili o úroveň nižšie a celý proces by sa bol opakoval.

V závislosti od toho, ako človek počíta, má Derınkuyu celkovo 16 alebo 18 podlaží, ktoré siahajú do hĺbky 70 metrov pod povrchom. Neexistujú náznaky, že by bol nepriateľ Derınkuyu kedykoľvek objavil, nieto ho ešte dobyl.

Sladký domov v jaskyni

Výhoda toho, že budujete podzemné útočisko niekoľko tisícročí, je dostatok času na vylepšenia a opravy. Keď ľudia nepoužívali Derınkuyu ako primárne obydlie, slúžilo evidentne ako skladisko. Vďaka nižším častiam hlboko pod zemou sa v komplexe celoročne udržuje konštantná teplota 13 – 15 °C. Dômyselne navrhnutý vetrací systém 52 hlavných ventilačných šácht a mnohých menších prieduchov privádza čerstvý vzduch dokonca aj do najhlbších úrovní.

Niektoré mestské studne siahajú na povrch, ale keďže by ich útočník mohol otráviť, obyvatelia vykopali ďalšie, ku ktorým mali prístup aj spod zeme. Nezabudli ani na zvislé šachty, ktoré odvádzali splašky. V komplexe panovali výborné podmienky na dlhodobé skladovanie obilia. Niekoľko podzemných pekární zabezpečovalo obyvateľom pravidelný prísun čerstvého chleba. Iné podzemné miestnosti slúžili ako stajne pre dobytok a časť skladovacích priestorov nepochybne ukrývala veľké baly sena. Olivové a vínové lisy uložené v jaskyniach dokazujú, že prinajmenšom časť úrody sa znášala do bezpečia podzemia na spracovanie.

Špekuluje sa, že jedna zvlášť veľká podzemná miestnosť slúžila ako škola alebo zhromažďovacia sála. Malé izbičky zasadené do tejto hlavnej haly sa možno využívali ako pracovne alebo študovne. Početné nástenné nápisy v gréčtine naznačujú, že Derınkuyu niekoľko storočí slúžilo ako útočisko kresťanov. Meniace sa náboženské ovzdušie v Anatólii viackrát vyústilo do perzekúcií Kristových nasledovníkov– najprv za Rímskej ríše a potom počas dlhodobých konfliktov medzi moslimami a slabnúcou Byzantskou ríšou. Derınkuyu plnilo úlohu skrýše aj v časoch, keď Turecko ovládli Osmani, či počas masívnej ničivej invázie Mongolov pod vedením Timúra (Tamerlána) v 14. storočí.

Zabudnuté Derınkuyu

Nie je jasné, kedy sa Derınkuyu vytratilo z ľudského povedomia. Jedna z kľúčových čŕt tajného mesta je, že sa o ňom zbytočne nerozpráva a nezhotovujú sa o ňom záznamy. Vieme, že grécke etniká v oblasti volali miesto Malakopea a jeho súčasný názov sa začal bežne používať až v druhom a treťom desaťročí minulého storočia, keď sa kapadócki Gréci ukývali v tuneloch, aby sa vyhli obdobiam prenasledovania. Začiatkom 20. storočia poslední užívatelia komplexu v tichosti zapečatili vchody a odišli do bezpečia Grécka bez toho, aby novým obyvateľom prezradili, po akom poklade kráčajú.

Potom už ukryté mesto Derınkuyu nerušene spalo, až kým jeden z jeho tajných vchodov neodhalila ambiciózna rekonštrukcia domu.

Derınkuyu dnes

Od roku 1969 je časť Derınkuyu otvorená verejnosti. Výpravy do podzemia sa prísne kontrolujú, keďže existuje reálna hrozba, že by sa v ňom mohli návštevníci nadlho zatúlať.

Turistické výlety sa organizujú z mesta Göreme vzdialeného tridsať kilometrov, takže návštevníci môžu cestou vychutnať aj krásne výhľady na okolitú krajinu. Keďže na jaskyne vôbec nevplýva počasie, sú prístupné celoročne, hoci otváracie hodiny v lete a v zime sa líšia.

Celkom nedávno sa pod jedným hradom v rovnakej provincii podarilo objaviť ďalšie tajné tunely. Časť nadšenej archeologickej obce sa domnieva, že ukryté mesto, ktoré odhalili práce na rezidenčnom projekte, môže byť ešte väčšie než Derınkuyu.

EPILÓG

Ak ste niekedy kráčali ruinami mesta, určite ste sa usiloval predstaviť si ho v časoch jeho najväčšej slávy – rušné ulice, exotické chrámy, preplnené trhoviská a podobne. Pozreli ste sa však niekedy na ulice svojho mesta a predstavili si, ako ho asi budú vidieť archeológovia o 2 000 rokov? Prepadnuté steny nákupného centra, pivnice pod holým nebom, úlomky chodníka starostlivo oprášené štetcom, plastové taniere vybraté z odpadkov na neskoršiu analýzu... Možnože raz bude archeológ stáť v troskách izby nejakého tínedžera a na základe nájdených artefaktov sa nebude vedieť rozhodnúť, či šlo o nevestinec, alebo o svätyňu.

Prvýkrát za tisíce rokov si vážne kladieme otázku, či mestá skutočne potrebujeme a či môžu – a majú – prežiť. V minulosti sa ľudia schádzali, aby si vymieňali zdroje a vedomosti, aby spoločne zažívali občianske a náboženské udalosti. Dnes však, v časoch pokročilejších výrobných a logistických systémov, si dokonca aj odľahlé oblasti dokážu zabezpečiť tovar zo širšej ponuky, než mali povedzme Londýn alebo New York ešte pred niekoľkými desaťročiami. Už nie je nevyhnutné žiť v rovnakom meste, ba dokonca ani na rovnakom kontinente ako váš zamestnávateľ. Milióny ľudí sledujú športové aj politické udalosti už iba v médiách (a v čoraz lepšej kvalite). Akademický výskum, ktorému sa človek kedysi mohol venovať iba v univerzitnom meste, dnes môžete so správnym vybavením vykonávať hoci aj ako pustovník na svahu osamelej hory. Otázka teda znie, či už urbanizmus nie je za zenitom. Netisneme sa v mestách ako sardinky zbytočne? Nie sú dnes mestá vďaka novým technológiám už prežitkom?

Pri pohľade na neónové centrum Tokia alebo rannú dopravnú špičku v Los Angeles sa tomu verí ťažko. Napriek tomu rovnaký pocit stálosti a úžasu nad rozsahom ľudského potenciálu sa musel zmocňovať aj obyvateľov Çatal Hüyük, ktorí hľadeli na múry prvého mesta na svete. Niekde v hĺbke duše však vieme, že okolité mestské panorámy sú pominuteľné, a nech už naše prapravnúčatá čaká čokoľvek, určite to nebudú mestá dneška. Súčasné metropoly sú preplnené, znečistené, drahé a – ako sa nedávno preukázalo – aj nebezpečné, pretože v nich bujnejú choroby. Na druhej strane ponúkajú to, čo odjakživa – vzrušujúci a bohatý život, ktorému sa nič nevyrovná.

Vzhľadom na zmenu klímy si môžeme byť istí, že Pavlopetri určite nebolo posledným mestom, ktoré zmizlo pod morskou hladinou, aj že Timgad isto neuzavrel zoznam miest, ktoré pohltila púšť. Otázkou zostáva, či budú o niekoľko storočí na svete jestvovať iné mestá ako tie, ktorých pozostatky budú skúmať akademici či turisti žasnúci nad ľudským experimentom komunitného spôsobu života, ktorý trval vyše 6 000 rokov.

Odporúčaná literatúra

PRVÁ ČASŤ: **Najstaršie mestá**

Çatal Hüyük

Balter, M.: *The Goddess and the Bull: Catalhoyuk: An Archaeological Journey to the Dawn of Civilization*. New York, 2010.

Hodder, I.: Women and Men at Çatalhöyük. In: *Scientific American* 290 (1) (2004), s. 76 – 83.

Hodder, I.: *Çatalhöyük Excavations. The 2009 – 2017 Seasons*. Ankara, 2023.

Skara Brae

Clarke, D. V.: *Skara Brae: Official Souvenir Guide*. Edinburgh, 2012.

Shepherd, A. N. et al.: Skara Brae Life Studies: Overlaying the Embedded Images. In: *Ancient Lives: Object, People and Place in Early Scotland. Essays for David V. Clarke on his 70th birthday*. Ed. F. Hunter – A. Sheridan. Leiden, 2016, s. 213 – 232.

Watterson, A. et al.: Digital Dwelling at Skara Brae. In: *Art and Archaeology: Collaborations, Conversations, Criticisms*. Ed. I. Russell – A. Cochrane. Londýn, 2014, s. 179 – 195.

Akkad

Black, J. A.: *The Literature of Ancient Sumer*. Oxford, 2006.

Foster, B. R.: *The Age of Agade: Inventing Empire in Ancient Mesopotamia*. Abingdon, 2015.

King, L.: A *History of Sumer and Akkad*. Londýn, 1994.

Liverani, M.: Akkad: The First World Empire: Structure, Ideology, Traditions. In: *History of the Ancient Near East/Studies* 5 (1993), s. 1 – 10.

Speiser, E. A.: Some Factors in the Collapse of Akkad. In: *Journal of the American Oriental Society* 72 (3) (1952), s. 97 – 101.

Pavlopetri

Harding, A.: Pavlopetri: A Mycenaean Town Underwater. In: *Archaeology* 23 (3) (1970), s. 242 – 250.

Holden, C.: Undersea Metropolis. In: *Science* 324 (2009), s. 995.

Ivrou, V.: *The Maritime Cultural Landscape in the South Peloponnese-Kythera-West Crete During the Late Bronze Age*, dizertačná práca, University of Glasgow (2014).

Segor

Dishi, G.: Saving Zoar: How Did Lot Succeed? In: *Jewish Bible Quarterly* 38(4) (2010), s. 211 – 18.

Donner, H.: *The Mosaic Map of Madaba: An Introductory Guide*. Leuven, 1992.

Neev, D. – Emery, K.: *The Destruction of Sodom, Gomorrah, and Jericho: Geological, Climatological, and Archaeological Background*. Oxford, 1995.

Chattušaš

Beckman, G.: Hattusa. In: *The Encyclopedia of Ancient History*. Ed. R. S. Bagnall et al. Hoboken, NJ, 2013.

Bryce, T.: The Last Days of Hattusa: The Mysterious Collapse of the Hittite Empire. In: *Archaeology Odyssey* 8 (2005), s. 32 – 41.

Charles River Editors: *Hattusa: The History and Legacy of the Ancient Hittites* (2016).

Mardaman

Barjamovic, G. et al.: Trade, Merchants, and the Lost Cities of the Bronze Age. In: *The Quarterly Journal of Economics* 134 (3) (2019), s. 1455 – 1503.

Millard, A. R.: History and Legend in Early Babylonia. In: *Windows into Old Testament History: Evidence, Argument, and the Crisis of „Biblical Israel".* Ed. V. P. Long et al. Grand Rapids, MI, 2002, s. 103 – 110.

Plantholt, I. S.: Gula in the 2nd and 1st Millennia BCE. In: *The Image of Divine Healers: Healing Goddesses and the Legitimization of the Asû in the Mesopotamian Medical Marketplace*. Leiden, 2017, s. 51 – 105.

Téby

Pischikova, E. et al.: *Thebes in the First Millennium BC*. Newcastle, 2014.

Strudwick, N. – Strudwick, H.: *Thebes in Egypt: A Guide to the Tombs and Temples of Ancient Luxor.* Ithaca, NY, 1999.

Warburton, D.: *Architecture, Power, and Religion: Hatshepsut, Amun & Karnak in Contex,* zv. 7 (Münster, 2012).

Faistos

Charles River Editors, *The Phaistos Disc: The History of the Indecipherable Ancient Minoan Artifact Found on Crete* (2018).

Schoep, I. et al.: *Back to the Beginning: Reassessing Social and Political Complexity on Crete during the Early and Middle Bronze Age.* Oxford, 2011.

Vasilakis, A.: *Agia Triada Phaistos.* Iraklio, 2009.

DRUHÁ ČASŤ: Od Tróje po Rím

Trója

Hertel, D.: The Myth of History: The Case of Troy. In: A *Companion to Greek Mythology.* Oxford, 2011, s. 425 – 441.

Rose, C.: *The Archaeology of Greek and Roman Troy.* Cambridge, 2013.

Winkler, M. M.: *Troy: From Homer's Iliad to Hollywood Epic.* Hoboken, NJ, 2009.

Tonis

Belov, A.: *Ship 17: A Baris from Thonis Heracleion.* Oxford, 2019.

Robinson, D. – Goddio F.: *Thonis-Heracleion in Context.* Oxford, 2015.

Shenker, J.: How Thonis-Heracleion resurfaced after 1,000 years under water. In: *The Guardian* (15. 8. 2016).

Mykény

Chadwick, J.: *The Mycenaean World.* Cambridge, 1977.

French, E. B.: *Mycenae, Agamemnon's Capital: The Site and its Setting.* Stroud, 2002.

French, E. B. et al.: Archaeological Atlas of Mycenae. In: *Archaeological Society of Athens Library* 229 (2003).

McCabe, R. – Cacouri, A.: *Mycenae: From Myth to History.* New York, 2016.

Seleukia nad Tigrisom

Hopkins, C.: *The Topography and Architecture of Seleucia on the Tigris.* Ann Arbor, MI, 1972.

Messina, V.: Seleucia on the Tigris. The New Babylon of Seleucid Mesopotamia. In: *Megacities & Mega-sites. The Archaeology of Consumption & Disposal. Landscape, Transport & Communication,* zv. 1. Ed. R. Matthews – J. Curtis. Wiesbaden, 2012.

Oetjen, R.: *New Perspectives in Seleucid History, Archaeology and Numismatics: Studies in Honor of Getzel M. Cohen,* zv. 355. Berlín, 2019.

Sybaris

Kleibrink, M.: The Search for Sybaris. In: *BABesch* 76 (2005), s. 33 – 70.

Lomas, H.: Sybaris. In: *Oxford Research Encyclopedia of Classics.* Oxford, 2016.

Rutter, N.: Sybaris – Legend and Reality. In: *Greece & Rome* 17(2) (1970), s. 168 – 176.

Plataje

Boedeker, D.: Heroic Historiography: Simonides and Herodotus on Plataea. In: *Arethusa* 29 (2) (1996), s. 223 – 242.

Buckler, J. and Spawforth, A.: Plataea. In: *Oxford Research Encyclopedia of Classics* (2016).

Rissman, E.: *Plataea.* Madison, WI, 1902.

Taxila

Ahmed, N.: *The History and Archaeology of Taxila,* dizertačná práca, University of London, School of Oriental and African Studies (1958).

Marshall, J.: *Taxila 3 Volume Paperback Set: An Illustrated Account of Archaeological Excavations.* Cambridge, 2013.

Shah, S.: Legendary History of Taxila. In: *Ancient Sindh Annual Research Journal* 10 (1) (2008), s. 97 – 131.

Tigranokerta

Coloru, O.: Tigranocerta. In: *The Encyclopedia of Ancient History.* Ed. R. S. Bagnall et al. Hoboken, NJ, 2013.

Orr, C.: *Tigranes the Great: A Re-Appraisal,* bakalárska práca, University of Wales Trinity Saint David (2016).

Sinclair, T.: The Site of Tigranocerta (II). In: *Revue des Études Arméniennes* 26 (1996), s. 51 – 117.

Perzepolis

Barnett, R.: Persepolis. In: *Iraq* 19 (1) (1957), s. 55 – 77.

Mousavi, A.: *Persepolis: Discovery and Afterlife of a World Wonder.* Berlín, 2012.

Razmjou, S.: Persepolis: A Reinterpretation of Palaces and their Function. In: *The World of Achaemenid Persia.* Ed. J. Curtis – S. J. Simpson. Londýn a New York, 2010, s. 231 – 245.

Numantia

Cheesman, G.: Numantia. In: *The Journal of Roman Studies* 1 (1911), s. 180 – 186.

Goffaux, B.: Numantia (Spain). In: *The Encyclopedia of Ancient History.* Ed. R. S. Bagnall et al. Hoboken, NJ, 2012.

TRETIA ČASŤ: **Naprieč Rímskou ríšou**

Glanum

Congès, A.: Glanum. In: *The Encyclopedia of Ancient History.* Ed. R. S. Bagnall et al. Hoboken, NJ, 2012.

Heyn, M.: Monumental Development in Glanum: Evidence for the Early Impact of Rome in Gallia Narbonensis. In: *Journal of Mediterranean Archaeology* 19 (2) (2006), s. 171 – 198.

Kleiner, F. S.: *The Glanum Cenotaph: A Study of the Great Relief Panels.* New York, 1973.

Falerii Novi

Battistin, F.: Space Syntax and Buried Cities: The Case of the Roman Town of Falerii Novi (Italy). In: *Journal of Archaeological Science: Reports* 35 (2021).

McCall, W. F.: *Falerii Novi and the Romanisation of Italy During the Mid-Republic,* dizertačná práca, The University of North Carolina at Chapel Hill (2007).

Verdonck, L. et al.: Ground-penetrating Radar Survey at Falerii Novi: A New Approach to the Study of Roman Cities. In: *Antiquity* 94 (375) (2020), s. 705 – 723.

Kyréna

Abdulkariem, A. – Bennett, P.: Libyan Heritage Under Threat: The Case of Cyrene. In: *Libyan Studies* 45 (2014), s. 155 – 161.

Jeffery, L.: The Pact of the First Settlers at Cyrene. In: *Historia: Zeitschrift für Alte Geschichte,* 10 (2) (1961), s. 139 – 147.

Reynolds, J.: Cyrene. In: *Oxford Research Encyclopedia of Classics.* Oxford, 2015.

Tipasa

Briggs, L. C.: *Archaeological Investigations Near Tipasa, Algeria. With Geological Comments by Charles E. Stearns.* Ed. H. Hencken. Cambridge, MA, 1963.

Ford, C.: The Inheritance of Empire and the Ruins of Rome in French Colonial Algeria. In: *Past & Present* 226 (2015), s. 57 – 77.

Nadir, M.: *The Revaluation of the Archaeological Sites of Tipasa: Contribution to the Safeguard of the Algerian Heritage* (2022).

Baiae

Capozzi, R. et al.: Archaeology, Architecture and City: The Enhancement Project of the Archaeological Park of the Baths of Baiae. In: *ArchNet-IJAR: International Journal of Architectural Research* 10 (1) (2016), s. 113 – 130.

Painter, K. S.: Roman Flasks with Scenes of Baiae and Puteoli. In: *Journal of Glass Studies* 17 (1975), s. 54 – 67.

Petriaggi, B. D. et al.: Reconstructing a Submerged Villa Maritima: The Case of the Villa dei Pisoni in Baiae. In: *Heritage* 3 (4) (2020), s. 1199 – 1209.

Volubilis

Benton, J.: The Bakeries of Volubilis: Process, Space, and Interconnectivity. In: *Mouseion,* 17 (2) (2021), s. 241 – 272.

Picard, C. – Grummel, W.: Volubilis: French Excavations at a Moroccan City. In: *Archaeology* 2 (2) (1949), s. 58 – 65.

Skurdenis, J.: Passport: Road to Volubilis. In: *Archaeology* 41 (3) (1988), s. 50 – 55.

Stabiae

Maiuri, A.: *Pompeii, Herculaneum and Stabiae.* Miláno, 1963.

Orsi, L.: The Excavations at Stabiae. In: *East and West* 4 (2) (1953), s. 101 – 108.

Purcell, N.: Stabiae. In: *Oxford Research Encyclopedia of Classics*. Oxford, 2016.

Maiden Castle

Redfern, R.: A Re-Appraisal of the Evidence for Violence in the Late Iron Age Human Remains from Maiden Castle Hillfort, Dorset, England. In: *Proceedings of the Prehistoric Society* 77 (2013), s. 111 – 138.

Russell, M.: Mythmakers of Maiden Castle: Breaking the Siege Mentality of an Iron Age Hillfort. In: *Oxford Journal of Archaeology* 38 (3) (2019), s. 325 – 342.

Sharples, N. M.: *English Heritage Book of Maiden Castle*. Londýn, 1991.

Timgad

Cherry, D.: *Frontier and Society in Roman North Africa*. Oxford, 1998.

Kherrour, L. et al.: Archaeological Sites and Tourism: Protection and Valorization, Case of Timgad (Batna) Algeria. In: *Geo Journal of Tourism and Geosite*s 28 (1) (2020), s. 289 – 302.

Antinoupolis

Abdulfattah, I.: *Theft, Plunder, and Loot: An Examination of the Rich Diversity of Material Reuse in the Complex of Qalāwūn in Cairo* (2017).

Lambert, R.: *Beloved and God: The Story of Hadrian and Antinous*. Londýn, 1984.

Vout, C.: Antinous, Archaeology and History. In: *The Journal of Roman Studies* 95 (2005), s. 80 – 96.

ŠTVRTÁ ČASŤ: **Na hraniciach ríše**

Palmýra

Denker, A.: Rebuilding Palmyra Virtually: Recreation of its Former Glory in Digital Space. In: *Virtual Archaeology Review* 8 (17) (2017), s. 20 – 30.

Sommer, M. – Sommer-Theohari, D.: *Palmyra: A History*. Abingdon, 2017.

Veyne, P.: *Palmyra: An Irreplaceable Treasure*. Chicago, 2017.

Waldgirmes

Rasbach, G.: Germany East of the Rhine, 12 BC – AD 16. The First Step to Becoming a Roman Province. In: *Rome and Barbaricum: Contributions to the Archaeology and History of Interaction in European Protohistory*. Ed. R. G. Curcă et al. Oxford, 2020, s. 22 – 38.

Schnurbein, S. von: Augustus in Germania and his New „Town" at Waldgirmes East of the Rhine. In: *Journal of Roman Archaeology* 16 (2003), s. 93 – 107.

Wells, P.: *The Battle That Stopped Rome: Emperor Augustus, Arminius, and the Slaughter of the Legions in the Teutoburg Forest*. New York, 2004.

Sarmizegetusa Regia

Comes, R. et al.: Enhancing Accessibility to Cultural Heritage Through Digital Content and Virtual Reality: A Case Study of the Sarmizegetusa Regia UNESCO Site. In: *Journal of Ancient History and Archaeology* 7 (3) (2020), s. 124 – 139.

Florea, G.: Sarmizegetusa Regia – the Identity of a Royal Site? In: C. N. Popa – S. Stoddart: *Fingerprinting the Iron Age – Approaches to Identity in the European Iron Age. Integrating South-Eastern Europe into the Debate*. Oxford a Philadelphia, 2014, s. 63 – 75.

Oltean, I. – Hanson, W.: Conquest Strategy and Political Discourse: New Evidence for the Conquest of Dacia from LiDAR analysis at Sarmizegetusa Regia. In: *Journal of Roman Archaeology* 30 (2017), s. 429 – 446.

Gerasa

Haddad, N. – Akasheh, T.: Documentation of Archaeological Sites and Monuments: Ancient Theatres in Jerash. In: *Conservation of Cultural Heritage in the Arab Region* 61 (2005), s. 64 – 72.

Holdridge, G. et al.: City and Wadi: Exploring the Environs of Jerash. In: *Antiquity* 91 (358) (2017), s. 1 – 7.

Khouri, R.: *Jerash: A Frontier City of the Roman East*. Hoboken, NJ, 1986.

Venta Silurum

Howell, R.: *Searching for the Silures: An Iron Age Tribe in South-East Wales*. Cheltenham, 2009.

Frere, S. – Millett, M.: Venta Silurum. In: *Oxford Research Encyclopedia of Classics*. Oxford, 2016.

Guest, P.: The Forum-Basilica at Caerwent (Venta Silurum): A History of the Roman Silures. In: *Britannia* 53 (2022), s. 1 – 41.

Wacher, J.: *The Towns of Roman Britain*. Abingdon, 1997.

Dura-Europos

Baird, J. A.: Dura-Europos. In: A *Companion to the Hellenistic and Roman Near East*. Ed. T. Kaizer. New York, 2021, s. 295 – 304.

Baird, J. A.: *The Inner Lives of Ancient Houses: An Archaeology of Dura-Europos*. Oxford, 2014.

Brody, L. – Hoffman, G.: *Dura-Europos: Crossroads of Antiquity*. Chicago, 2011.

Beta Samati

Burstein, S. M.: *Ancient African Civilizations: Kush and Axum*. Princeton, NJ, 2009.

Cartwright, M. – Davey, A.: Kingdom of Axum. In: *Ancient History Encyclopedia,* nájdené na https://www.worldhistory.org/Kingdom_of_Axum/ (posledný prístup 7. 2. 2023).

Harrower, M. et al.: Beta Samati: Discovery and Excavation of an Aksumite Town. In: *Antiquity* 93 (372) (2019), s. 1534 – 1552.

Derınkuyu

Çiner, A. – Aydar, E.: A Fascinating Gift from Volcanoes: The Fairy Chimneys and Underground Cities of Cappadocia. In: *Landscapes and Landforms of Turkey*. Ed. A. Çiner – C. Kuzucuoğlu – N. Kazancı. Edinburgh, 2019, s. 535 – 549.

Mutlu, M.: *Geology and Joint Analysis of the Derınkuyu and Kaymaklı Underground Cities of Cappadocia, Turkey*, magisterská práca, Middle East Technical University, Ankara (2008).

Pinkowski, J.: Subterranean Retreat May Have Sheltered Thousands of People in Times of Trouble. In: *National Geographic* (26. 3. 2015).

Zdroje ilustrácií

2 – 3 Fotografia Michael Runkel/imageBROKER/Superstock; 4 Yale University Art Gallery, New Haven. Yale-French Excavations at Dura-Europos; 6 – 7 Fotografia Ali Balikci/Anadolu Agency cez Getty Images; 8 Fotografia DeAgostini Picture Library/Scala, Florence; 11 Cleveland Museum of Art. Leonard C. Hanna, Jr Fund 1964.359; 12 Fotografia DeAgostini/W. Buss/Getty Images; 17 Çatalhöyük Research Project; 18 Fotografia Sonia Halliday Photo Library/Alamy Stock Photo; 21 Çatalhöyük Research Project. Fotografie Jason Quinlan; 23 Fotografia VisitScotland/Colin Keldie; 24 – 25 Stromness Museum. Fotografia Rebecca Marr; 26 – 27 Fotografia David Lyons/age fotostock/Superstock; 29 National Museums of Scotland. Fotografia © National Museums Scotland; 31 The Metropolitan Museum of Art, New York. Dar Nanette B. Kelekian, na pamiatku Charlesa Dikrana a Beatrice Kelekianovej, 1999; 32 Musée du Louvre, Paríž; 35 Ashmolean Museum, University of Oxford. Dar Herbert Weld-Blundell, 1923. Fotografia Ashmolean Museum/Bridgeman Images; 37 Fotografia N. Maverick/Adobe Stock; 38 Fotografia © BBC Archive; 41 Fotografia panosk18/Adobe Stock; 43 Fotografia Manuel Cohen/Scala, Florencia; 44 Hessisches Landesmuseum Darmstadt; 46 – 47 Fotografia Jane Taylor/Shutterstock; 49 Fotografia Zev Radovan/Alamy Stock Photo; 51 The Metropolitan Museum of Art. Kúpa, Joseph Pulitzer Bequest, 1955; 52 – 53 Fotografia Sailingstone Travel/Adobe Stock; 54 Cleveland Museum of Art. Leonard C. Hanna, Jr Fund; 55 Fotografia funkyfood London – Paul Williams/Alamy Stock Photo; 57 Bassetki-Project of the University of Tübingen. Fotografia Peter Pfälzner; 59 Súkromný archív; 60 Bassetki-Project of the University of Tübingen. Fotografie Rouhollah Zarifian; 63 Fotografia Tomasz Czajkowski/Adobe Stock; 64 Los Angeles County Museum of Art. Dar Carl W. Thomas; 66 – 67 Fotografia Andrew McConnell/robertharding; 68 Los Angeles County Museum of Art. Zakúpené z prostriedkov, ktoré poskytol Phil Berg; 71 Fotografia Gianni Dagli Orti/Shutterstock; 72 Fotografia DeAgostini/Superstock; 75 Heraklion Archaeological Museum; 76 Fotografia Christoph Gerigk © Franck Goddio/Hilti Foundation; 81 Fotografia Archive Photos/Stringer/Getty Images; 82 – 83 The Walters Art Museum, Baltimore. Získal Henry Walters s Massarenti Collection, 1902; 85 Antikenmuseum Basel und Sammlung Ludwig; 86 Städel Museum, Frankfurt am Main; 89, 91 Fotografie Christoph Gerigk © Franck Goddio/Hilti Foundation; 95 National Archaeological Museum, Atény; 96 National Archaeological Museum, Atény. Fotografia Leemage/Corbis/Getty Images; 98 – 99 Fotografia aerial-photos.com/Alamy Stock Photo; 100 J. Paul Getty Museum, Los Angeles; 101 The Metropolitan Museum of Art. Rogers Fund, 1954; 103 Musée du Louvre, Paríž. Fotografia VCG Wilson/Corbis/Getty Images; 104 Yale University Art Gallery, New Haven; 105 New York Public Library. Fotografia Science History Images/Alamy Stock Photo; 106 Fotografia Yphoto/Alamy Stock Photo; 109 Fotografia Alfonso Di Vincenzo/KONTROLAB/LightRocket cez Getty Images; 110 Yale University Art Gallery, New Haven. The Ernest Collection na pamiatku Israela Myersa; 111 Museo Nazionale Archeologico della Sibaritide. Fotografia DeAgostini/A. De Gregorio/Getty Images; 112 – 113 Fotografia DeAgostini/Superstock; 115 Bibliothèque nationale de France, Paríž. Fotografia Artokoloro/Alamy Stock Photo; 116 Schloss Bruchsal. Fotografia INTERFOTO/Alamy Stock Photo; 119 The Metropolitan Museum of Art, New York. Rogers Fund, 1906; 121 Fotografia grandpa_nekoandcoro/Adobe Stock; 122 V smere hodinových ručičiek zľava: The Metropolitan Museum of Art. Rogers Fund, 1913; Cleveland Museum of Art. Dar George P. Bickford 1956.1; Los Angeles County Museum of Art. Zakúpené z prostriedkov, ktoré poskytol South and Southeast Asian Acquisition Fund and the Southern Asian Art Council; Cleveland Museum of Art. John L. Severance Fund 1982.66; 124 – 125 Fotografia Ms Mariko Sawada, Saiyu Travel Japan; 126 Los Angeles County Museum of Art; 127 The Metropolitan Museum of Art. Samuel Eilenberg Collection, Dar Samuel Eilenberg, 1987; 129 Fotografia © Monument Watch; 130 Súkromný archív; 132 J. Paul Getty Museum, Los Angeles. Ms. Ludwig XIII 5, v2 (83.MP.148.2), fol. 82v. Digitálny obrázok s láskavým dovolením programu Getty's Open Content; 135 Fotografia

Borna Mirahmadian/Adobe Stock; **136** The Metropolitan Museum of Art. Fletcher Fund, 1939; **137** Fotografia Andre Chipurenko; **138 – 139** Fotografia Kurt and Rosalia Scholz/Superstock; **141** Súkromný archív; **143** Fotografia Prisma Archivo/Alamy Stock Photo; **144** Fotografia Tolo/Adobe Stock; **146** Junta de Castilla y León. Archivo Museo Numantino. Fotografia Alejandro Plaza; **147** Museo del Prado, Madrid; **148** Fotografia Michael Runkel/robertharding; **153** Fotografia Carole Raddato; **154 – 155** Fotografia Dominique Reperant/Gamma-Rapho/Getty Images; **156** Fotografia Paul Popper/Popperfoto cez Getty Images; **158** Hôtel de Sade, Saint-Rémy-de-Provence. Fotografia Gianni Dagli Orti/Shutterstock; **161** Fotografia Scala, Florence; **163** Musée du Louvre, Paríž. Fotografia Musée du Louvre, Dist. RMN-Grand Palais/Thierry Ollivier; **164, 165** The Metropolitan Museum of Art. Predplatiteľská kúpa, 1896; **167** The British Museum, Londýn; **168 – 169** Fotografia Atlantide Phototravel/Getty Images; **171** The British Museum, Londýn; **173** Fotografia DeAgostini/C. Sappa/Getty Images; **174** Fotografia Werner Forman/Universal Images Group/Getty Images; **176 – 177** Fotografia lic0001/Adobe Stock; **179** Musée archéologique de Tipasa. Fotografia Jona Lendering; **181** Fotografia Beniamino Forestiere/Shutterstock; **182** Fitzwilliam Museum, Cambridge; **185** Fotografia BIOSPHOTO/Alamy Stock Photo; **187** Fotografia Gianni Dagli Orti/De Agostini/ Getty Images; **188 – 189** Musée Archéologique, Rabat. Fotografia DeAgostini/Superstock; **190** Fotografia Petr Svarc/imageBROKER/Shutterstock; **193** National Archaeological Museum, Neapol. Fotografia Scala, Florence; **194, 199** Fotografia Adriano/Adobe Stock; **196 – 197** Fotografia Rocco Casadei/EyeEm/Adobe Stock; **198** The Minneapolis Institute of Art; **201** Dorset Museum; **202 – 203** Fotografia Skyscan Photolibrary/Alamy Stock Photo; **207** Fotografia World Photo Service LTD/Superstock; **208** Timgad Archaeological Museum. Fotografia mauritius images GmbH/Alamy Stock Photo; **210** Fotografia Michel Huet/Gamma-Rapho/Getty Images; **213** Art Institute of Chicago; **215** Musée du Louvre, Paríž; **216** V smere hodinových ručičiek zľava: Harvard Art Museums/Arthur M. Sackler Museum. Dar Dr Denman W. Ross. Fotografia President and Fellows of Harvard College; The Metropolitan Museum of Art. Rogers Fund, 1909; Musée du Louvre, Paris. Fotografia funkyfood London – Paul Williams/Alamy Stock Photo; **218** Fotografia Karol Kozlowski/ age fotostock/Superstock; **223** Los Angeles County Museum of Art. Dar Robert Blaugrund; **224** Fotografia Christophe Charon/Abaca Press/Alamy Stock Photo; **227** Cleveland Museum of Art. Kúpa od J. H. Wade Fund 1970.15; **228** Los Angeles County Museum of Art. Dar Nasli M. Heeramaneck; **231, 232, 235** Deutsches Archäologisches Institut; **234** Kunstmuseen Krefeld; **237** Museum of Dacian and Roman Civilisation, Deva. Fotografia DeAgostini/Superstock; **238** Fotografia robertharding/Alamy Stock Photo; **240** Fotografia Coroiu Octavian/Alamy Stock Photo; **243** Fotografia Targa/age fotostock/Superstock; **244, 248** Yale University Art Gallery, New Haven. The Yale-British School Excavations at Gerasa; **246 – 247** Fotografia Andrea Jemolo/Scala, Florence; **251** Newport Museum and Art Gallery; **252** Fotografia DeAgostini/G. Wright/Getty Images; **255** Fotografia DeAgostini/Getty Images; **256** The Jewish Museum, New York. Fotografia Godong/UIG/Shutterstock; **258 – 259** Fotografia Jane Taylor/Shutterstock; **261** (vľavo) Yale University Art Gallery, New Haven. Yale-French Excavations at Dura-Europos; **261** (vpravo) The Metropolitan Museum of Art. Rogers Fund, 1916; **263, 264, 265** Courtesy Michael J. Harrower. Fotografie Ioana A. Dumitru; **266** Fotografia Artushfoto/Adobe Stock; **269** Fotografia Kadir Kara/ Alamy Stock Photo; **271** Fotografia Jackson Groves/The Journey Era; **274** Fotografia DeAgostini/ Superstock.

Register

Venované Ludwikovi Dziurdzikovi

Philip Matyszak
Lost Cities of the Ancient World

Published by arrangement with Thames & Hudson Ltd,
London,
Lost Cities of the Ancient World © 2023 Thames & Hudson
Ltd, London
Text © 2023 Philip Matyszak
Maps by Martin Lubikowski
Translation © 2024 by Ladislav Holiš
Slovak edition © 2024 by IKAR, a.s.

**Rukopis prekladu tohto diela vznikol s finančnou podporou
Literárneho fondu.**

V knihe boli použité úryvky z nasledujúcich diel:
Albius Tibullus, Sextus Propertius, Publius Ovidius
Naso: *Ľúbostné elégie*. Prel. I. Šafár. Bratislava: Slovenské
vydavateľstvo krásnej literatúry, 1961, s. 70.
Gaius Secundus Plinius: *História prírody*. Prel. E. Vallová.
Bratislava: Perfekt, 2021, s. 134, 159.
Gaius Suetonius Tranquillus: *Životopisy rímskych cisárov*.
Prel. E. Šimovičová. Bratislava: Tatran, 1974, s. 190.
Herodotos: *Dejiny*. Prel. J. Špaňár. Bratislava: Tatran, 1985.
s. 140, 276.
Homéros: *Ílias*. Prel. M. Okál. Bratislava: Slovenský
spisovateľ, 1962, s. 204.
Korán. Bratislava: LEVANT consulting, 2015.
Plutarchos: *Životopisy slávnych Grékov a Rimanov I*. Prel.
D. Škoviera, P. Kuklica. Bratislava: Kalligram, 2008, s. 747.
Publius Cornelius Tacitus: *Agricola, Anály, Germánia,
Histórie*. Prel. J. Žigo, M. Paulinyová, J. Rovenská. Bratislava:
Tatran, 1980, s. 36.
Publius Ovidius Naso: *Umenie milovať/Lieky proti láske*.
Prel. V. Mihálik. Bratislava: Juga, 2011, s. 22.
Publius Vergilius Maro: *Eneida*. Prel. V. Bunčáková.
Bratislava: Tatran, 1969, s. 14.
Sväté písmo Starého i Nového zákona. Trnava: Spolok svätého
Vojtecha, 2001.

Z anglického originálu Lost Cities of the Ancient World
(Thames & Hudson Ltd, London 2023)
preložil Ladislav Holiš.
Redigovala Lenka Markóová.
Odborná redakcia Roman Mocpajchel.
Technická redaktorka Helena Oleňová.
Vydalo vydavateľstvo IKAR, a.s., Bratislava
roku 2024 ako svoju 8 033. publikáciu.
Prvé vydanie.
Sadzba a zalomenie do strán ITEM, spol. s r. o., Bratislava.
Vytlačil FINIDR, s. r. o., Český Těšín.

ISBN 978-80-551-9526-1

Fotografie na začiatku častí knihy:

Úvod
s. 8 Niké (Viktória) stojí na čele trirémy.
Pamätník z 3. storočia pred n. l. oslavuje
víťazstvo obyvateľov Kyrény (dnešná Líbya)
v námornej bitke.

Prvá časť
s. 12 Veľký chrám Amona v egyptskom
Karnaku. Fotografia zachytáva prvý z desiatich
pylónov (vchodov) vedúcich do komplexu,
ktorý patrí medzi najvzácnejšie archeologické
poklady Egypta.

Druhá časť
s. 76 Kolosálna socha egyptského boha Nílu
Hapiho ovinutá popruhmi tesne pred opatrným
vylovením na súš v zálive Abú Kir.

Tretia časť
s. 148 Trajánov oblúk v Timgade (Alžírsko).
Dvanásťmetrový monument má pripomínať
cisárovo založenie mesta. Neskôr ho skrášlili
ďalšími sochami vrátane skulptúry bohyne
Concordie, ktorú mestu podaroval neskorší
cisár Septimius Severus.

Štvrtá časť
s. 218 Javisko rímskeho Južného divadla
v Gerase (Jordánsko). Divadlo zohrávalo
dôležitú úlohu pri šírení antickej kultúry
v multietnickej Rímskej ríši.

Epilóg
s. 274 Sochy Demetry a Kóry (Persefony) stoja
uprostred ruín ich chrámu v Kyréne (Líbya).